LAWRENCE BLOCK

TETİKÇİ

KORİDOR YAYINCILIK - 108
ISBN: 978-605-4188-11-6

TETİKÇİ
Lawrence Block

Özgün Adı: *Hit and Run*

Yayın yönetmeni: Erdem Boz
Editör: Zübeyde Abat
Çeviren: Rabia Taş
Kapak uygulama: Yunus Karaaslan
Sayfa tasarımı: Adem Şenel
Baskı & Cilt: Umut Matbaacılık, (0212 544 11 82) İstanbul

1. baskı: Koridor Yayıncılık, İstanbul, 2009

KORİDOR YAYINCILIK
Telsiz Mah. 85. Sok. No.100
Dikilitaş-Zeytinburnu / İSTANBUL
Tel. : 0212 - 546 86 32 / 39 - 46 - 47
Faks. : 0212 - 546 86 64 / 65
E-posta : info@koridoryayincilik.com.tr

Genel Dağıtım: **YELPAZE DAĞITIM**
Tel. : 0212 546 86 57 Faks: 0212 546 86 64
E-posta : info@yelpaze.com.tr

LAWRENCE BLOCK

TETİKÇİ

Çeviren: Rabia Taş

1

Keller, iç cebinden çıkardığı pul maşası yardımıyla glasin zarf içindeki pulu dikkatlice dışarı çıkardı. Norveç'te üretilen ve ünlü Posthorn serisine ait olan bu pulun değeri 1 dolardan bile azdı; ancak zor bulunan bir parçaydı. Aslında Keller'ın koleksiyonundaki eksik parçalardan biriydi. Pula yakından baktı ve albüme yapıştırıldığı yerde bir incelme olup olmadığını görmek için ışığa tuttu. Pulu tekrar zarfa koydu ve satın almak üzere bir kenara ayırdı.

Pul satıcısı, uzun boylu ve son derece zayıf bir centilmendi. Yüzünün bir tarafı felçli olduğundan, ilk bakışta donmuş izlenimi uyandırıyordu. Yüzünün kullanabildiği diğer kısmıyla Keller'a gülümseyerek "Görmek istediğim tek şey, yanında kendi pul maşasını taşıyan bir müşteriydi. Sizi gördüğüm anda dükkanımda çok ciddi bir koleksiyoncuyu ağırladığımı anladım," dedi.

Pul maşalarını zaman zaman yanında taşıyan Keller, bu hareketin ciddi bir koleksiyoncu olmaktan ziyade hafızayla alakalı olduğunu düşündü. Keller, seyahate çıkarken 100 sayfalık kalın Scott kataloğunu mutlaka yanına alırdı. Bu katalogda, dünyada kullanılan ilk puldan (Penny Black, İngiltere – 1840) VI. George dönemi (1952) İngiliz Kraliyet pullarına kadar sayısız pul baskılarına yer verilmekteydi. Keller bu kataloğu sadece bir bilgi kaynağı olarak değil aynı zamanda koleksiyonuna eklediği her yeni pulun numarasını kırmızı daire içine aldığı bir kontrol listesi olarak taşırdı. Katalog her zaman yanındaydı. Çünkü o olmadan pul almasına imkan yoktu. Pul maşaları faydalıydı; ancak vazgeçilmez değillerdi. Gerektiğinde pul satıcılarından ödünç alınabilirdi. Seyahate çıkmadan önce eşyalarını hazırlarken pul maşalarını unutmak işten bile değildi. Üstelik herhangi bir maşayı rasgele cebine tıkıştırmak ya da çantanın içine atmak da uygun olmazdı. Özellikle uçakla seyahat edecekse, havaalanındaki güvenlik görevlisi maşaya el koyabilirdi. Yanında pul maşasıyla dolaşan bir terörist. Terörist neden böyle bir silah taşısın ki? Uçuş görevlisini rehin alıp, kaşlarını yolmakla mı tehdit edecekti?

Bu kez maşanın yanında olması oldukça ilginçti. Çünkü neredeyse kataloğu bile yanına almayacaktı. Böylesi özel bir müşteri için daha önce de çalışmış ve iş için gittiği Albuquerque'de valizlerini açacak vakit dahi bulamamıştı. Dikkatli davranarak kendisine üç farklı motelde oda tutmuş, belirli aralıklarla üçüne de giriş yaptırmıştı. Aynı gün içinde işini tamamlayıp, aceleyle New York'a döndüğü için hiçbirinde kalamadı. Eğer bu iş de hızlı ve pürüzsüz bir şekilde biterse, pul almaya zaman bulamayabilirdi. Üstelik Des Moines'de pul satıcısı olup olmadığını dahi bilmiyordu.

Keller'ın haftada 1 ya da 2 dolara pul satın alabildiği gençlik yıllarında, Des Moines'de de çok sayıda pul satıcısı olabilirdi. Çünkü o dönemlerde pul satıcılarını hemen her yerde görmek mümkündü. Pul koleksiyonculuğu varlığını sürdürmeye devam etse de pul satıcıları bir bir ortadan kalkmaya başladı. Bu mesleği koruma altına alma çabaları da büyük oranda başarısızlıkla sonuçlandı. Pul satışları internet üzerinden ya da posta yoluyla yapılmaya başlandı. Dükkanlarda satış yapmaya devam edenler ise potansiyel müşterilerden çok potansiyel pul satıcılarını hedef almaya başladı. Pullar hakkında hiçbir bilgisi olmayan ya da pullarla ilgilenmeyen insanlar her gün bu dükkanların önünden gelip geçer; ancak bir yakınları vefat ettiğinde ondan kalan pul koleksiyonunu satmak için bu dükkanlara uğrardı.

James McCue adındaki bu satıcının dükkanı ise Urbandale şehri, Douglas Bulvarı'ndaki evinin ön tarafa bakan bir odasıydı. Urbandale şehri Keller'a oldukça garip gelmişti. Çünkü burası ne tam bir şehir ne de tam bir kırsal yerleşim yeriydi. Ancak yaşanabilecek kadar şirin bir yerdi. Cumbalı ve verandalı bir yapı olan McCue'nun evi yetmiş yıllık eski bir binaydı. McCue, bilgisayar başında oturuyordu. Keller, adamın işlerinin büyük bir bölümünü buradan yürüttüğünü düşündü. Sesi son derece az gelen radyodan asansör müziğini andıran bir melodi duyuluyordu. Dükkanın huzur veren bir havası vardı ve etraftaki dağınıklık insana rahatlık veriyordu. Keller diğer Norveç pullarına da baktı ve içlerinden birkaç tane daha seçti.

"İsveç pullarına ne dersiniz? Elimde birkaç güzel parça var," diye önerdi McCue.

"Elimde yeterince İsveç pulu var. Şu anda ihtiyacım olanlara da param yetmez," dedi Keller.

"Anlıyorum. Peki 1 ve 5 numara arası parçalara ne dersiniz?"

"Diğer üç turuncu parça gibi onlar da bende yok." la ile numaralandırılan pulun rengi oldukça ilginçti. Mavi-yeşil değil turuncuydu. Büyük ihtimalle eşsiz bir parçaydı. Bu örnek birkaç yıl önce 3 milyon dolar karşılığında el değiştirmişti. Belki de 3 milyon euro karşılığındaydı; Keller tam olarak hatırlayamadı.

McCue "Bunlar sizde yok mu? Şu anda 1 ve 5 numara arası parçalar elimde mevcut ve fiyatları da oldukça makul," dedi. Keller konuyla ilgilendiğini gösterircesine kaşlarını kaldırdığında ekledi: "Orijinal yeni baskı pullar. Yeni basım, temiz işçilik ve çok ince bir zımba baskısı. Katalogda parça başı fiyatı 375 dolar olarak belirtilmiş. Bakmak ister misiniz?"

Cevabı beklemeden bir dosya çıkardı ve dosyadan aldığı numara ile bir stok kartı getirdi. Pulların beşi de şeffaf plastikten koruyucu bir kabın ardında duruyordu.

"Rahatınıza bakın. Dikkatlice inceleyin. Çok güzeller, değil mi?"

"Çok güzel."

"Kataloğunuzdaki boş yerleri bunlarla doldurabilirsiniz ve inanın ki pişman olmazsınız."

Keller'a göre satıcının bu pulların orijinalini bulması oldukça düşük bir ihtimaldi. Ancak bulsa dahi, bu yeni baskı pullar Keller'ın kataloğunda olmayı hak edecek kadar güzellerdi. Fiyatlarını sordu.

"Bütün set için 750 dolar istiyordum ama size 600 dolara bırakırım. Böylece beni kargo sıkıntısından kurtarmış olursunuz."

"Eğer 500 dolara bıraksaydın, hiç düşünmeden alırdım," dedi Keller.

"İstediğiniz kadar düşünebilirsiniz. 600 doların altına düşmem imkansız. Eğer size kolaylık sağlayacaksa, ödemeyi kredi kartıyla yapabilirsiniz," dedi McCue.

Kredi kartı elbette kolaylık sağlardı; ancak Keller bu yöntemi kullanmak istediğinden emin değildi. Kendi adına düzenlenmiş bir American Express kartı vardı. Fakat bütün bu yolculuk boyunca kendi adını hiç kullanmamıştı ve bir süre daha kullanmasa iyi olurdu. Keller'ın elinde bir de Visa kart vardı. Bu kartla Hertz'den bir Nissan Sentra kiralamış ve Days Inn oteline de ödeme yapmıştı. Kart, Holden Blankenship adına düzenlenmişti. Connecticut sürücü belgesinin üzerinde de bu isim yer alıyordu.

İsmin başına J. Harfi eklenmişti ki bu ilave Keller'ı dünya üzerindeki diğer tüm Holden Blankenship'lerden ayırıyordu.

Kredi kartları ve sürücü belgeleri konusunda uzman olan Dot'a göre bu sürücü belgesiyle güvenlik kontrolünü rahatlıkla aşabilir; kredi kartı ile de birkaç haftayı sorunsuz geçirebilirdi. Kimse ödeme yapmayacağı için, kredi kartı ile yapılan tüm harcamalar er ya da geç karşılıksız çıkacaktı. Konu Hertz, Days Inn ya da American Airlines olduğunda Keller hiçbir rahatsızlık duymuyordu. Ancak bu dünyada yapmak isteyeceği en son şey, bir pul satıcısını dolandırmaktı. Aslında dolandırmış olmazdı. Çünkü kredi kartı şirketi, satıcının zararını karşılardı. Yine de bu fikir hiç hoşuna gitmedi. Hobisi hayatında temiz kalan tek sayfaydı ve her şeyden üstündü. Eğer pulları alıp sahte bir kredi kartı ile ödeme yaparsa, pulları çalmış olacaktı. Bu noktada James McCue'yu mu yoksa Visa'yı mı dolandırdığının hiçbir önemi yoktu. Pul kataloğunun İsveç sayfasında çalıntı yeni baskı ya da orijinallere değil de parasını ödediği pullara yer verme düşüncesi çok daha güzeldi. Eğer ödeme konusunda dürüst olamıyorsa, onları almamayı tercih ederdi.

Dot, Keller'ın bu durumuna zeki ve yerinde bir cevap verebilirdi ya da en azından gözlerini devirirdi. Oysa Keller koleksiyoncuların onu anlayacağından emindi.

Peki yeterince nakit parası var mıydı?

Herkesin içinde kontrol etmek istemediği için tuvaleti kullanmak istedi. Kahvaltıdan sonra içtiği onca kahvenin ardından hiç de kötü bir fikir değildi. Cüzdanındaki parayı hesapladı. Toplam 800 doları vardı. Eğer pulları alırsa, elinde sadece 200 dolar kalacaktı.

Pulları gerçekten istiyordu.

İşte pul koleksiyonculuğunun zor tarafı da budur. İsteklerin sonu gelmez. Eğer ilginç taşlar, eski gramofonlar ya da herhangi bir sanat eseri koleksiyonu yapıyor olsaydı; onları koyacak yer kalmadığı için almaktan vazgeçebilirdi. Tek odalı dairesi, zorlu New York koşullarına kıyasla oldukça genişti. Ancak bir tablo koleksiyoncusu olarak, birkaç tablodan sonra duvarında yer kalmayacağı için bu hevese bir son verecekti. Oysa bütün pulları on albümde toplamıştı ve albümlerin tamamı kitaplığın bir rafı kadar yer kaplıyordu. Oysa hayatının geri kalanında milyonlarca dolar harcayarak pul satın alabilir; yine de kitaplığın tüm raflarını dolduramazdı.

Des Moines'de yapacağı iş karşılığında alacağı para ile pekala 600 doları karşılayabilirdi. Ayrıca McCue'nun fiyatları da son derece uygundu. Bütün bir seti neredeyse üçte biri fiyatına bırakıyordu. Sırf bu yüzden bile kataloğunu tamamlayacak bu parçaları seve seve alabilirdi.

Elindeki nakit paranın bitmesi bu kadar önemli miydi? En fazla üç gün içinde Des Moines'den ayrılacaktı. Gazete ve kahve dışında nakit ödeme yaparak alması gereken ne vardı? Havaalanından eve gitmek için taksi tutsa, 50 dolar ödemesi gerekecekti. Hepsi bu.

Cüzdanından 600 dolar çıkardı ve iç cebine koyarak son bir kez pullara bakmak üzere içeri döndü. Artık hiç kuşkusu yoktu; bu bebekler Keller'la birlikte eve gidiyordu.

"Diyelim ki nakit ödeyeceğim. İndirim yapar mısın?" diye sordu.

"Bu günlerde nakit ödeyenlerin sayısı iyice azaldı," diyen McCue'nun yüzünün bir tarafı gülümserken, diğer tarafı dondurulmuş gibi ifadesiz bakmaktaydı.

"Eğer valiye söylemezseniz, sizden satış vergisi almayız. Ne dersiniz?"

"Dudaklarım mühürlüdür."

"Seçtiğiniz Norveç pullarını da hesaba dahil ediyorum. Hepsi toplasanız 10 dolar eder."

"Aslında 6 ya da 7 dolar eder."

"Bu para ile bir hamburger yersiniz. Tabii yanında patates kızartması istemezseniz. Norveç pullarından para almadığımı varsayarak, toplam hesabınız 600 dolar diyelim. Anlaştık mı?"

Keller ödemeyi yaptı. McCue parayı sayarken; Keller da pulların tam olup olmadığına bakıyordu. Pulları ve maşayı iç cebine yerleştirip, kataloğunu toplamaya çalışırken McCue'nun sesi duyuldu. "Lanet olsun! Kimse yerinden kıpırdamasın!"

Yoksa paralar sahte miydi? Keller bir yandan öylece durup beklemekte, bir yandan da sorunun ne olduğunu çözmeye çalışmaktaydı. McCue radyoya doğru ilerdi ve radyonun sesini açtı. Müzik yayını kesilmişti. Sesinden son derece şaşkın olduğu anlaşılan spiker bir son dakika haberini sunuyordu. "Lanet olsun!" dedi McCue tekrar. "İşte şimdi her şey mahvoldu!"

2

Dot, telefonun başında olmalıydı. Çünkü daha ilk çalışında telefonu açıp, "O sen değildin, değil mi?" diye sordu.

"Tabii ki ben değildim."

"Ben öyle düşünmemiştim. CNN'de gösterilen fotoğraf, bize gönderdiklerine hiç benzemiyor,"

Keller cep telefonunda konuşuyor olmaktan son derece tedirgindi. Teknoloji gelişiyor; konuşmalar bir kayda alınıp, tüm bilgiler anında yetkililerin eline ulaşıyordu. Eğer cep telefonu ile görüşülüyorsa, arama yaptığın yer kısa sürede tespit edilebilirdi. Fare kapanları gittikçe daha profesyonel olmaya başlamıştı ve bu nedenle farelerin çok daha uyanık olması gerekiyordu. Keller son dönemlerde kabul ettiği her iş için batı yakasındaki 23. Cadde'de bulunan bir mağazadan nakit ödeme yaparak iki cep telefonu satın alıyor ve her defasında farklı bir isim ve adres kullanıyordu. Telefonlardan birini Dot'a veriyor, diğeri de kendisine kalıyordu. Bu telefonlardan sadece birbirlerini arıyorlardı. Birkaç gün önce Dot'ı aramış ve Des Moines'e ulaştığını bildirmişti. Aynı günün sabahı erken saatlerde tekrar arayarak ondan en azından bir gün daha beklemesini istediklerini söylemişti. Oysa Keller adamı vurup çoktan eve dönmüş olacaktı.

Şimdi aramasının sebebi ise birilerinin Ohio valisini öldürmüş olmasıydı. Ohio Eyalet Üniversitesi'nin Archie Griffin'den sonra gördüğü en iyi savunma oyuncusu olan John Tatum Longford, Bengals takımı ile yapılan maçta dizini sakatladıktan sonra hukuk fakültesine kaydoldu ve Columbus şehrinde bulunan Parlamento Binası'nda ilk siyahi vali olarak göreve başladı. Ancak vali Longford vurulduğunda Columbus'ta ve hatta Ohio sınırları içinde bile değildi. Vali, başkanlığa yakın bir isimdi ve önemli eyaletlerden biri olan Iowa'ya gittiğinde Ames şehrine geçmeden önce Iowa Eyalet Üniversitesi'nde öğrencilere ve fakülte üyelerine bir konuşma yaptı. Vali konuşmanın ardından ekibiyle birlikte Des Moines şehrine gitti ve geceyi Iowa valisinin misafiri olarak Terrace Hill otelinde geçirdi. Ertesi gün sabah saat 10:30'da bir lisenin konferans salonunda boy gösterdi ve öğle saatlerinde Rotary kulübünde bir yemek davetine katıldı. Daha sonra da vurulma olayı yaşandı ve hastaneye kaldırıldı. Ancak hastaneden yapılan açıklamaya göre, henüz yoldayken hayatını kaybetmişti.

"Benim ilgilenmem gereken adam beyazdı," diyen Keller Dot'a açıklama yapmaya devam ediyordu. "Tıpkı fotoğrafta görüldüğü gibi kısa boylu ve şişmandı,"

"Fotoğraf vesikalık değil miydi? Kısa boylu ya da şişman olduğunu nereden bilebilirsin ki?"

"Adamın gerdanı kat kat olmuştu."

"Adamın beyaz olduğuna eminsin, öyle mi?"

"Adım gibi eminim. Yüzü tıpkı bir bulut gibi bembeyazdı."

"Öyle mi dersin? Neyse, boşver. Şimdi ne yapacaksın?"

"Bilmiyorum. Adamı daha dün sabah gördüm ve üstüne çullanacak kadar yakındım."

"Neden böyle bir şey yapmak isteyesin ki?"

"Demek istediğim, bu işi çoktan halledip eve dönmüş olabilirdim. Neredeyse halledecektim, Dot. Silahla ya da ellerimle. Beklemem gerektiği söylendi. Ama düşündüm de beklenecek ne vardı ki? Adamları kızdırmış olurdum ama en azından buradan uzaklaşmış olacaktım. Şimdi kimliği henüz tanımlanamayan bir katil avının tam ortasındayım. Tabii son birkaç dakikada haberlerde adamın kimliği ile ilgili herhangi bir bilgi verilmediyse."

"Ben izlemedeyim. Henüz bir bilgi yok. Belki de hemen eve dönmelisin."

"Bunu da düşündüm ama havaalanındaki güvenlik ne durumdadır bir düşünsene."

"Hayır, sakın deneme bile. Araba kiralamıştın değil mi? Arabayla Chicago'ya kadar gelip, oradan uçağa binebilirsin belki."

"Belki."

"Buraya kadar arabayla da gelebilirsin. Hangisi senin için daha uygun olacaksa, kararını ona göre verirsin."

"Sence yollarda çevirme yaparlar mı?"

"Bunu hiç düşünmemiştim."

"Adamı ben öldürmedim ama elimdeki kimlik sahte. Eğer birinin dikkatini çekerse..."

"İşte bu hiç iyi olmaz!"

Keller bir süre durdu ve düşündü. "Bunu yapan pisliği muhtemelen birkaç saat içinde yakalarlar. Hatta büyük ihtimalle teslim olmamak için direnirken öldürülür."

"Bu da birilerinin başına geleceklerden tamamen kurtulması anlamına gelir."

"Cinayeti benim işlediği mi düşünüyorsun?"

"Senin yapmadığını biliyorum."

"Elbette ben değilim. Böyle bir işe asla bulaşmam. Ne kadar öderlerse ödesinler, ünlü birini vurmayı asla kabul etmem. Çünkü o parayı harcayacak kadar uzun yaşaman mümkün değildir. Polisler öldürmezse, işi veren adamlar öldürür. Çünkü arkalarında kanıt bırakmak istemezler. Ne yapacağım biliyor musun?"

"Ne?"

"Buradan bir yere ayrılmayacağım."

"Ve ortalık durulana kadar bekleyeceksin."

"Fazla uzun sürmez. Birkaç gün içinde ya adamı yakalarlar ya da ellerinden kaçırdıklarını kabul ederler. İnsanlar da Des Moines'de olup bitenler hakkında konuşmaktan vazgeçer."

"Sen de o zaman eve dönersin."

"Her şey böyle giderse, elimdeki işi tamamlayabilirim. Belki de tamamlamam. Parayı geri vermek benim için dert değil."

"Belki de hayatımda ilk kez ben de böyle düşünüyorum. Aslında her şey adil."

"Bu ne demek şimdi?"

"Hep düşünmüşümdür. Bir söz verirsin, koşullar sağlanır ve parayı alırsın. Ayrıca bu da senin son işin."

"Bu işi almadan önce de bu şekilde konuştuk zaten."

"Biliyorum."

"Eğer bu işte canını sıkan bir şeyler olduysa, bunu çok önceden söylemen gerekirdi."

"Birkaç dakika öncesine kadar canımı sıkan hiçbir şey yoktu," dedi Keller. "Ama radyoda çalan 'The Girl with Emphysema' şarkısı son dakika haberlerine dönüşünce, benim de fikrim değişti."

"Ipanema."

"Efendim?"

"Şarkının adı 'The Girl from Ipanema', Keller."

"Ben de öyle söyledim."

"Sen 'The Girl with Emphysema' dedin."

"Emin misin?"

"Neyse, boşver."

"Neden öyle söyleyeyim ki?"

"Tanrı aşkına boşver dedim ya!"

"Ben bu tür hatalar yapacak bir insan değilim."

"Ben yanlış duymuş olmalıyım Keller. Mutlu musun şimdi? Sanırım epey gevezelik yaptık ama ne sakıncası var ki? Hadi şimdi odana dön ve olayların çözülmesini bekle."

"Evet, bekleyeceğim."

"Eğer herhangi bir şey olursa..."

"Sana haber veririm," dedi Keller.

Telefonu kapattı. McCue'nun dükkanından ayrıldıktan sonra marketin önüne park ettiği kiralık Nissan'ın direksiyon başında oturuyordu. Yeni aldığı pulları bir zarfa koymuş ve ceketinin cebine yerleştirmişti. Diğer cebinde de pul maşası vardı. Yanından ayırmadığı Scott kataloğu ise yandaki koltuğun üzerindeydi. Cep telefonu hâlâ elindeydi. Bir ara cebine koydu ama tekrar geri çıkardı. Tam tekrar arama tuşunu bulmaya çalışıyordu ki telefon çaldı. Arayanın kim olduğu görünmüyordu ama bu telefondan arayabilecek sadece bir kişi vardı.

Telefonu açtı ve "Ben de seni aramak üzereydim," dedi.

"Çünkü sen de benim düşündüğümü düşündün."

"Sanırım. Hepsi bir tesadüf de olabilir aslında..."

"Ya da değildir."

"Haklısın."

"Aslında son dakika haberini aldığımızdan beri ikimiz de aynı şeyi düşünüyoruz, Keller."

"Sanırım haklısın. Şimdi fark ediyorum da sanki bütün bu olanları başından beri biliyordum."

"Hem de günü gününe. Longford ismi haberlerde duyulmadan önce de bir şeylerin ters gittiğinin farkında mıydın?"

"Her zaman farkındaydım."

"Gerçekten mi?"

"Özellikle son günlerde. Bu yüzden işi bir an önce bitirip dönmek istedim. Indianapolis'i hatırlıyorsun değil mi? Planları hedefi yakaladığım anda beni öldürmekti. Arabama bir dinleme cihazı yerleştirmişlerdi ve bu sayede beni her gittiğim yerde yakalayabileceklerdi."

"Evet, hatırlıyorum."

"Eğer o ikisini konuşurlarken duymasaydım..."

"Biliyorum."

"Bir de Al için kabul ettiğim iş var. Alberquerque işi. O kadar paranoyak olmuştum ki üç farklı isimle üç farklı motelde oda ayırtmıştım."

"Hatırladığım kadarıyla hiçbirinde de kalmamıştın."

"Hiçbir yerde kalmadım. İş biter bitmez eve döndüm. Çoğunlukla her şey yolunda gidiyor, Dot, ama ben güven sorunu yaşayan bir adamım. Pek çok önlem alırım ve her birinin üzerinden defalarca geçerim. Kendimi rahat hissettiğim anda da birileri çıkar ve Ohio valisini vurur."

Dot bir süre sessiz kaldıktan sonra "Dikkatli ol Keller," dedi.

"Benim de niyetim bu zaten."

"Kendini güvende hissedene kadar, olduğun yerde kal. Bunun bir tuzak olduğuna dair en ufak bir kuşkun varsa, işi bir kenara bırak ve hiçbir şey yapma."

"Pekala."

Dot, "Beni durumdan haberdar et," dedi ve kapattı

3

Her şey bir tuzak mıydı?

Ertelemelerin sebebi buydu demek. Oysa Keller'ın yaptığı araştırmalara göre Ohio ya da herhangi bir eyaletin valisi olmayan kısa boylu, şişman beyaz adam hiç de zor bir hedef değildi. Des Moines'e indiğinde Keller'ı karşılayan adam onu Des Moines'in batısında Holiday Park yakınlarında bir yerleşim yerine getirmişti. Geniş yüzü ve kulaklarındaki kıllarla dikkat çeken bu iri yarı adam, son derece simetrik çalıların arkasında uzanan çiftlik evinin önünden geçerken yavaşlamıştı. Çiftliğin bahçesinde bermuda şortu ve bol tişörtüyle çimleri sulayan bir adam vardı.

"Bu adamdan başka herkes, bahçesine bir sulama sistemi yaptırıp köşesine çekilir. Oysa bu pislik herif öylece durup çimleri sulamayı tercih ediyor. Sanırım her şey kendi kontrolünde olsun istiyor."

"Olabilir," dedi Keller.

"Tıpkı resimdeki gibi, değil mi? İşte adamın burada. Artık nerede yaşadığını biliyorsun. Şimdi de gidip ofisini görelim."

Des Moines'in merkezine geldiklerinde şoför arabayı on katlı bir binanın önünde durdurup, Gregory Dowling adlı hedefin bu binanın altıncı katında bir ofisi olduğu söyledi. "Adamı burada vurmak için deli olman gerekir. Gördüğün gibi etraf insan kaynıyor ve binanın da kendi güvenlik elemanları var. Ayrıca işin bittiğinde buradaki trafik sıkışıklığında kaçman son derece zor olacaktır. Evine git, herifi çimleri sularken yakala ve hortumu boğazından içeri öyle bir sok ki nereden çıkacağını tahmin edebilirsin sanırım."

"Kolay iş," dedi Keller.

"Artık adamın nerede yaşadığını ve nerede çalıştığını biliyorsun. Şimdi seni evine bırakma zamanı dostum."

Ev mi?

"Seni buraya yerleştireceğiz, Laurel Inn oteli. Çok lüks bir yer değil ama bir döküntü olduğu da söylenemez. İçeride güzel bir havuz ve kafe var. Ayrıca yolun karşısındaki Denny's restoranından da sipariş verebilirsin. Buraya giriş çıkışın kolay, o yüzden acele etmen gerektiğinde zorluk yaşamazsın. Her türlü ödeme yapıldı. Cebinden beş kuruş harcamayacaksın. Oda servisinden istediğini alabilirsin. Patronun ikramı."

Uzaktan bakıldığında güzel bir yere benziyordu. Park yerinde durduklarında iri yarı adam Keller'a bir anahtar uzattı. Anahtarın üzerinde otelin adı ve oda numarası yazıyordu. 204 numaralı oda.

"Bana adını söylemediler," dedi adam.

"Bana da senin adını söylemediler."

"Bilmemize gerek yok diyorsun yani. Peki, öyle olsun. Otele Leroy Montrose adıyla giriş yapıldı. Benim hiçbir kabahatim yok, ismi ben seçmedim dostum."

Adamın saç kesimi oldukça düzgündü. Keller, berberin adamın kulaklarındaki tüyleri neden kesmediğini merak etti. Aslında takıntılı bir insan değildi ama nedense gözlerini adamın kulaklarından ayıramıyordu.

"Leroy Montrose, 204 numaralı oda. Hiçbir ödeme yapma, sadece isminin yanına bir imza at. İsmin Leroy unutma. Ne olduğunu bilmiyorum ama eğer gerçek isminle imzalayacak olursan adamlar sende bir tuhaflık olduğunu düşünecektir."

Keller hiçbir şey söylemedi. Belki de adamın kulaklarındaki kıllar anten görevi görüyordu ve bu kıllar sayesinde ona kendi gezegeninden sinyaller gönderiliyordu.

"Burada olman çok iyi dostum; ancak gidip işini tamamlamadan önce bir süre beklemen gerekebilir," dedi adam.

"Öyle mi?"

"Bu iş gerçekleştiğinde bu şehirden uzakta olmak isteyen biri var, anlıyor musun? Ayrıca birkaç konu daha var, artık nasıl kabul edersen. Bu yüzden senden mümkün olduğunca odanda takılmanı ve aradığımız zaman kolay ulaşılabilecek bir yerlerde olmanı istiyoruz. Sana şimdi git ya da gitme diyeceğiz. Söylediklerimi takip edebiliyor musun?"

"Tıpkı gündüzün geceyi takip etmesi gibi," dedi Keller.

"Öyle mi? Güzel laf dostum. Unuttuğum bir şey var mı diye düşünüyorum. Ah, evet. Torpido gözünü açsana. Oradaki kağıt torbayı görüyor musun? Şimdi al onu."

Oldukça ağırdı. İçinde ne olduğunu anlamak için paketi açmasına gerek yoktu.

"İkisi de orda Leroy. Sana Leroy dememde bir sakınca yok değil mi?"

"Rahat ol."

"İkisini de incele ve istediğini al. Acele etmene gerek yok, istediğin kadar düşünebilirsin."

Elbette ki pakette silahlar vardı. Biri tabanca diğeri de revolverdi. Keller ne silahları elinde çok fazla tutmak ne de zor beğenen biri gibi görünmek istiyordu. Tabancayı tutmak çok rahattı ama tutukluk yapabilirdi. Bu yüzden revolver daha avantajlıydı.

Peki Keller bunlardan birini almak istiyor muydu?

"Silah kullanmak istediğimden emin değilim," dedi.

"Hortumu herifin boğazına tıkma fikrini gerçekten sevdin galiba. Yine de seçeneklerini bol tutmak isteyebilirsin. İkisi de dolu. Bir yerlerden yedek şarjör bile aldım. İstersen revolveri daha sonra bir kutu içinde gönderebilirim."

"Belki de her ikisini de almalıyım."

"İki elinde silahla adamın üstüne mi yürüyeceksin? Hiç sanmıyorum. Bana bir şarjör adamı gibi göründün dostum."

Bu, Keller'ın revolveri seçmesi için yeterli bir nedendi. Revolverin topunu kontrol etti. İçinde dört mermi vardı ve bir hazne de boştu. Bir an silahı yanındaki adama doğrultup ateşlemeyi düşündü. Sadece adamın kafasını uçurmak ve ilk uçakla New York'a dönmek istiyordu.

Fakat bunun yerine kendisine uzatılan şarjörü ve revolveri alıp, cebine koydu.

Yüzünde büyük bir gülümsemeyle "Iskalamazsın değil mi?" dedi. "Profesyonel, her yerde profesyoneldir. Bu arada unutmadan cep numaranı almam gerek."

Doğru. Keller, adama cep telefonu olmadığını söylemişti. Adam da kendi ceplerini karıştırdı ve bulduğu bir telefonu Keller'a verdi. "Böylece seni arayabiliriz. Bir şeyler yemek için Denny's restorana giderken telefonu yanına almayı unutma. Oranın yemeklerine bayılırım. Söyle sana da çavdar ekmeği getirsinler. İşte o zaman her şeyin tadı bambaşka oluyor."

"Tavsiye için teşekkürler."

"Hiç sorun değil. Şimdi gelelim araba konusuna. Arabanda hiçbir sorun olmamalı. Depo tamamen dolu. İçindeki benzinle üç bin kilometre yol gidebilirsin."

"İşte bu çok güzel."

Aslında araba ile ilgili pek çok sorusu vardı. Koltukları nasıl ayarlanıyordu, farlardan birinde bir sorun mu vardı yoksa Keller'a mı öyle geliyordu? Üzerinde durmadı. Adam anahtarı kontaktan çıkardı ve Keller'a uzattı. Keller da adama eve nasıl gideceğini sordu.

"Eve gitmek mi? Eve gidersem karımla uğraşmak zorunda kalırım. Başka bir yere gitmeyi tercih ederim dostum."

"Demek istediğim..."

"Ne demek istediğini biliyorum. Şurada duran emektar Monte Carlo'yu görüyor musun? Beni bekliyor. Şimdi istersen resepsiyona uğrayabilirsin. Bence gerek yok. 204 numaralı oda ikinci katta. Dışarıdaki merdivenleri kullanarak da çıkabilirsin."

Keller, bir elinde valizi ve cebinde silahıyla merdivenleri çıkarak odasına ulaştı. Anahtarı deliğe soktu ve dönüp yolda duran Monte Carlo'ya baktı. Yerinden kıpırdamamıştı. Kapıyı açtı ve içeri girdi.

Oldukça güzel bir odaydı. Güzel bir televizyon seti ve büyük çift kişilik bir yatak vardı. Duvardaki lekeler, görmezden gelinecek kadar belirsizdi. Havalandırma odayı soğutmuştu ama Keller dokunmadı. Beş dakika boyunca sandalyede oturdu ve sonra perdeyi çekerek camdan dışarı baktı. Monte Carlo gitmişti.

Yarım saat sonra Denny's restoranına gitmiş ve çantasını da karşısındaki koltuğa bırakmıştı. İyi kızarmış patateslerin yanında çavdar ekmeğinden yapılma bir hamburger yedi. Tadı gerçekten de mükemmeldi. Kahveleri Starbucks'ı piyasadan silecek kadar güzel değildi ama Keller için ikinci fincanı sipariş edecek kadar iyiydi.

Peki bütün bu olanlar ne kadar zordu? Adam ona bir öneride bulunmuştu. Keller da bu öneriyi dinleyerek bir yemek yemiş ve yemekten son derece memnun kalmıştı. O halde adamın her dediğini dinleyerek, programı beklemeye almak ne kadar kötü olabilirdi ki?

Ama hayır. Yediği yemek, programda izleyeceği en son öneriydi. Adamlar işi kolaylaştırmaya çalışıyordu; oysa iş zor olmalıydı. Merkezde bir otelde temiz bir oda ayırtmışlardı, fakat Keller tuvaleti bile kullanamazdı. Çünkü DNA'sından izler bırakmak istemiyordu. Odada bırakmak istediği tek şey, adamın ona verdiği cep telefonuydu. Telefonu kapatmalı, üzerindeki parmak izlerini temizlemeli ve tam ortaya denk gelecek şekilde devasa yatağın altına atmalıydı. Silahı da orada bırakmak istedi ama onu bir süre daha yanında taşımaya karar verdi. Bu yüzden silahı çantasına kaldırdı.

Onun için tahsis edilen arabaya gitti. Dokunmuş olabileceği yerleri temizledi. Kumanda ile arabayı kilitledi. Anahtarı da bir çöp variline attı. Arabanın anahtarlarından yola çıkarak Keller'a ulaşabilirler miydi? Emin değildi. Son dönem teknolojisi ile herkesin her şeyi yapabileceğine inanıyordu. Bugün olmasa bile yarın ona ulaşabilirlerdi. Bu yüzden hem arabanın hem de odanın anahtarlarını atmamak için herhangi bir sebep göremiyordu.

Caddenin karşısındaki Denny's restoranına giderek hamburger ve patates kızartması yedi. İki fincan kahve içti ve erkekler tuvaletinin yanındaki ankesörlü telefonu kullanarak bir taksi çağırdı. "Havaalanına gideceğim," dedi ve adamlar ondan isim istediklerinde Denny's restoranın önünde taksi bekleyen tek kişinin o olacağını söylemek istedi. Fakat isminin Eddie olduğunu söyledi. Hattın öteki ucundaki kadın; "Taksi on dakika içinde orada olacaktır Eddie," dedi ve taksi tam sekiz dakika sonra geldi.

Hertz'de çalışan kız, Holden Blankenship adlı bu adama bir Nissan Sentra kiraladığı için çok mutluydu. Havaalanının bagaj teslim bölümündeki telefonlardan birini kullanarak Days Inn otelini aradı ve son derece kibar bir konuşma ile kendisine bir oda ayırttı. Oraya vardığında odası çoktan hazırdı. Eşyalarını yerleştirdi, duş aldı, televizyonu açıp kanallara şöyle bir göz gezdirdi. Sonra televizyonu kapatarak yatağa uzandı. Birden yattığı yerden kalktı ve 204 numaralı odada yanlış cep telefonunu bıraktığını düşündü.

Hemen kendi telefonunu buldu. Telefon gayet normal görünüyordu; ancak aldığı günden beri ona hiç dikkatli bakmamıştı. Bu yüzden içinden bir ses bunun Bay Kulak Kılı'nın ona verdiği telefon olabileceğini söylüyordu.

Telefonu açtı ve tekrar arama tuşuna bastı. İki kez çaldıktan sonra Dot telefonu açtı. Keller, kızın sesini duyduğunda tamamen rahatladı. Birkaç dakika konuştular ve Keller olan biten her şeyi anlattı.

"Şu anda bekleme halindeyim ve sanırım işleri olması gerekenden çok daha karmaşık bir hale getirdim. Adamlar işin ne zaman yapılacağını bana bildireceklerdi ama şu anda bana ulaşmaları imkansız."

"Eğer yatağın altına attığın telefon çalarsa, etraftakiler bu sesi duymaz mı?"

"Telefon kapalıysa duymaz. Bana bırakılan mesajları almak için resepsiyona uğramam gerekecek."

"Belki de sana dişindeki dolgular aracılığıyla sinyal gönderirler."

"Eğer biraz daha paranoyak olsaydım, emin ol bundan bile şüphe edebilirdim. Kendime koruyucu bir kalkan oluşturmam gerekiyor."

"Bu söyleyeceklerime gülebilirsin ama adamlar işlerini tıpkı bir büyücü gibi yürütüyorlar," dedi Dot.

Günler geçti. Keller, Laurel Inn otelini düzenli olarak aradı ve kendisine bir mesaj bırakılıp bırakılmadığını sordu. Üçüncü gün, resepsiyondaki adam bir telefon numarası verdi ve bu numarayı araması gerektiğini söyledi. Numarayı çevirdi ve karşısındaki bu yabancı ses ona adını sordu. "Leroy Montrose," dedi Keller. "Bu numarayı aramam istenmiş."

"Beklemede kalın," diyen yabancı sesin ardından telefona kulak kıllarıyla dikkat çeken o iri ayarı adam geldi. "Kontrol edilmesi zor bir adamsın, Leroy. Ne telefonuna cevap veriyorsun ne de sesli mesajlarını kontrol ediyorsun."

"Bana bozuk telefon vermişsin, dostum. Üstelik şarj aleti de yok. Odayı ararsın diye düşünmüştüm."

"Tanrı aşkına, yemin ederim ki..."

"Sanırım günde birkaç kez bu numarayı arayabilirim ve bu sayede irtibatta kalırız. Ne dersin?" dedi Keller.

Adam Keller'a yeni bir telefon ve şarj aleti getirmek istedi ama Keller adamı vazgeçirmeyi başardı. Her sabah ve öğleden sonra bu numaradan arayarak adama ulaşacaktı. Hatta geceleri yatmadan önce de arayacaktı. Kapatmadan önce son derece soğuk bir ses tonuyla bu işin çok uzamayacağını umduğunu, Des Moines'in güzel bir yer olduğunu ancak evde yapması gereken çok işi olduğunu söyledi.

"Büyük ihtimalle yarın hallederiz," dedi adam. "Sabah ilk iş beni ara."

Oysa Keller ertesi gün sabah ilk iş olarak hızlı bir kahvaltı yapıp Gregory Dowling'in çiftlik evine gitti. Adresi unutmamak için daha önce bir kez bu yoldan geçmişti. Bu kez adam dışarıdaydı. Çimleri sulamıyordu ancak çiçek tarhlarının önünde diz üstü oturmuş elindeki kürekle bir şeyler yapıyordu.

Keller, Days Inn otelindeki odasından ayrılarak bir tür risk alıyordu. Çıkmadan önce çantasını topladı, dokunmuş olabileceği her yeri temizledi ve diğer tüm önlemleri aldı. Fakat anahtarı resepsiyona bırakmadı. Eğer adamlar işi bugün bitirmesini isterse, hedefi ortadan kaldırıp doğruca havaalanına gidecekti. İşler aksi yönde ilerlerse, otel odası onu bekliyor olacaktı.

Daha önce planlamadığı halde arabasını Dowling'in evinin önüne çekti ve öne doğru eğilerek kafasını camdan dışarı çıkardı. Çok kaba olacağı için kornaya basmak istemiyordu. Zaten gerek de kalmamıştı. Adam arabanın yanaştığını görmüş ve yardımcı olabilmek için yanına kadar gelmişti. Keller bu civarda yeni olduğunu ve Rite Aid eczanesini ararken kaybolduğunu söyledi. Adam yolu tarif ederken, Keller da elini revolverin bulunduğu cebine soktu.

Her şey çok basitti. Dowling olan bitenden habersiz bir halde, bir elini arabanın camına dayamıştı ve diğer eliyle de yolu tarif etmeye çalışıyordu. Silahı cebinden çıkarıp adama doğrultur ve göğsüne iki el ateş edebilirdi. Arabanın motoru çalışıyordu. Tek yapması gereken gaza basmaktı. Daha adamın gövdesi yere değmeden, Keller köşeyi dönmüş olurdu.

Silahsız da yapabilirdi. Adamı saçından ve gömleğinin yakasından yakalardı. Camdan içeri doğru çekip boynunu kırabilirdi. Sonra da adamı bir kenara itip yola devam ederdi.

Al, bu işten memnun olmayabilirdi ama en azından iş bitmiş olurdu. Ne yapabilirlerdi ki? Adamı diriltip, tekrar mı öldürteceklerdi?

"Pekala," dedi Gregory Dowling. Olduğu yerde doğruldu ve bir adım geri çekilerek "Eğer başka bir şey yoksa..."

"Çok yardımcı oldunuz, teşekkürler," dedi Keller.

Eczaneye doğru gitti. Burası güzel bir yerdi, üstelik ankesörlü telefon da vardı. Numarayı çevirdi. Eğer ilk iş bu aramayı yapsaydım, işi çoktan bitirmiş olabilirdim diye düşündü. Yine de sorun olmazdı. Eğer adamlardan yeşil ışık gelirse, geri dönüp Dowling'e onu yanlış anlamış olduğunu söylerdi. Yolu tekrar tarif ettirir ve bu kez silahla ya da elleriyle adamın işini bitirirdi.

Aramayı yaptı. "Hayır, bugün olmaz. Yarın ilk iş bizi ara," cevabını aldı.

Tam olarak böyle yaptı. Fakat yine aynı cevabı aldı. "Yarın," dedi adam. "Yarın olacağına dair bahse girerim dostum. Hatta yarın bizi aramana bile gerek yok. Çünkü her şey ayarlandı. Yarın sabah ya da öğleden sonra. İstediğin zaman gidip işi bitirebilirsin."

Keller, Dot'ı arayarak "Yarın bu iş bitiyor," dedi.

"Nihayet."

"Geri döneceğim için çok mutluyum."

"Evet, sonunda kendi yatağına dönebilirsin."

"Yatakla bir sorunum yok. Aslına bakarsan evdekinden çok daha rahat. Kendime yeni bir yatak almanın vakti geldi de geçiyor bile."

"İşte bunu bilmeme imkan yok."

"Asıl televizyonumu özledim."

"50 inç, yüksek çözünürlüklü plazma ekran. Unuttuğum bir şey var mı?"

"Hayır ne sen ne de üretici firma hiçbir şeyi unutmamışsınız. Televizyonum neredeyse kusursuz."

"Bu alet hakkında o kadar çok konuştun ki gidip kendime de bir tane alacağım. Zavallı Keller, bir otel televizyonuna muhtaç olduğun için çok üzülüyorum."

"Asıl üzücü olan televizyonda programları kaydetme özelliği olmaması."

"Bu konuda sana katılıyorum. Program kaydetmek benim için son derece önemlidir. Ama şimdi sen, benim zavallı bebeğim Des Moines'de oturup reklamları izlemek zorundasın."

"Ayrıca tuvalete giderken programı durduramıyorum ya da kaçırdığım bir repliği tekrar dinlemek için geri saramıyorum ve ayrıca..."

"Tanrı aşkına, işini bir an önce bitir ve evine dön. Yoksa Al'i arayıp çektiğin bütün sıkıntı için sana ekstra ödeme yapması gerektiğini söyleyeceğim."

Telefonu kapattıktan sonra televizyona yöneldi. Sonra vazgeçti. Bir gün önce sarı sayfalardan pul satıcılarını bulmuştu. Tekrar göz gezdirdi. James McCue adındaki satıcıya telefon açarak dükkanın açık olup olmadığını sordu. Bu kez çantasını toplamasına gerek yoktu. Çünkü otele döneceğinden emindi. Tek yapması gereken Scott kataloğu ve pul maşasını yanına almaktı.

Birkaç saat öncesine kadar yaşananlar bunlardı. Şimdi ise Ohio valisi öldürülmüştü ve Keller bir şeyler yapmalıydı. Ama ne olduğunu bilmiyordu. Eğer çantasını toplayıp odasını temizlemiş olsaydı, geri dönmek zorunda kalmayacaktı. Büyük ihtimalle yine oraya dönerdi; çünkü gidecek başka neresi vardı ki?

4

Days Inn oteline geldiğinde öncelikle park yerine baktı ve etrafta polis ya da otelle ilgilenen birilerinin olup olmadığını kontrol etti. Fakat her şey gayet normal görünüyordu. Arabasını her zamanki yerine park etti ve odasına çıktı.

Odaya girer girmez televizyonu açtı. Yemek ve alışveriş kanalları hariç, her yerde vali Longford suikasti gösteriliyordu. Keller CNN kanalını açtı ve Cleveland'da çıkması beklenen ayaklanmaya karşı tahminlerde bulunan uzmanları izlemeye başladı. Hava durumu oldukça değişkendi. Sıcak ve nemli bir hava isyancıları yollara dökebilir; öte yandan soğuk ve yağmurlu hava insanları eve hapsedebilirdi.

Bu haber başkaları için son derece ilginç olabilirdi; ancak Des Moines'de sıkışıp kalan Keller için Cleveland'deki hava durumu hiç mi hiç önemli değildi. Bir süre suikaste ilişkin haberleri izledi. Reklamlar çıktığında da kumanda yardımıyla televizyonu sessize aldı.

En azından kumandanın sessize alma tuşu vardı. Programı ileri alamıyor, durduramıyor ve hatta geri saramıyordu ama sessize alabiliyordu. O da öyle yaptı.

Çantasını toplamalı mıydı?

Des Moines'den ayrılmaya çalışmayacaktı. Şimdi olmazdı. Her şey bir tesadüf olabileceği gibi kötü bir tuzak da olabilirdi. Ortalıklarda görünüp kaçmaya çalışmak yerine, bir yerde saklanmak çok daha güvenli olacaktı. Hiçbir şey yapmamıştı; hatta anlaşmalı olarak geldiği işi bile yerine getirmemişti. Fakat vali Longford'un vurulduğu yerden sadece birkaç kilometre uzakta sahte bir kimlik ve kayıt dışı bir silahla yakalanırsa, kimse onun hiçbir şey yapmadığı gerçeğine inanmazdı.

Valiye iki el ateş edildiği artık resmen ilan edilmişti. Kimliği belirlenemeyen bir suikastçi kör bir noktadan iki el ateş edip kalabalığa karışmış ve izini kaybettirmişti. Tanrı aşkına böyle bir şey nasıl mümkün olabilirdi?

Otomatik bir tabanca olmalıydı. Tıpkı Keller'a teklif edilen ama onun kabul etmemesine rağmen eline alıp incelediği tabanca gibi.

Silahın kabzasını tuttuğunda nasıl da rahat kavradığını ve silahı adama geri vermeden önce nasıl elinde döndürdüğünü hatırladı. Valiyi o silahla vurduklarına bahse girerdi ki silahın her yerinde kendi parmak izleri vardı. Bu yüzden ona iki silah birden önermişlerdi ve asıl önemli olan Keller'ın seçtiği silah değil eline aldıktan sonra adama geri vereceği silahtı.

Tek yapması gereken, bir silah seçmekti ve sonra işi tamamen bitecekti. Silahın üzerindeki parmak izleri tespit edildiğinde, Keller'ın söyleyecek hiçbir sözü kalmayacaktı. Ne söyleyebilirdi ki?

Silaha dokundum ama ben revolveri seçtim. Çünkü otomatik silahlar tutukluk yapabilir. Fakat görünüşe göre bu kez yapmamış. Ayrıca ben bir valiyi değil, evinin bahçesinde çimleri sulayan bir adamı vuracaktım. Zaten onu da vuramadım. Bu durumda beni ilgilendiren herhangi bir konu yok.

Evet, tam olarak böyle söylerdi.

Eğer parmak izleri dosyalandıysa; daha önceden tutuklandı ya da hükümet için herhangi bir iş yaptıysa ya da parmağına mürekkep döküp parmak izini kayıtlara geçirecek bir işe bulaştıysa kaçmak için hiç şansı yoktu. Oysa Keller bugüne kadar son derece dikkatli bir yaşam sürmüştü. Silahın üzerindeki parmak izleri ile şimdilik herhangi bir sonuca varamazlardı. Fakat bir yerlerde yakalanır ve parmak izi alınırsa, o zaman işi bitmişti.

Her şeyi abartıyor olamaz mıydı? Belki de valiyi vuran silah, Keller'ın düşündüğü silah değildi. Adam kaçarken silahı yanına almıştı. Bu durumda üzerinde kimin parmak izi olduğu hiç önemli değildi. Ayrıca Keller suikastin tam olarak nasıl gerçekleştiğini bilemezdi.

Belki de bilebilirdi; tıpkı Des Moines'de olup bitenlerin bir tuzak olduğunu hissetmesi gibi bunu da bilebilirdi. Bu yüzden aylar önce Albuquerque'de de son derece dikkatli davranmıştı. En başından beri "Bana kısaca Al diyebilirsin," diyen adamda bir terslik olduğunu hissetmişti. Daha detayları konuşulmayan işler için önceden ödeme yapması, Dot'ı beklenmedik zamanlarda arayıp parayı havale ettiğini bildirmesi ve sonra tekrar arayıp parayı alıp almadığını kontrol ederken irtibatta kalmasını söylemesi şüphe uyandıran hareketlerdi. Aylar sonra tekrar irtibata geçip, Keller'ı New Mexico'ya göndermesi.

İtiraf etmek gerekirse, kiralık katil tutmak için oldukça mantıklı bir yöntem kullanıyordu. Ne Dot ne de işi gerçekleştirecek kişi "Bana kısaca Al diyebilirsin," diyen adamın kim olduğu hakkında fikir yürütebilirdi. Nerede yaşadığını öğrenmek ya da hakkında herhangi bilgiye erişmek mümkün değildi. Eğer işler ters giderse ve Keller hapse atılırsa, işi kimin verdiğine dair en ufak bir bilgisi olmayacaktı. En fazla Dot'ı ele verebilirdi ki Dot'ın ele verebileceği hiç kimse yoktu. Çünkü Al tamamen erişilmezdi.

Son derece üst tabakadan biri için suikast planladığını düşün dedi kendi kendine. Tek yapman gereken bir hamburgerci, neler olup bittiğinden habersiz bir adam ve sürekli ertelenen uydurma bir iş bulmak. İşte bütün olan biten bundan ibaretti.

Keller komplo teorileri üzerine düşünmezdi. Yetkililer tarafından yapılan açıklamalar ona oldukça mantıklı gelirdi. Keller'a göre Lee Harvey Oswald'ın tek başına çıkıp John F. Kennedy'i öldürmesi gibi James Earl Ray'in de Martin Luther King'i öldürmesi mümkündü. Suikastlerin bu şekilde gerçekleştiğine dair iddiaya girmezdi ama aksini de düşünmezdi. Ayrıca bu iki adam suikastçiye benzemiyordu. Oysa Sirhan Sirhan tam bir tetikçi ismi olabilirdi. Bobby Kennedy'i onun vurduğuna hiç şüphe yoktu. Zaten olay yerinde yakalandı.

Gerçekte ne olduğunun hiçbir önemi yok. Eğer ortada böyle bir plan varsa, işine yarayacak tek şey olup bitenlerden habersiz bir adamdır. Bu rol için de hayatını tetikçi olarak sürdüren bir adamdan daha iyisini bulamazsın. Birini katil olarak suçlayacaksan, neden gerçek bir katili seçmeyesin ki? Hayali bir iş için tetikçi tutarsın, vakti geldiğinde asıl cinayetin işleneceği yere çağırırsın ve hiçbir eylemde bulunmamasına rağmen işlenen cinayetten onu mesul tutarsın. İşin asıl püf noktası cinayeti gerçekten onun işlememiş olmasıdır. Aksi takdirde seni ele verebilir. Eğer suçsuz bir adamı ele verirsen, polisler tarafından yakalandığında bir şey söyleyemez. Çünkü neler olup bittiğini bilmez. Sadece Des Moines'e başka bir adamı öldürmeye geldiğini anlatabilir. Öldürmeye geldiği adam da herhangi bir suça bulaşmamış, tek yaptığı bahçesindeki çimleri sulamak olan sıradan bir insandır.

Mükemmel. Polisler bu hikayeye kesinlikle bayılacaktı. Tanrı aşkına, eğer yakalanacak olursa bu hikayeyi anlatmasına imkan yoktu. Mutlaka işin gerçeğini öğrenmesi ya da şimdilik bir hikaye uydurması gerekiyordu.

Televizyonun karşısında oturuyor ve ekrana bakıyordu. Tamamen aklından geçen düşüncelere odaklandığı için, ekranda gördüklerine dikkat etmiyordu. Ta ki son anda fark ettiği bir görüntü aklını başına getirene dek.

Ekranda bir adamın resmini gösteriyorlardı. Televizyonun sesi kısık olduğu için neden bu resmi gösterdiklerini anlayamadı. Keller, adamın kim olduğunu bilmiyordu ama onda tanıdık gelen bir şeyler vardı. Orta yaşlı, koyu renk saçlı ve şüphe uyandıran bir adamdı. Güven veren bir yüzü yoktu ve...

Uzanıp kumandayı aldı. Televizyonun sesini açmakta geç kalmıştı çünkü adamın görüntüsüyle birlikte haberler de sona ermişti. Keller'ın nefret ettiği bir reklam çıkmıştı. Kadının sekiz saatlik rahat bir uyku çekip çekmediğini anlamak için gelen kelebek reklamıydı bu. Bugüne kadar tanıdığı kadınların hepsi, yüzlerine bir kelebek konduğu anda çığlık çığlığa ayağa kalkıp kelebeği öldürmek üzere evin içinde tur atmaya başlardı.

Programı geri sardırmak için bir tuş aradı ama bu televizyonun program kayıt özelliği yoktu. Her şeyi yayınlandığı anda izlemek zorundaydı. Evet haberleri kaçırmıştı ama bu ülkede yayın yapan tek kanal CNN değildi. Kanalları gezmeye başladı. Hokey maçından poker turnuvasına, futboldan saç dökülmesini önleyen ürün reklamına kadar pek çok program vardı. Tekrar CNN'e geldiğinde bu kez ekranda kendi resmini gördü.

Şüphe uyandıran bir adam mı? Kendisi hakkında böyle mi düşünmüştü? Hayır, sadece kafası karışmıştı. Bütün dünyanın izlediği bir televizyon kanalında kendi resminin ne işi vardı?

Televizyonun sesi açıktı ve birileri bir şeyler söylüyordu; fakat Keller ne söylediklerini anlayamıyordu. Tek yapabildiği kendi talihsiz yüzüne bakmak ve resmin altındaki yazıyı okumaktı.

Altyazıda "TETİKÇİNİN RESMİ" yazıyordu.

5

İlk iş Dot'ı aradı. Birlikte çalıştıkları onca yıldan sonra, onu aramak otomatik bir tepki haline dönüşmüştü. Telefonu açıp tekrar arama tuşuna bastı ve beklemeye başladı. Telefon dört kez çaldıktan sonra sesli mesaj sistemi devreye girdi. Keller bir süre olduğu yerde kaldı ve mesaj bırakmanın hiçbir faydası olmayacağını düşündü. Telefonu kapatıp oturdu ve televizyon izlemeye devam etti.

On dakika sonra banyoya gidip duşa girdi.

İlk önce duşa girmenin bir zaman kaybı olacağını düşündü ama yapacak başka ne işi vardı ki? Biraz daha televizyon seyredip suçsuzluğunu ispatlayan bir program buluncaya kadar kanalları mı gezecekti? Arabaya atlayıp kaçacak mıydı? Dowling'in evine gidip adamı hortumla öldürecek miydi? Sabah duş almıştı. Tekrar duş almasına gerek yoktu. Fakat bir daha yıkanma şansı olup olmadığını kim bilebilirdi? Belki de yer altı tünellerinde yaşayıp, yük trenleri ile oradan oraya kaçmaya başlayacaktı. Belki de mümkün olduğu sürece böyle temiz bir hayat sürecekti.

Duş alarak riske mi giriyordu? Saçından ya da vücudundan dökülen bir kıl atık suyla birlikte akıp gidecekken, küvetin deliğine takılabilirdi. CSI ekibi de onu bulup DNA taraması yaptırarak Keller'ı teşhis edebilirlerdi. Buraya geldiğinden beri defalarca duş aldığı düşünülürse, burası Keller'ın DNA'sıyla dolup taşmaktaydı.

Bir an için su borularına ulaşıncaya kadar küveti kırmayı ve burayı tamamen temizlemeyi düşündü. Sonra farkına vardı ki şu anda endişelenmesi gereken en son şey DNA'sıydı. Parmak izi çoktan ellerindeydi. Bir de DNA'sını ortaya çıkarsalar ne değişirdi? Onu yakaladıklarında, işi tamamen bitmiş olacaktı. Bu denklemde DNA'nın payına düşen herhangi bir rol yoktu.

Duştan çıktıktan sonra lavaboya gelip tıraş olmaya başladı. Birkaç saat önce tıraş olmuştu ve yüzünde en ufak bir sakal oluşumu yoktu. Yine de bir daha ne zaman tıraş olacağını kim bilebilirdi? Ayrıca biraz da lavaboda DNA kalıntıları bırakmanın ne zararı olacaktı?

Giyindi ve çantasını topladı. Ne zaman ne yapacağını planlayana kadar hiçbir yere gitmiyordu. Fakat her an ayrılacak gibi hazırlıklı olmalıydı.

Çantası, diğer pek çok insanın çantası gibi, siyah ve tekerlekliydi. Uçak yolculuğunda yanına alıp başının üstündeki bölmeye rahatlıkla kaldırabilirdi. Çantasına her zaman dikkat ederdi. Çünkü pul maşaları gibi tehlikeli aletler ya da saç jölesi gibi patlayıcı maddeler havaalanı güvenliğini çılgına çevirebilirdi. Eğer İsveç çakısını bulacak olurlarsa, ulusal güvenlik güçlerini devreye sokabilirlerdi.

Daha önceden fark etmiş olsaydı, kesinlikle başka renkte bir çanta alırdı. Çünkü havaalanında bagajların geldiği bant üzerinde dönen her dört valizden üçü kendi valizinin hemen hemen aynısıydı. Zaman içinde görür görmez kendini belli eden uçuk renkli valizlere imrenmeye başladı. Çantasını daha kolay ayırt edebilmek için, çantanın koluna turuncu bir bez parçası doladı ve bu gerçekten işini kolaylaştırdı. Dot bu sayede iki işi birden halledebileceğini ve çantasını kolay bulmanın yanı sıra valiz avcılarının gazabından da kurtulabileceğini söylemişti.

Dot... Telefonu tekrar eline aldı. Bir süre durakladı ama sonra tekrar arama tuşuna bastı. Telefon dört kez çaldıktan sonra sesli mesaj servisine bağlandı. Mesaj bırakmadan telefonu kapattı. Tam o esnada ekranda yanıp sönen simgeyi gördü ve kendisine bir sesli mesaj bırakıldığını fark etti. Bir süre kendisine gelen mesajların nasıl dinlendiğini hatırlamaya çalıştı.

Telefondan gelen bant kaydı "Yalnız bir adet sesli mesajınız vardır," dedi ve ekledi "İlk mesajınız..."

İlk ve son diye düşündü Keller.

Sonra bir sessizlik oldu. On ya da on beş saniye süren bu sessizlik, Keller'ı meraklandırmak için yeterliydi. Acaba mesaj bırakılmamış mıydı? Fakat birden bilgisayardan geldiği anlaşılan net ve tane tane sözcükler duymaya başladı. Bilim kurgu filmlerinden alınmış gibiydi.

"Telefondan – kurtul. Tekrar – ediyorum. Kahrolası – telefondan – kurtul."

Keller, karşısında konuşan bir köpek varmış gibi garip bir ifadeyle telefona baktı. Mesajı bırakan Dot idi. Bu telefon numarasını sadece o biliyordu. Ayrıca başka kim mesajın tekrar kısmına "kahrolası," ifadesini ekleyebilirdi? Peki Dot nasıl bir robota dönüşebilmişti?

Sonra hatırladı. Dot, bilgisayarında yeni bir özellik fark etmişti. Bilgisayar, ekrana yazılan sözcükleri sese dönüştürüyordu. *Tıpkı – bu – mesaj- gibi. Bütün – sözcükleri – robot – gibi – tek – tek – okuyordu.*

Ses tanıma sistemleri. Dot, kendini bu sistemlere karşı korumaya almıştı. Ses tanıma sistemlerini geçmenin tek yolu fısıldayarak konuşmaktı. Ama artık bu sistemlerin geçilebilir olduğundan da şüpheliydi. Çünkü teknoloji son derece ilerlemişti.

Mesajı tekrar dinledi ve bu kez bant kaydından konuşan kadının seçeneklerini baştan sona dinledi. Tekrar dinleme ve mesajı silme seçenekleri vardı. Keller, mesajı silme seçeneğini tuşladı. Sonra "mesajınız silindi," uyarısı geldi. Bütün bu işlemlerin ardından, ekrandaki mesaj simgesi de kaybolmuştu.

Telefondan kurtul. Kahrolası telefondan kurtul.

Peki ama nasıl? Öylece atıp gidecek miydi?

Birileri bulabilir ve FBI teknisyenleri de üzerinde incelemeler yaparak bu telefonla ne zaman kimlerin arandığını ortaya çıkarabilirdi. Neler konuşulduğunu bulamazlardı belki ama işleri şansa bırakmamak gerekirdi.

Telefona bir kurşun sıkarak, her şeyi çözüme kavuşturabilirdi. Öte yandan bu hareket dikkat çekebileceği gibi cephanesinin dörtte birini harcaması anlamına gelecekti. Bay Kulak Kılının teklifini kabul edip yedek mermileri almalıydı ama o zaman tek yapması gereken sadece bir adamı öldürmekti. Hayatta kalmak için kaçmak zorunda kalacağını bilemezdi.

Silahın içindeki mermileri çıkardı ve yatağın üzerine bıraktı. Bir revolveri ateşlemek kolay iş değildi ama Keller herhangi bir kaza olasılığına karşı kendini sağlama almak istiyordu. Bütün bu olanlardan sonra hiçbir şeyi riske atamazdı. Boş silahı ve baş düşmanı cep telefonunu alıp banyoya gitti. Telefonu bir havluya sararak yere koydu. Sonra da silahın kabzasıyla vurarak parçalara ayırdı.

Havluyu açıp küçük parçalar haline ayrılmış telefona baktı. Oysa daha birkaç dakika önce son derece kaliteli ve faydalı bir cihazdı. Artık Keller için bir tehdit oluşturmuyordu. Kimse onu telefon aracılığıyla takip edemez ve hatta Dot'a bile ulaşamazdı.

Ayrıca bu dünyada kendisine yardım edebilecek tek kişi ile olan bütün bağları da kopmuştu. Dot, artık ona yardım edemezdi. Kimse yardım edemezdi. Tek başına kalmıştı.

6

Kapı çaldığında, tüm hazırlıklarını tamamlamıştı. Pizza ve kola yaklaşık 12 dolar tutmuştu. Keller 15 dolar hazırlamıştı. "Kapının önüne bırakabilirsin," dedi. "Şu anda kapıyı açmaya uygun değiliz. 15 dolar hazır, üstü kalsın."

Parayı kapının altından uzattı ve pizzacının gitmesini bekledi. Kapının deliğinden baktı. Çocuk parayı aldıktan sonra bir süre duraksadı ama sonra arkasını dönüp gitti. Keller birkaç dakika bekledi ve kapıyı açarak yemeği içeri aldı.

Aç değildi ama tıpkı duş almak ve tıraş olmak gibi yemek yemek için de bir bahane uydurmuştu. Bir daha ne zaman yemek yiyeceğini kim bilebilirdi ki? Amerika'nın tüm televizyon kanallarında fotoğrafı gösteriliyordu. Gazeteler çıktığında, onların üzerinde de fotoğrafı olacaktı. Fotoğraftaki haline göre biraz değişmişti. Çok sıradan yüz hatları vardı. Onu ele verebilecek belirgin bir özelliği yoktu. Ama yüz milyonlarca insan fotoğrafını ekranlarda görmekteydi ve içlerinden biri onu mutlaka tanıyacaktı.

Bu yüzden Denny's restoranına gidip hamburger yemek hiç de iyi bir fikir değildi.

Paket servisiyle gelen yemekle yetinmek zorundaydı. Days Inn otelinde Keller'ı gören tek kişi resepsiyondaki görevliydi.

Otele giriş işlemleri o kadar çabuk ve kolay olmuştu ki adamın yüzünü detaylı bir şekilde hatırlaması oldukça düşük bir ihtimaldi. Resepsiyondaki görevliler günde yüzlerce insanla karşılaşıyor ve pek çoğuna dikkatli bakmıyorlardı. Des Moines'e yaptığı bu yolculuk sırasında sadece bir resepsiyon görevlisi ile karşılaşmıştı ve o kızın da nasıl göründüğünü hatırlamıyordu bile. O halde kızın da onu hatırlaması için hiçbir sebep yoktu.

Öte yandan kızın fotoğrafının defalarca gösterildiğini farz edelim. Kızın bir yerlerden tanıdık gelmesi ne kadar vakit alırdı? Peki kızın kim olduğunu hatırlamak yaklaşık ne kadar sürerdi?

Pizzadan biraz yedi ve kolasının yarısını içti. Silahtan çıkardığı dört mermi hâlâ yatağın üzerindeydi. Onları aldı ve silahı doldurdu. Silahı önce cebine koydu. Sonra oradan alıp pantolonun kemerine iliştirdi. En sonunda çantasına kaldırmaya karar verdi. Hızlı hareket etmesi gerekirse ne yapacaktı? Silahı almak için çantayı mı açacaktı? Bu yüzden silahı çantasından çıkardı ve pantolonunun kemerine sıkıştırdı.

Televizyon izlemek istemiyordu ama başka ne yapabilirdi? Kaçma vaktinin geldiğini başka türlü nasıl anlayacaktı?

Fotoğrafını göstermeye devam ediyorlardı. Kendi görüntüsünü incelemeye başladı. Yüz ifadesinin nasıl olduğuna bakmıyordu. Fotoğrafın nerede ve ne zaman çekildiğini anlamaya çalışıyordu. Geçtiğimiz hafta çekilmemişti. Üstelik resmin çekildiği yer Des Moines değildi. Üzerinde haki rengi, poplin kumaştan bir rüzgarlık ceket vardı. Bu rüzgarlığı bu kez yanına bile almamıştı. Des Moines'e gelirken üzerinde lacivert blazer bir ceket vardı. Rüzgarlığı hatırladı. İki yıl önce Lands' End kataloğundan seçip almıştı. Ceketin hiçbir kusuru yoktu ama Keller nedense o ceketi pek fazla giymemişti.

Alberquerque olmalı diye düşündü. Çünkü bu rüzgarlığı orada giymişti.

İçine turuncu polo gömlek mi giymişti? Fotoğrafta öyle görünüyordu ama rengi tam olarak seçmek mümkün değildi. Al'in teklifini kabul edip Warren Heggman adlı adamı öbür dünyaya gönderirken bunları mı giymişti?

Belki giymişti, belki de giymemişti. Keller bu tür şeyleri kolayca aklında tutamazdı. Ama rüzgarlığı Alberquerque'de giydiğine ve Heggman'ı haklarken üzerinde olduğuna oldukça emindi. Çünkü çantasını boşlatıp, üzerini değiştirecek vakit bulamamıştı. Üç farklı motelde birer oda ayırtmıştı ama çantasını hiçbirinde bırakmamıştı. New York'a geri dönene kadar da çantasını hiç açmamıştı.

Bu demek oluyor ki adamlar o zamandan beri Keller için bir tuzak planlıyorlardı. Ondan habersiz fotoğrafını çekmişlerdi. Eğer ortalıkta çok fazla dolansaydı, birden çok fotoğrafını bile çekebilirlerdi. Ama Keller sadece apartmana girerken görüntülenmiş olabilirdi.

Peki fotoğrafı yetkililere verirken, nasıl bir hikaye uydurmuşlardı? *"Bu adamı kaçarken gördüm. Bir ara durdu ve arkasını döndü. Ben de o esnada fotoğrafını çektim."* Bu hikaye inandırıcı olmasa da, fotoğraf fotoğraftı. Basına verilebilecek somut bir belgeydi. Eğer basın halkı bilgilendirirse, bu işten bir sonuç elde edilebilirdi.

Adını biliyorlar mıydı acaba? Dot'tan öğrenmelerine imkan yoktu. Başka nasıl öğrenmiş olabileceklerini düşündü. Alburquerque'de vakit kaybetseydi, adamlar odasına girip araştırma yapabilirlerdi. Oysa Keller Dallas'tan Alburquerque'ye geçmiş ve dönüşte de yolu uzatarak önce Los Angeles'a gitmişti. Bu durumda birilerinin onu takip etmesi oldukça zordu.

Eğer adını ve nerede yaşadığını bilmiyorlarsa...

Birden televizyona kilitlendi. Ne Al ne de Bay Kulak Kılı, Keller hakkında detaylı bilgi sahibi değildi. Ama yetkililer birkaç dakika öncesine kadar bilmedikleri bir bilgiye ulaşmışlardı.

Fotoğrafa yakışan bir isim bulunmuştu.

"Leroy Montrose," dedi spiker. Ekranda önce fotoğraf sonra da Laurel Inn belirdi. Hatta 204 numaralı odada çekim yapmışlardı. Adli tıp ekibinden görevliler harıl harıl çalışmakta ve halıların üzerinde Bay Montrose'a ait veriler bulmak için uğraşmaktaydı.

Ekranda odadan görüntüler verilirken, dış ses olarak dinlediğimiz resepsiyon görevlisi Bay Montrose'un birkaç gün önce giriş yaptığını anlatıyordu. Sıkı çalışma, diye düşündü Keller. Çünkü Laurel Inn oteline gittiğinde resepsiyona hiç uğramamıştı. Park yerinden ayrıldıktan sonra dışarıdaki merdivenleri kullanarak doğruca 204 numaralı odaya çıktı. Ayrılırken de aynı yolu izledi. Ana giriş kapısını hiç kullanmamış, para harcamamış ve otelden hiç kimseye görünmemişti.

Birileri yetkilileri aramış olmalıydı. Büyük ihtimalle arayıp hafızası kuvvetli bir otel çalışanı olduğunu söylemişti. Fakat bu çalışmalar boşa çıkacaktı. Keller 204 numaralı odanın hiçbir yerinde ne parmak izi ne de DNA'sından parçalar bırakmıştı. Sadece yatağın altına attığı cep telefonunu bulabilirlerdi. Bulsalar ne yapabilirlerdi ki? Telefonu hiç kullanmamıştı ve üzerindeki parmak izlerini temizlemişti. Bundan da bir sonuç elde edemezlerdi.

Caddenin karşısına geçecekler, diye düşündü.

Denny's restoranına gidip o aptal hamburger ve patates kızartmalarını yediği masayı bulacaklardı. Eğer kredi kartı kullanmış olsaydı, adamların işi çok daha kolay olacaktı. Oysa Keller nakit ödeme yapmıştı. Parayı ödedikten sonra ne yapmıştı?

Restoranın içindeki ankesörlü telefondan taksi çağırmıştı. Taksi gelinceye kadar içeride bekledi. Taksi gelince de binip havaalanına gitmek istediğini söyledi.

Şimdi Laurel Inn civarındaki mağaza ve restoranları araştırıyor olmaları gerekir. Fotoğrafını Denny's restoranındaki kasiyer ve garsona gösteriyorlardır. Birileri mutlaka tanıyacak ve taksi çağırdığını söyleyecektir. Sonra da tüm taksi durakları tek tek aranacaktır. Tanrı aşkına bunlar hükümetin adamları. Yerel polis ve FBI. Her yeri ve her şeyi kontrol edecek güce sahipler. Taksi şoförünü mutlaka bulacaklar ve havaalanına gittiğini öğreneceklerdir. Sonra da araba kiralayan şirketlere bakacak, daha önce bakmış olsalar da tekrar kontrol edeceklerdir. Leroy Montrose isminin sahte olduğunu fark edecekler ve bu kez hem kredi kartında hem de sürücü belgesinde geçen Holden Blankenship ismi üzerine yoğunlaşacaklardır. Televizyonda ve radyoda bu ismi haykıracak ve Des Moines'deki tüm otel çalışanlarına bu isimde birilerinin otele giriş yapıp yapmadıklarını soracaklardır.

Days Inn oteline gelip, kapısını çalmaları ne kadar sürer?

Onlar gelinceye kadar gidecek bir yer bulması gerekir ama neresi?

7

Alışveriş merkezinin otoparkında, Keller'ın arabasından iki sıra ileride 30'lu yaşlarda bir adam SUV tarzı aracından inerek kumanda ile kapıları kilitledi. Ellerini üzerindeki rüzgarlığın cebine soktu ve alışveriş merkezinin kapısına yöneldi. Keller'a göre bu adamın şüphe uyandıran bir yanı yoktu. Yaşı Keller'dan küçüktü ve beyzbol şapkasının yanlarından görüldüğü kadarıyla saçları daha uzun ve açık renkliydi. Aralarındaki tek benzerlik, rüzgarlık olabilirdi.

Keller, adamı binaya girene kadar izledi. Daha sonra alışveriş arabasını iten kadını fark etti. İleride bir çocuk insanların sağa sola attığı mağaza broşürlerini topluyordu. Belli ki çocuğun işi buydu.

Keller böyle bir işten ne kadar kazanılabileceğini merak etti. Son derece az olmalı, diye düşündü. İnsan böyle bir işte ne para kazanabilirdi ne de prestij. Oysa ilerlemek için her ikisine de ihtiyaç vardı. Her şeye rağmen bu işin iyi yanları da vardı. Çocuğun fotoğrafları ulusal kanallarda gösterilmiyordu ve polis her yerde onu aramıyordu.

Belki de hepsi Keller'ın hatasıydı. Yıllar önce yaptığı bir hata. Ülkenin dört bir tarafında adam öldürmek yerine, mağaza broşürleri toplama işine girebilirdi.

Arabayla çok fazla dolaşmasa iyi olurdu. Çünkü arabanın benzin göstergesi, benzinin yarıdan biraz fazla dolu olduğunu söylüyordu. Arabanın kapasitesinin ne olduğunu bilmiyor, bu kadar benzinle kaç kilometre yol alabileceğini hesaplayamıyordu. 32 kilometrede yaklaşık 40 litre benzin harcadığını gördü ve buradan yola çıkarak depoyu doldurmadan en fazla 300 kilometre daha yol gidebileceğini düşündü.

Gün ağarırken Days Inn otelindeki odasından ayrıldı ve havanın henüz karanlık oluşundan yararlanıp arabasına bindi. Etrafta kimse yoktu. Yine de tedbirli olmalıydı. Şimdi, televizyondan gösterilen fotoğrafından çok daha şüpheli bir görüntüsü vardı. Çünkü şüpheli tavırlar sergilemesi gereken olaylar içine girmişti. Arabasına doğru yürürken oldukça sakin görünmeye çalıştı. Şimdilik onu gören kimse yoktu. Arabasına bindiği anda, motoru çalıştırıp otelden hızla ayrıldı.

Otelden çok uzaklaşmadı. Yakınlardaki alışveriş merkezine geldi ve trafiğin yoğun olmadığı bir köşeye park etti. Böylece dikkat çekmemiş olacaktı. Çantası bagajdaydı, silahı belindeydi ve sırtına doğru baskı yapıyordu. Dün akşam verdiği siparişten kalan üç dilim pizza, kutu içinde yanındaki koltuğun üzerinde duruyordu. Kolayı getirdikleri bardağı yıkamış ve onun içine de cep telefonunun kırık parçalarını doldurmuştu. Aslında bunları odada da bırakabilirdi ama odayı temiz bırakmak istedi. Ayrıca adamlara onu izleyebilecekleri herhangi bir ipucu bırakmaya ne gerek vardı?

Eğer alışveriş merkezine girme imkanı olsaydı, yapmak istediği pek çok şeyi gerçekleştirebilirdi. Görünüşleri son derece gülünç olsa da peruk ya da takma sakal alabilirdi (kesinlikle yıllar önce uzatmaya çalıştığı sakal kadar gülünç duramazdı). Böylece dış görünüşünü az da olsa değiştirebilirdi.

Gözlük de işe yarayabilirdi. Bir şeyler okurken dahi gözlüğe ihtiyaç duymazdı. Ama içinden bir ses birkaç yıl içinde gözlük takmanın kaçınılmaz olacağını söylüyordu.

Tabii o kadar uzun yaşayabilirse...

Hayır, dedi içinden. Bütün bu kötü düşünceleri kafasından uzaklaştırmaya çalıştı. Gözlüğe ihtiyacı yoktu. Hiç de olmamıştı. Sadece pul koleksiyonunu düzenlediği zamanlarda gözlük kullanırdı. Onun camları da nesneleri daha yakından görmesini sağlayan büyüteçlerdi. Pullarla ilgilenmediği zamanlarda o gözlüğü takmasına gerek yoktu. Fakat taktığında baş dönmesi gibi herhangi bir sorun yaşamıyordu. Kendisini o gözlüğü takıp evde gezinirken düşündü. Yüzünün şeklini ve ifadesini tamamen değiştiriyorlardı. Gözlüklerin çalışkan bir insan imajı çizdiği söylenir. Keller da bu düşünceye katılmaktaydı. En azından gözlükler onu şimdikinden daha az tehditkar gösterecekti.

Gözlüklerim yanımda olsaydı ne kadar güzel olurdu, diye düşündü. Sıradan bir mağazaya gidip, o gözlüklerin aynısını bulabilirdi. Çünkü her yerde rahatlıkla bulabileceğiniz bir üründü. Oysa bir mağazaya girmek demek, herkesin onu görmesi anlamına gelirdi. Bu aralar isteyeceği en son şey buydu.

Gözlükleri bulabileceği mağazadan saç boyası ve makas da alabilirdi (Aslında güneş gözlüğü de alabilirdi ama güneş gözlüklerinin tek dezavantajı hava karardığında takılması halinde Keller'a şimdikinden çok daha şüpheli bir görüntü kazandırması olurdu). Saçlarını kısacık kesip farklı bir renge boyarsa, fotoğraftaki halinden farklı bir görüntüsü olurdu. Fakat bu değişimin de riskli yanları vardı. Saçlarını amatörce keseceği için, dikkat çekici bir şekil verebilirdi ya da saçları boyandıktan sonra "ben buradayım" diye bağıran bir renk ortaya çıkabilirdi. En iyisi sağlam bir plan belirleyinceye kadar beklemekti. Bir şapka şimdilik işini görürdü.

Ne kadar zor olabilirdi ki? Bugünlerde beyzbol şapkası satmayan bir mağaza bulmak, satanları bulmaya kıyasla çok daha zordu. Bu şapkaları her yerde bulmak mümkündü. Üstelik renk çeşitliliği de fazlaydı. Üzerlerinde spor kulüpleri, otomobiller, bira markaları gibi çeşit çeşit logolar bulunuyordu. İnsanlar hangi topluluğa bağlı olduklarını, logolu beyzbol şapkaları sayesinde gururla sergiliyordu. Otoparka geldiği zaman gördüğü rüzgarlık giyen adamın da şapkası vardı ve Keller adamın sıradan görünüşünü bu şapkaya mı borçlu olduğunu düşünmeden edemedi. Üzerinde top resmi olan bir şapkayla, herkes kadar normal görünebilirdi.

Camdan dışarı baktı ve şapkalı bir adam gördü. İşte bir tane daha geliyordu.

Belki de cevap buydu. Burada kalıp, Applebee's restoranında tıka basa karnını doyurmuş ve üzerine mahmurluk çökmüş halde arabasına dönen şapkalı bir adamı bekleyecekti. Adamın kafasına vurup (ama yavaşça, çünkü çok sert vurursa şapkayı kana bulama riski doğabilirdi) şapkasını aldıktan sonra, bütün bu sıkıntı sona erebilirdi.

Tanrım, bu kadar tesadüf olabilir miydi? Gördüğü adamların tamamı başlarında beş ya da altı basamaklı rakamlardan oluşan fiyat etiketlerine sahip şapkalarla dolaşıyordu. Adamı sadece şapka olarak görmek mümkündü. Şapkanın fiyatına bakılacak olursa, virgülden sonraki kısma daha kaç basamak ekleneceğini hesaplamak mümkündü.

Buradan bir sonuç elde edemezse, bir taşla iki kuş vurmaya çalışacak ve hem şapkalı hem de gözlüklü insanları takip etmeye başlayacaktı. Özellikle güneş gözlüklü olanları. Çünkü diğer gözlükler büyük olasılıkla numaralı gözlüklerdi ve taktığı anda Keller'da baş dönmesi yapabilirdi.

Adamın kafasına vurup şapkasını ve gözlüğünü alacak, sonra da ceplerine bakacaktı. Çünkü hem şapka hem de gözlük almaya gücü yeten birinin cebinden en az on beş ya da yirmi dolar çıkması gerekirdi. Keller'ın parası yavaş yavaş suyunu çekiyordu.

Bütün bu düşüncelere rağmen dışarı çıkıp şapkalı ve güneş gözlüklü bir adam aramadı. Arabada kalıp, radyo dinledi.

Des Moines'de AM frekansı üzerinden yayın yapan WHO adlı bir radyo kanalını dinliyordu. Bu kanalda haberler ve sohbet programlarından oluşan bir yayın akışı izleniyordu. Marka kanununa göre, ürünün içeriğini tam olarak belirtmek gerekiyordu. Eğer WHO kendi markasını tanıtıyor olsaydı, "haberler, reklamlar ve sohbetlerden oluşan dengeli bir karışım" olarak tanıtırdı. Bu durumda insanlar "dengeli," kavramını yeniden sorgulamak zorunda kalırdı.

Keller radyoda bir arıza olduğunu ve bir türlü sessize alamadığını fark etti. Reklamlar çıktığında radyoyu tamamen kapatmak gerekiyordu. Fakat tekrar ne zaman açacağını kestirmek oldukça zordu. Hatta mümkün değildi. Bu nedenle reklamlar çıktığında sesi iyice kısıp, bittiğinde tekrar eski seviyeye çıkartmak en mantıklısıydı. Bu zahmete girmeye değer miydi? Bu kanalda bir reklamın bitmesi demek bir yenisinin başlaması anlamına geliyordu.

Reklamlar bittiğinde konuşulanlar ilginçti. Haberler tamamen John Tatum Longford suikastinden ve Leroy Montrose ya da başka bir deyişle Holden Blankenship adlı katili arama çalışmalarından bahsediyordu.

Sohbet programları da bu konuyu ele alıyordu. Programa telefonla bağlanan konuklar bu konuyu tartışıyordu. Az sayıda insan farklı bir konu için yayına bağlanıyor; onlar da programın sunucusu tarafından fazla dikkate alınmıyordu. Yayına bağlanan dinleyiciler konuyu farklı açılardan ele alıyordu. Fakat kimse vali Longford'un başkanlık seçimlerinden ebediyen çekildiğini dile getiremiyordu. Herkes valinin King ve Kennedy gibi bir kurban olduğunu söylüyordu.

Diğer tüm suikastler gibi, burada da çok sayıda komplo teorisi öne sürülmüştü. Montrose ya da Blankenship olarak adlandırılan şahsın da bir kurban olduğu, asıl katillerin bu adam sayesinde kendilerini koruma altına aldıkları tartışılıyordu. Arayanların çoğu bu konuda hemfikirdi ama senaryolar birbirinden farklıydı. Kadın dinleyicilerden biri bu konunun "kansere çözüm bulunduğunu öne süren iddialar" gibi asılsız pek çok unsur barındırdığını ileri sürerken, bir diğeri her şeyin seçim kampanyasının bir parçası olduğunu iddia etti. Çok sigara içtiği sesinden belli olan bir dinleyici, silahlı suikastin Ulusal Tüfek Birliği'ni karalamak için yürütülen kampanyaya hizmet ettiğini iddia ediyordu ve Keller bu adamı dinlerken farkında olmadan onay verircesine başını sallıyordu.

Suikasti onun işlemediğini düşünen insanların var olduğunu bilmek Keller'ı rahatlatmıştı ama insanların ondan "zavallı saf" ya da "talihsiz moron" olarak bahsetmeleri çok da heyecan verici bir durum değildi. Canını sıkan konulardan biri de cinayeti onun işlemediğini öne süren insanların, iddialarını desteklemek adına saçma sapan açıklamalar yapmaları ve birer deli imajı çizmeleriydi.

Asıl haberler hiç de iç açıcı değildi. Polisler tam da Keller'ın düşündüğü rotayı takip ediyordu. Days Inn otelinden Denny's restoranına geçmişler, oradan da taksiyi tespit edip havaalanı ve Hertz'e gitmişlerdi. Tekrar Days Inn oteline dönüp burada biraz daha inceleme yapmışlardı.

Artık arabanın markasını ve plakasını biliyorlardı. Bu yüzden de park halinde olması hiçbir şey ifade etmiyordu. Yola çıkması ya da park halinde kalması, polislerin ona çok yaklaştığı gerçeğini değiştirmiyordu ve büyük ihtimalle onu yakalamaları an meselesiydi.

Arabadan öylece çıkıp gidemezdi. Başka bir arabaya ihtiyacı vardı ama bir yerlerden kiralayamayacağı kesindi. Araba çalması gerekiyordu. Çok eskiden kapının kilidini nasıl açacağını ve kontağı nasıl çalıştıracağını öğrenmişti ve insanın gençken kazandığı beceriler yüzmek ya da bisiklete binmek gibiydi. Bir kez öğrenildi mi bir daha asla unutulmazdı.

1980 model bir Chevy çalarken hiç zorlanmamıştı. İsveç çakısı ile o tarz bir arabanın kapısını açmak çok kolay olmuştu. Fakat o zamandan beri otomobiller çok değişmişti. Artık içlerinde bilgisayarlar ve herhangi bir terslik hissettiğinde direksiyonu kilitleyen güvenlik sistemleri vardı. Şimdi ne yapacaktı? Eski model bir araba mı çalmalıydı?

O tür bir araba da birkaç yüz kilometre gittikten sonra hurdaya dönüşebilirdi. Dayanıklı çıksa bile şüphe çekeceği kesindi. Şimdiki arabasının en büyük avantajı, Des Moines gibi bir yerde dikkat çekmeden ortalıkta dolaşabilecek kadar sıradan bir model olmasıydı. Yolda gördüğü her on arabadan biri, kendi arabasının aynısıydı. Hatta renkleri bile aynıydı. Tarifi mümkün olmayan bej ve gri karışımı bir renkti. Üretici firmanın bu rengi nasıl adlandırdığını bilmiyordu ama "deniz esintisi" ya da "sabır" gibi soyut bir ismi olması gerekiyordu. Adı her neyse, o yıl Nissan almayı tercih eden insanların yarısından fazlası bu renkte karar kılmıştı ve görünüşe göre alıcıların büyük bir kısmı da Iowa'da ikamet ediyordu.

Aslında...

Bir sıra önünde duran şu araç, şimdiki arabasına benzemiyor muydu? Bu ışıkta tam olarak seçmek mümkün olmasa da bir

Sentra olduğundan emindi ve rengi de benzerlik gösteriyordu. Bu bir fırsat mıydı? Görünüşe göre iyi bir fırsat yakalamıştı. Kendi arabasından inip, bu arabaya binebilirdi. Tabii öncelikle arabanın kapısını açıp, kontağı çalıştırması gerekecekti ya da daha iyisi...

Artık bu planı unutsa iyi olurdu. Çünkü Keller bu düşüncelerle boğuşurken arabanın farları yanıp söndü. Arabanın kendisine göz kırptığını sanmıştı ama işin aslı başkaydı. Arabanın sahibi uzaktan kumandayla kapının kilidini açmıştı ve araba da sahibini karşılıyordu. Keller kadının eşyalarını bagaja kaldırdıktan sonra kapıyı açıp direksiyon başına geçişini izledi.

Eğer planını gerçekleştirmiş olsaydı ve o arabaya binip uzaklaşabilseydi, her şey çok daha kötü olabilirdi. Arabasının çalındığını fark eden kadın polisi arayıp durumdan haberdar ederdi ve polis elinde yeni bir şüpheli plaka ile yollara düşerdi. Arabada GPS özelliği varsa, onu bulmaları çok da uzun sürmezdi.

Kahretsin! Bu arabada GPS özelliği olup olmadığını bilmiyordu.

Araba kiralayan şirketler, kaçırma olaylarına karşı bu tarz bir önlem almış olabilirdi. Bu arabada böyle bir sistemin var olup olmadığını bilmiyordu. Ama yük taşıma amacıyla uzun araç kiralayan firmaların takip sistemi oluşturduklarını biliyordu. Little Rock ve Tulsa arasında taşımacılık yapan bir şoför amfetamini fazla kaçırınca San Francisco'ya doğru yol almak isteyebilirdi.

Gerçekten bir şeyler yapmalıydı. Hem çabuk olmalı hem de kendini riske atmadan mantıklı bir çözüm üretmeliydi.

Dikkatini dağıttığı için radyoyu kapattı. Pizzadan bir parça aldı ve boğazını ıslatmak için biraz kola bırakmadığına pişman oldu.

Pizzasını iyice çiğneyip yutmaya çalışırken, bir karar verdi. Bu fikir ona son derece mantıklı gelmişti. Bu yüzden kontağı çevirdi ve arabayı çalıştırdı.

8

Üçüncü deneme uğur getirir derlerdi.

Keller kimsenin aceleyle arabasına koşmayacağı Des Moines Uluslararası Havaalanının otoparkına gitmeye karar verdi. İnsanlar arabalarını uzun süreli olarak bırakıp bir yerlere seyahate çıkardı.

Günün bu saatleri havaalanının otoparkına gitmek için uygundu. İniş yapan ve kalkışa hazırlanan seferler vardı, bu yüzden otopark tamamen boş değildi. Çok dikkatli olması gerekiyordu. Ama uçuşların yoğun olduğu saatleri geride bırakmışlardı. Bir an evvel arabasına kavuşmak isteyen bir yolcuyla karşılaşma olasılığı oldukça düşüktü.

Tek istediği, şu anda kullandığı arabasının bir benzerini bulmaktı. Hemen hareket etmesine de gerek yoktu. Kapısını açıp, içine otursa yeterli olacaktı. Kapıyı bıçakla açamazsa, camlardan birini kırmak zorunda kalacaktı. Belki daha iyi bir çözüm bulabilirdi.

Park halindeki bir Sentra'nın kapılarını kendi kumandasıyla açmayı üç kez denedi ama başarılı olamadı. Her Nissan'ın bu anahtarla açılamayacağını akıl edememişti. Er ya da geç başarılı olacaktı.

Bütün arabalar Sentra olmadığı için eninde sonunda alternatifleri tükenecekti. Bir kez daha dedi kendi kendine. Belki de uğurlu olan dördüncü deneme olacaktı. Kendi arabasını park edip, anahtarı yanına aldı. Ama inmeden önce camı yarıya kadar açtı. Böylece istenmeyen bir durumla karşılaşması halinde, kapıyı açmak için bir şansı daha olabilirdi. Dördüncü Sentra'nın yanına gitti ve kumandanın düğmesini birkaç saniye basılı tuttu. Bu arabanın diğerlerinden ne farkı vardı ki? Bu da işe yaramayacaktı.

Bu kez yanılmıştı. Çünkü kapılar açıldı.

Çok hızlı olmalıydı. İlk önce kendi arabasının bagajını açtı (ama kumandayı bozmamak için direksiyonun yanındaki düğmeyi kullandı). Yeni Sentra'nın bagajı çok sayıda eşyayla doluydu. İçlerinde ne olduğuyla ilgilenmeden hepsini kendi arabasının bagajına taşıdı. Bagajda sadece yedek lastik kaldı. Bu lastik, Keller'ın siyah çantasına eşlik edecekti.

Yeni arabanın boşalan bagajını bir bez parçasıyla temizledi. Her iki bagajı da kapattı. Kumanda bagajları kilitlediğine göre kapıları da kilitlemiş olmalıydı. Bu durumdan son derece memnundu. Çünkü hiçbir şeyin yolunca gitmeyeceğinden endişeliydi.

Yeni Sentra'nın torpido gözünü temizledi. Hertz'den aldığı kullanma kılavuzunu ve dosyaları buraya taşıdı. Yeni arabanın kapılarındaki gözlerde Iowa ve Oregon'un haritaları vardı. Haritaları, yerde duran eski piyango biletlerini ve arka koltuktaki süper market fişini aldı. Arabanın içini temizledi. Bu kez kendi izlerinden kurtulmaya çalışmıyor, arabanın asıl sahibine ait izleri ortadan kaldırmak için uğraşıyordu.

Uzun süreli park alanına girerken, bir otopark fişi vermişlerdi. Bu fişi ceketinin cebine koymuştu. Yeni Sentra'nın otopark fişini de şoför koltuğunun üstündeki güneşlikte buldu. İşlerin bu kadar kolay ilerlemesini beklemeyen Keller iki arabanın fişlerini değiştirdi.

Peki otopark ücretini ödeyebilecek miydi? Eğer kendi fişini kullanırsa, sadece birkaç dolar ödeyecekti. Eğer diğer araba bir iki haftadır otoparkta duruyorsa, elindeki tüm nakit parayı buraya vermesi gerekecekti.

Fişi kontrol etti ve üzerindeki damgadan tarihi okumaya çalıştı. Araba buraya park edileli 24 saat bile olmamıştı. Bu durumda fazladan beş dolar ödemesi gerekiyordu. Buna değer diye düşündü. Kendi fişini gölgeliğe kaldırırken, yeni arabanın fişini cebine koydu.

Kendi eşyalarını da yeni arabaya taşımıştı. Pizza kutusunu yeni arabaya almış ve yanındaki koltuğa koymuştu (ama içindeki iki dilim pizzayı yanına almıştı. Çünkü bir daha nerede yemek yiyeceği belli değildi). Kırılan cep telefonunun parçalarını, yeni arabanın bagajına kaldırdı. Telefonun parçalarını birleştirmeye çalışan FBI ekibini gözünde canlandırınca, kendini mutlu hissetti. Telefon parçalarını doldurduğu boş kola kutusu da her türlü ihtimale karşı yeni arabanın arkasında, yerde duruyordu.

Başka ne vardı?

Henüz işin en önemli kısımlarına gelmemişti. Bir sonraki aşamaya geçmeden önce, iki arabayı birbirinden uzaklaştırması gerekiyordu. Benzerlik dikkat çekebilirdi. Bu yüzden kendi arabasını biraz ileri çekip park etti. İsveç çakısının yardımıyla kendi plakasını yeni arabanın plakasıyla değiştirmeye çalışıyordu. Yanından bir araba geçiyordu ve hemen karanlık bir yere saklandı. Sonra çalışmaya devam etti ve yeni arabanın plakasını kendi arabasına taktı. Yeni eşyalar ve yeni plaka ile donattığı eski arabasına binip yola koyuldu. Unuttuğu bir şey olup olmadığını düşündü.

Aklına hiçbir şey gelmiyordu.

İşe yarayacak mıydı?

Denemeye değer, dedi. Elbette sonsuza kadar bu şekilde kaçamazdı. Otoparktan ayrıldığı andan itibaren yetkililerin dikkatini çekmeyecek bir araçta olduğunu biliyordu. Aslında başından beri aynı arabayı kullanıyordu ama onlar bunu bilmiyordu. Çünkü plakaları değiştirmişti.

Başka herhangi bir arabanın da plakasını alabilirdi. Aynı model olmak zorunda değildi. Havaalanı otoparkından bir araç seçmek zorunda değildi. Fakat o zaman da arabanın sahibi olayı kısa sürede fark ederdi ya da yolda plakayı tanıyan birilerine rast gelebilirdi. Bu kişiler durumu polise haber verirdi ve bu kez de yeni plakası ile kaçmak zorunda kalırdı.

Bu plan işe yararsa, biraz zaman kazanmış olacaktı. Çünkü polislere sadece eski plakayı değil, üzerinde inceleme yapabilecekleri bir araba bırakıyordu. Arabayı bulduklarında, torpido gözünden kiralama belgeleri çıkacaktı. Parçalanmış telefonu bulacaklardı. Büyük ihtimalle pizza kutusunu da inceleyeceklerdi. Buradan nasıl bir sonuç elde edebilirlerdi ki? Arabaları değiştirdiğini mi anlayacaklardı? Arabaların plakalarını değiştirdiğini ve eski arabasıyla yola devam ettiğini mi anlayacaklardı?

Hayır. Büyük olasılıkla bir uçağa binmek üzere havaalanına geldiği çıkarımında bulunacaklardır. Güvenlikten geçemediği için uçağa binemediğini anlamaları biraz zaman alacaktı.

Eninde sonunda yeni Sentra'nın sahibi geri dönecekti. Fakat arabasını yerinde bulamayacaktı. Çünkü polis o arabayı bir çekici yardımıyla çoktan oradan uzaklaştırmış olacaktı.

Peki arabanın sahibi ne yapacaktı? Her yere baktıktan sonra, okkalı bir küfür edecekti. Başka ne yapabilirdi?

Arabasının çalındığını rapor edebilirdi. Polis de arabayı çalıntı araba listesine eklerdi. Nasıl olsa listede o arabadan başka binlerce arabanın da kaydı yer almaktaydı. Bu durumda polisler arabanın peşine düşeceklerdi ama bu arama üstünkörü olacaktı.

Kaza yaparsa, hız limitini aşarsa ya da birileri plakayı tanırsa; işte o zaman çalıntı bir araba kullandığı anlaşılabilirdi. Hiçbir olaya karışmadan sadece ortalıkta dolaşması halinde, kimsenin dikkatini çekmezdi.

Eninde sonunda Sentra'nın çalıntı olduğu anlaşılacaktı. Arabanın sahibinin dönmesi en fazla iki ya da üç gün sürerdi. Öte yandan polis havaalanındaki arabayı inceledikten sonra, Sentra arayışına bir son verebilir ve böylece tüm Sentra'lar ilgi odağı olmaktan kurtulabilirdi.

Polisi arayıp, havaalanındaki Sentra'yı ihbar etmeli miydi?

911'i aradığı ankesörlü telefonun yerini hemen tespit edebilirlerdi. Eğer karşısına bir engel çıkmazsa telefonu açar açmaz oradan uzaklaşabilirdi. Peki daha iyi bir çözüm yolu bulamaz mıydı?

İstasyonda ücretsiz telefon hatları olduğunu biliyordu. Bu bilgi, hatların tanıtımlarının yapıldığı dönemlerde hafızasına kazınmıştı. Gözlerden uzak bir alışveriş merkezine gitti ve tüm mağazalar kapandıktan sonra oradaki ankesörlü telefondan numarayı çevirmeye başladı. Radyo yayına bağlanmıştı ve spiker tam bir radyocu edasıyla "WHO, Iowa'nın lider haber ve tartışma frekansında canlı yayındasınız," dedi. Keller derin bir nefes aldıktan sonra "Herkesin peşinde olduğu arabanın yerini bulana ödül var mı? Diyelim ki ben arabayı havaalanında gördüm," dedi.

"Bu aramayı daha erken yapmalıydınız," dedi spiker. "Arabayı buldular ve biz de tam beş dakika önce bu haberi herkese duyurduk. Üzgünüm, treni kaçırdın dostum."

"Bu durumda ödülü alıyor muyum almıyor muyum?" diye sorduğunda önce bir kahkaha ardından da telefonun kapandığını anlatan bir sinyal sesi duydu.

"Sanırım parayı alamıyorum," dedi ve arabaya binerek yola koyuldu.

9

Zaman zaman gördüğü o rüyayı tekrar görüyordu. Herkesin içinde çırılçıplak kalmıştı. Aslında bu rüyayı yorumlamak hiç de zor değildi. Terapistiyle yaptıkları seanslarda bu rüyayı da tartışmışlar, hayatta eksik kalan bir yönü olduğu sonucuna varmışlardı. Belirli aralıklarla görüyordu bu rüyayı. Artık o kadar tanıdık olmuştu ki rüyasında bir an bilinci açılıp *yine mi sen* diye tepki veriyor, ardından uyku haline dönerek rüyayı yaşamaya devam ediyordu.

Bu kez rüya hemen sona ermiş ve o da hemen uyanmıştı. Rüya mıydı gerçek miydi anlayamadı. Direksiyon başında uyuyakalmıştı. Birden etrafının silahlı adamlarla çevrili olduğunu hissetti. Sanki adamlar onun gözlerini açmasını bekliyorlardı. Gözlerini açana dek onu bekleyeceklerdi. Bu durumda gözlerini hiç açmamalıydı. Gözleri kapalı bir şekilde durmalı ve derin derin nefes almalıydı.

Gözlerini açtı. Arabanın etrafında ve hatta yakınında kimseler yoktu. Az ileride rölantide duran bir pikap kamyonet vardı. Çaprazında da bir karavan duruyordu. Arabayı park ederken, bu karavanı gördüğünü hatırladı. Zaten bu üç aracın haricinde diğer alanlar bomboştu.

Cedar Rapids şehrinin batısında bir otoban dinlenme sahasındaydı. Des Moines'den ayrılırken I-80 karayolunu takip etmeyi düşünmüştü ama sonra Iowa'dan çıkıncaya kadar eyaletler arası yolu kullanmamanın daha iyi olacağına karar verdi. Haritayı inceledikten sonra Marshalltown şehrine uzanan kuzeydoğu rotasını takip etmenin akıllıca olacağını düşündü. 30 no'lu karayoluna gelene kadar bu rotayı takip etti ve Cedar Rapids şehrine gitmeye karar verdi. Çünkü burada seçenekleri artıyordu. Kuzeydoğuya giderse Dubuque'a ulaşıyordu ve buradan Mississippi'yi geçerek Wisconsin'in güneyine inebilirdi. Ayrıca 30 no'lu karayolunu takip ederek doğu Clinton'a gidebilir ve Illinois'e geçebilirdi. Belki de yol üzerinde başka alternatiflerle karşılaşabilirdi. Hangi yolu izleyeceği önemli değildi. Önemli olan Iowa'dan çıkabilmekti. Görünüşe göre arabanın benzini bu isteğini gerçekleştirmesine yetecek kadar çoktu.

Hesaba katmadığı tek şey yorgunluktu. Saat çok geç değildi. Erken de kalkmamıştı ama belli ki stres onu yormuş ve halsiz bırakmıştı. Esnemeye başladığında, yola konsantre olamadığını fark etti. Henüz Cedar Rapids'e varmamıştı. Yorgunluğunu atmak için bir yerde durup bir fincan kahve içmeye karar verdi ama amacı kimseye görünmeden yol almaktı. Ayrıca yorgunluğunu bir fincan kahve ile atamayacağını da biliyordu. Vücudunun istediği son şey bir uyarıcı olabilirdi. Tek çözüm bir süre durmak ve uyumaya çalışmaktı.

Yol kenarındaki dinlenme alanı, Tanrı'nın bir lütfu olmalıydı. Girişteki tabelada 02:00 ve 05:00 arası kapalı olduğu ve girenler aleyhine dava açılacağı yazıyordu. Bir zamanlar bu tür kuralların yol kenarındaki fahişeleri bu bölgelerden uzak tutmak için konulduğunu duymuştu. Çünkü geceleri ortaya çıkan fahişeler, uykulu kamyoncuları bu alana çekiyor ve birden sıkı fıkı oluyorlardı. Keller hem fahişelerin hem de kamyoncuların bu kurallardan hiç memnun olmayacaklarını düşündü. Ayrıca bu iş kimi ilgilendirirdi ki? Dinlenme alanına girdiğinde kendisi haricinde birkaç araba daha olduğunu gördü. Hepsinden uzak bir köşeye park etti, motoru kapattı ve kapılarını kilitleyerek uykuya daldı. Yirmi dakika ya da yarım saat uyumak onun için yeterli olacaktı.

Saate bakmaya gerek duymamıştı. En geç bir ya da iki olmalıydı. Ama saat beş buçuk olmuştu ve bu durumda Keller üç dört saat deliksiz uyumuştu. Bu kadar çok vakit kaybetmemeliydi ama görünüşe göre böyle bir molaya ihtiyacı vardı. Şimdi yola koyulabilirdi. Hatta önce sakin kafayla tekrar düşünmeli; sonra yola koyulmalıydı.

Haritaya baktı ve 30 no'lu karayolunu izlemenin daha mantıklı olacağına karar verdi. Başlangıçta Dubuque'ya gitmenin iyi olacağını düşünmüştü. En azından orası hakkında birkaç şey duymuştu. Oysa Clinton'ı hiç bilmiyordu. Şimdi gün ağarmaya başlamıştı ve Keller adını duyduğu bir şehrin içinden geçmek yerine bir eyalet boyunca ilerlemenin daha iyi olacağını düşünüyordu. (Ayrıca Dubuque hakkında inanılmaz güzel şeyler de duymamıştı. Hatta tek bildiği bu şehrin isminin bir reklam sloganında geçiyor olmasıydı. Küçük bir çocukken *New Yorker* dergisinde bir reklam görmüştü. *Bu Dergi Dubuque'da Yaşayan Yaşlı Bayanlar İçin Hazırlanmadı* yazıyordu. O zaman derginin çok sofistike olduğuna karar vermişti. Çünkü Dubuque'da yaşayan yaşlıların sayısını hesaplamaya kalkmak hiç kuşkusuz epey zaman alacaktı.)

Kendi kendine "*Nasıl devam edeceksin?*" dedi ve bu sözlerin Dot'ın ağzından çıktığını hayal etti. Keşke şimdi onun sesini duyabilseydi. Keşke bu sözleri o söyleseydi. Sohbet edebildiği tek kişi oydu. O kadar da sessiz bir hayat sürmüyordu. Kapıcısıyla, Lexington Bulvarı'ndaki kafede çalışan garson kızla ve gazete bayisindeki çocukla da konuşuyordu. Özellikle bayideki çocukla haberler hakkında sohbet ediyor; sezona göre Mets ve Yankee'lerin, Nets ve Knicks'in ya da Giants ve Jets'in geleceğini tartışıyordu. Bir de spor salonunda, barda ya da asansörde beklerken karşılaştığı insanlarla konuşuyordu.

Bunların içinde sadece Dot'ı tanıyordu. Başka kimsenin de onu tanımasına müsaade etmemişti. Onunla konuşmadan en fazla bir ya da iki gün geçirebilirdi. Oysa şimdi arayamadığı tek kişi oydu.

Aslında Dot, arayamadığı birkaç yüz milyon kişiden biriydi. Çünkü Keller şu anda kimseyi arayamazdı. Dot aramak istediği tek kişiydi ama aramıyor olması canını sıkıyordu.

Sonra kızın sesini duydu. Tamamen kendi zihninde canlandırıyordu. Çok garipti ama o kadar da ürkütücü değildi. Zihni Dot'ın kılığına girmişti ve Keller'la onun ağzından konuşuyordu. *Arabaların bagajındaki eşyaları değiştirmedin mi sen? Neden inip, o çantalarda ne olduğuna bakmıyorsun?*

Bu kendi fikri miydi, yoksa Dot'ın fikri miydi bilmiyordu ama fikir oldukça güzeldi. Etrafta kimse yoktu ve inip bagaja bakmak için daha iyi bir zaman olamazdı. Bagajı açtı ve eşyaları değiştirirken içeri tıktığı karton kutuyu aldı. İçindekilere baktı ve okyanus kenarına giderse bu kutunun çok işe yarayacağını düşündü. Çünkü içi tamamen plaj malzemeleriyle doluydu. Küçük oyuncak kovalar ve kürekler, mayolar, plaj havluları ve bir frizbi vardı. Sonuncusu sadece plajlara özgü bir eşya değildi. İnsan oynayacak biri olması halinde istediği her yerde frizbi atabilirdi. Ama Keller'ın bu frizbiyle yapacağı tek şey, onu çöpe atmak olurdu.

Bütün kutuyu olduğu gibi çöpe atabilirdi. Arabanın az ilerisinde bir çöp varili duruyordu. Bütün bu saçmalığı taşımanın ne manası vardı? Kutuyu kucakladı ve çöpe yöneldi. Sonra fikrini değiştirdi. Arabaya döndü ve kutunun içindeki eşyaları arabanın arka koltuğuna dağıttı. Mavi ve sarı oyuncak kova koltukta, havlular yerde, her şey iç içeydi. Bu eşyaların iyi bir kamuflaj olacağını hayal etti. Arabanın içine bakan insanlar, onun kaçak bir suikastçi olduğunu değil iyi bir koca ve iyi bir baba olduğunu düşünecekti.

Tabii onun bir sübyancı olduğunu düşünmezlerse...

Bagaja tekrar göz attı ve metal bir alet çantası buldu. Erkeklerin çoğu arabalarında böyle bir çanta bulundururdu. Aletlere baktı ama bazılarının ne olduğunu bilmiyordu. Bir kısmının balıkçılıkla ilgili olduğuna emindi. Kurşun ağırlıkları ve plastik şamandıraları tanıdı. Ayrıca kancalara takılmış yemler vardı. Onun dışında eroinmanların kullandığı kaşıklara benzer birkaç şey gördü.

Gerçi pullar da insanın cebini yakabilirdi. Son aldığı beş İsveç pulu tam 600 dolar tutmuştu ve elindeki nakit para birden bire 187 dolara inmişti. O günden sonra pizza için 15 dolar, havaalanı otoparkı için de 7 dolar ödemişti. Bir de ülkenin yarısını geçebilecek kadar benzin alması gerekiyordu. Gitmesi gereken yaklaşık 2500 km'lik bir yol vardı ve 2.5 dolara doldurduğu 3 litre benzinle 30 km yol alabilirdi. Bu durumda 2500 km için kaç dolara ihtiyacı vardı?

Kafasında hesaplamaya çalıştı ama her seferinde farklı bir sonuç elde etti. Sonunda bir kağıt ve kalem alarak hesaplamaya koyuldu. Çıkan sonuç 187.5 dolardı ve oldukça yüksek bir meblağ olduğunu düşündü. Elindeki paradan 20 dolar daha fazlaydı.

Yemek için de paraya ihtiyacı vardı. Kimseye görünmeden yiyecek bir şeyler alabilirdi ama elindeki nakit paradan harcayacaktı. Er ya da geç – hatta mümkünse geç olmadan – bir beyzbol şapkası ve saç rengini değiştirecek bir boya almalıydı. Bir de saçını kesmek için makasa ihtiyacı vardı. Bu eşyaların satıldığı yerlerde kredi kartı geçerliydi ama kredi kartı kullanmak her şeyi berbat edebilirdi.

600 doları harcamamış olsaydı, işler daha kolay olacaktı. Çözülmesi güç problemler varlığını sürdürecekti ama parasızlık bir sorun olmaktan çıkacaktı.

Şimdi elinde beş küçük kağıt parçası vardı. Eğer İsveç'te olsaydı ve mektup göndermek istediği biri olsaydı; bu kağıt parçaları çok işe yarayabilirdi. Oysa şu anda hiçbir işe yaramıyorlardı.

Kendini sihirli fasulyeler uğruna çiftliklerindeki ineği satan küçük Jack gibi hissetti. Hikayeyi düşününce, sonunda kârlı çıkanın Jack olduğunu hatırladı.

Fakat bunun bir peri masalı olduğunu da hatırladı.

10

İki saat sonra Clinton şehri sınırlarından Mississipi'yi geçti. Illinois eyaletinde birkaç km yol aldıktan sonra benzinin bitmek üzere olduğunu fark etti. Bir benzin istasyonuna girdi. O bölge için işlek bir saat olmalıydı ve bu Keller'ın işine geldi.

Onunla ilgilenen çocuk liseyi yeni bitirmiş ve hayatının geri kalanını Morrison, Illinois'de geçirmek ister gibiydi. Kulağında kulaklıklar vardı ve boynundan sarkan iki kabloyla steteskop takan pratisyen hekimleri andırıyordu. Keller çocuğun arka cebindeki i-pod'u görebiliyordu. Dinlediği müzik her neyse, Keller'dan daha ilgi çekici olduğu kesindi.

Arabanın gölgeliğini indirdi ve çocuğun yüzünü görmesini engellemeye çalıştı. 40 dolar istedi. Benzin çabuk doldu ama para üstü beklemek zaman alacaktı. Çocuk paranın üstünü getirdiğinde, yağ kontrolü isteyip istemediğini sordu. Keller gerek olmadığını söyledi.

"Bende de bunlardan bir tane vardı," dedi çocuk. "Şu küçük kova. Üzerinde küçük sarı köpek resimleri olanlardan. Plaj için ne harika değil mi?"

"Çocuklarım o kovaya bayılır," dedi Keller.

Çocuk "Bence de çok güzel," dedikten sonra arabanın ön camını silmeye başladı. Bu işte oldukça başarılıydı. Keller durmasını söyleyecekti ama tam bakım bölümüne gelmişti. Eğer bunları istemiyorsa, başka bir bölüme gitmeliydi. Çocuğun işini bitirmesine müsaade etti ve haritayı incelemeye başladı. Bu kez harita ile yüzünü gizlemeye çalışıyordu.

Çocuk yan camları da temizledi. İşi bittiğinde şoför kapısının yanında durdu ve Keller çocuğa bahşiş verdi. Üzerinde *OshKosh B'Gosh* yazan şapkası için yirmi dolar teklif etmeyi düşündü.

Belki de kovayla takas etmeyi önerebilirdi. Böylece dikkat de çekmezdi.

Benzinlikteki markete gidip birkaç ihtiyacını karşılayabilirdi. Tuvalete gidebilirdi. Ama depoyu doldurmuştu ve şimdilik bu yeterliydi.

30 no'lu karayolundan doğuya doğru ilerlemeye devam etti. Hızını 50 km tutuyordu ve şehir içlerinden geçerken, izin verilen hız limitini aşmamaya özen gösteriyordu. I-39 karayoluna geldiğinde, arabaya paket servisi yapan bir Burger King gördü. Bir aileye yetecek kadar hamburger, patates kızartması ve içecek siparişi verdi. Görevliye hiç bakmadı. Etraftakilerin onunla ilgilendiğini sanmıyordu. Sipariş gelir gelmez yola koyuldu.

Bir sonraki şehir Shabonna'ydı. Şehre girer girmez Shabonna Eyalet Parkının tabelasını gördü. Orada kimseye görünmeden yemek yiyebilir ve tuvalete girebilirdi.

Ankesörlü bir telefon gördü ve o anda aklına birtakım düşünceler geldi.

Radyodaki haberlere bakılırsa, plaka değiştirme işlemi başarıyla sonuçlanmıştı. Herkes Holden Blankenship adlı adamın Des Moines Uluslararası Havaalanından uçağa binip kaçmayı başardığını düşünüyordu. Onu gördüğünü iddia edenler bile vardı. Des Moines'den Kansas City'e giden bir kadın, bekleme salonunda Blankenship'i gördüğünü söylüyordu. Muhabirlere kendisine iki adam uzaklıkta oturduğunu, yetkililere haber vereceğini ama tam o esnada kendi uçuşu için anons yapıldığından heyecanlandığını anlatıyordu.

Iowa eyaletindeki şehirlerden sahil şeridindeki büyük yerleşim yerlerine kadar çok sayıda duyarlı vatandaş Blankenship'le karşılaştıklarına dair ihbarda bulunuyordu. Klamath Falls, Oregon'dan bir adam Blankenship ya da "onun ikiz kardeşini" Greyhound otobüs terminalinde kovboy kıyafetleri içinde gördüğüne yemin ediyordu. Keller ne kovboy kıyafeti giymişti ne de Klamath Falls'a gitmişti. Fakat Roseburg, Oregon'dan geçmişti. Roseburg, Klamath Falls'a uzak değildi. Arabanın yan gözünde bir Oregon haritası vardı. Tam uzanıp haritayı alacakken, Klamath Falls'un nerede olduğunun hiçbir önemi olmadığını fark etti. Oraya gitmiyordu ve hatta o bölgenin yakınlarında bile değildi.

Telefonu kullandığını düşündü. Dot'ın cep telefonunu arayamazdı. Ama ev telefonunu arayabilirdi.

Peki ne amaçla arayacaktı? Nasıl olsa kız orada değildi. Al, Keller'ın gerçek adını ve nerede yaşadığını bilmiyor olabilirdi ama Dot'ın telefon numarasını biliyordu. Evden birkaç kez aramıştı. Üstelik ev adresini de biliyordu. Birkaç kez kargo ile paket yollamıştı ki bazılarının içinde para oluyordu.

Dot, bu durumu hesaba katarak evinden uzak duruyor olmalıydı. "Telefondan – kurtul. Tekrar – ediyorum. Kahrolası – telefondan – kurtul." Durumu iyice kavramamış olsa, Keller'a böyle bir mesaj bırakmazdı. Bu durumda kızın yapacağı tek şey kaçıp kurtulmaktı.

Arasa da kimse cevap vermezdi. Tabii polis ya da Al'in adamları orada değillerse. Polisler oradaysa ve Keller telefon açarsa, yerini tespit etmeleri mümkün olabilirdi. Al'in adamları yerini tespit edemeyebilirdi. Ama ne onlarla ne de polislerle görüşmek istiyordu. O zaman telefon açmanın ne anlamı vardı?

Üstelik telefon açmak için bozuk parası da yoktu. Ne yapacaktı, ödemeli mi arayacaktı?

30 no'lu karayolunda ilerleyerek Chicago çevre yolundan geçip güneye doğru gitmeye devam etti. Otobanda yolculuk etmeyi seviyordu. Trafik neredeyse hiç yavaşlamazdı ve ağır vasıtalar ilerlemeye devam ederdi. Yolculuk esnasında yanlarından geçilen şehirler, otobanın monotonluğunu ortadan kaldırmaya çalışan manzaralar gibi uzanırdı. Durma imkanı olsaydı, yol kenarında uğranabilecek ilginç yerler vardı. Riske girmek istemediği için antika dükkanlarını, restoranları ve diğer güzel yerleri geride bırakıp yoluna devam etti. Belki bir gün buradan tekrar geçer ve insanlardan kaçmadan her yeri tek tek ziyaret ederim diye düşündü. Tıpkı vali John Tatum Longford'un yaşadığı ve kendisinin özgür bir yaşam sürdüğü günlerdeki gibi.

O günler gelecek miydi?

Saatlerdir bu düşünceyi uzaklaştırmaya çalışıyordu ama artık çok geçti. Kendini geleceği düşünmeye kaptırmıştı.

Son bir iş. Neden Dot'a bu işi kabul etmeyeceğini söylememişti?

■ ■ ■

Son iş ziyareti olduğunu zannettiği seyahatinden yeni dönmüştü. Gitmeden önce Dot'ın mutfağında oturdu. Kızın parmakları bilgisayarın klavyesi üzerinde dans ediyordu. Bir ara durdu, ekrana baktı ve Keller'a dönüp hesabında iki buçuk milyon dolardan fazla parası olduğunu söyledi. "Emekli olmak için bir milyon dolara ihtiyacım var demiştin ve ben de itiraz etmedim. Biraz hesap yaptım ve emekli olmak için en az iki milyon dolara ihtiyacın olduğunu düşündüm. Şimdi görüyorum ki bundan da fazlasına sahipsin," dedi.

İki yıl önce Indianapolis'teki işle ilgilenirken borsa ile ilgili birtakım tüyolar almışlardı. Dot da bundan faydalanmak için bir hesap açtırdı. Her şey zamanla ilerledi ve Dot. Keller'la ikisinin parasıyla yatırım yapmaya başladı. Bu işte oldukça başarılı olmuştu.

"Bu inanılmaz," dedi Keller.

"Şansım yaver gitti ama bu işte yetenekli olduğumu da kabul etmeliyim. Senin bugüne dek kazandıklarının ve bizim bugüne dek kazandıklarımızın çoğu doğruca yatırıma gitti ve para parayı getirdi. Çinlilerin kapitalizmi benimsemelerine hiç şaşırmamak gerek, Keller. Adamlar çok zeki."

"İki buçuk milyon dolar."

"Bu parayla pul koleksiyonundaki tüm eksikleri tamamlayabilirsin."

"İki buçuk milyon dolara satın alamayacağın bazı özel pullar vardır, Dot. Her şeyi tadında bırakmak gerekir."

"Neden böyle kısıtlamalarla dolu bir hayat yaşayalım ki?"

"Elbette elimizde çok var. Yılda yüz bin dolar harcasam, bu para bana yirmi beş yıl yeter. O kadar uzun yaşayacağımı zannetmiyorum."

"Senin gibi sağlıklı ve düzenli hayat süren biri mi? Tabii ki o kadar uzun yaşarsın ama yirmi beş ya da elli yıl içinde paramız bitecek diye endişelenmene hiç gerek yok."

Dot, planını açıkladı. Keller çok iyi takip edemedi ama anlatıların özü şuydu. Dot, paranın büyük bir kısmını Belediyenin tahvil fonlarına yatırmıştı. Bu sayede hem %5 vergi indiriminden faydalanacak hem de paraları enflasyon karşısında değer kaybetmeyecekti. İstedikleri zaman gerekli ayarlamaları yapıp, bu paradan her ay on bin dolar çekebilirlerdi. Üstelik bu parayı alırken, anaparaya dokunmamış olacaklardı.

"Böyle bir imkanı yakalamak için adam öldürebilecek insanlar var. Ama sen zaten bunu yapmıştın, değil mi Keller? Bu son işi de kabul et, ve hayatının geri kalanında ayaklarını uzatıp pullarla oynamaya devam et."

Keller pullarla oyun oynanmadığını, onlarla dikkatlice çalışıldığını defalarca söylemişti. Üstelik böyle bir işle meşgulken asla ayaklarını uzatmazdı. "Son bir iş," dedi Keller.

"Sanki fonda gerilim müziği varmış gibi söyledin. Dum-de-dum-dum."

"Hep böyle olmaz mı? Her şey yolunda gider ta ki son işe kadar."

"Bunların sorumlusu o büyük televizyon," dedi Dot. "Görüntü kalitesi o kadar iyi gerekli gereksiz her şeyi izliyorsun. Her şey yolunda gidecek, inan bana."

Gerçekten de her şey yolunda gitti. Eve döndüğünde son derece rahatlamıştı. Ama "Bana kısaca Al diyebilirsin" diyen adam birden ortaya çıktı ve aylar önce ön ödemesini yaptığı işi hatırlattı.

"Ama ben emekliye ayrıldım," dedi Keller ve Dot da ona katıldı. Al'in ön ödeme olarak yolladığı para çoktan birikim hesaplarına dahil edilmişti ama Dot parayı çekip Al'e geri ödeyebilirdi. Fakat bunu nasıl yapacağına dair hiçbir fikri yoktu. Çünkü Al'in nerede olduğunu ve parayı nereye yollayacağını bilmiyordu. Tek yapabileceği Al tekrar arayana kadar beklemekti. Al sorunun ne olduğunu sorduğunda adamının öldüğünü ya da hapse girdiğini söyleyecekti. Bu camiada kimse emekliye ayrılmazdı. Böylece Al, kızın parayı geri ödeyebileceği bir hesap verecekti.

Başka birini bulamaz mıydı? Bu sayede parayı geri vermek zorunda kalmazdı.

"Bunu da düşündüm," dedi Dot. "Ama yıllardır senden başka kimseyle çalışmıyorum. Sen emekliye ayrılana kadar hiç durmadan çalışacağım dediğinden beri gelen tüm işleri sana veriyorum. Bir defasında müşterimin birini beklemeye aldım ve senin elindeki işi bitirmeni bekledim."

"Hatırlıyorum."

"Profesyonel bir yaklaşım değil biliyorum ama biz buna alıştık. Diğer her şeyi boşladım. Çünkü senin emekliye ayrıldığın gün, ben de bu işleri bırakacaktım."

Keller, kızın bu düşüncesini bilmiyordu.

"Ayrıca Al denen adam bu kez özellikle seni istedi. Lütfen bu işle Albuquerque'da inanılmaz bir iş çıkaran o arkadaş ilgilensin diye belirtmiş. Takdir edilmek ne hoş, değil mi?"

"Arkadaş mı dedi?"

"Arkadaş ya da ahbap, tam olarak hatırlayamıyorum. Bütün bunlar bir fotoğraf ve iletişim bilgileri ile birlikte gönderilen notta yazıyordu. Bu kez telefon açmadı. Aslında aramayalı epey uzun zaman oldu. Adamın sesini bile hatırlamıyorum artık. Görmek istersen, not buralarda bir yerlerde olmalı,"

Keller başını hayır anlamında iki yana salladı. "Sanırım en iyisi gidip bu işi halletmek," dedi.

"Seni zorlamak istemiyorum ama bence de en iyisi bu."

En iyisi. Hiçbir şey bundan daha iyi olamazdı, değil mi?

11

Burger King'den kendisine bütün gün yetecek kadar yiyecek almıştı ama çok susamıştı. Tuzlu yiyecekler, onu daha çok susattı. Aldığı içecekler de çilekli olduğu için susuzluğunu gidermeye yaramadı. İlk cezaevinin açıldığı yer olması haricinde hakkında hiçbir şey bilmediği Joliet şehrine giderken bir market gördü ve buraya yanaştı. Bozuk para atınca çalışan alışveriş makinelerinden vardı. On dolar attı ve şişenin üzerinde yazılanlara göre doğal kaynak suyu olan dört şişe su aldı. Su, tüm alkolsüz içkilerle aynı fiyata satılıyordu. Oysa tek yaptıkları doğal suyu şişelemekti. İçine şeker ya da suni tatlandırıcı eklememişlerdi. Gıda boyası ya da karamel konmamıştı. Öte yandan saf ve doğal oluşu diğer tüm katkı maddelerinden çok daha değerliydi ve bu yüzden söylenmeye bir son vermeliydi.

Keller küçük bir çocukken suyu sadece bir yerde şişe içinde görürdü. Orası da annesinin ütü odasıydı. Annesi üzerinde küçük delikler olan bir şişeye su doldurur ve ütülediği şey her neyse onun üzerine biraz su serperdi. Keller bunun sebebini bir türlü anlayamamıştı. Keller dahil herkes musluk suyu içerdi ve bunun için herhangi bir ödeme yapmalarına gerek yoktu.

Zamanla sular şişelere doldurulmaya ve marketlerde satılmaya başlandı. Bu suları alanlar da suşi yiyen türde insanlardı. Tabii şimdilerde herkes suşi yiyor ve herkes şişe su satın alıyordu. Artık motosikletli haydutlar, vücutlarındaki yara sayısı dövme sayısıyla eşit olan serseriler ve kalan dişleri ile şişelerin kapağını açmaya çalışan boksörler; pet şişelerden su içerek Kaliforniya usulü suşilerini rahat yutmaya çalışıyordu.

Keller arabaya bindi ve bir şişe suyu birkaç yudumda bitirdi. Bozuk para ile çalışan çamaşır makinelerinin az ilerisinde ve Çin lokantasının hemen bitişiğinde duran bir ankesörlü telefon vardı. Keller hiç olmadığı kadar çok ankesörlü telefonla karşılaşmaya başlamıştı. Herkes cep telefonu kullandığına göre, bunların sayısının azalması gerekirdi. Oysa Keller her yerde bir tane görüyordu. Bu gidişle kendisine bir cep telefonu almak zorunda kalacak ya da Kızılderililer gibi dumanla işaret göndermeyi öğrenecekti.

Bu kez dayanamadı. Arabadan indi, telefonu açtı ve Dot'ın numarasını çevirmeye başladı. Suları aldığı makine, para üstü olarak çok sayıda çeyreklik vermişti. Elinde 3 dolar 75 sent vardı ve bu parayla üç dakika konuşabilirdi. Parayı attıktan sonra numarayı tuşladı. Karşısına çıkan bant kaydı, böyle bir numaranın sisteme kayıtlı olmadığını söyledi. Telefonu kapattıktan sonra, çeyrekliklerini geri aldı.

Az da olsa yanlış tuşlama ihtimalini göz önünde bulundurarak tekrar aradı ve yine aynı ses aynı şeyleri söyledi. Çeyreklikleri geri almayı unutmadı.

Kızın uzaklaştığına artık hiç şüphe yoktu. Peki ama telefon hattını kapattıracak vakti nereden bulmuştu? Telefon hattını kapattırmak istiyor muydu? Telefonu öylece evde bıraksa ve arayanlar ona evden ulaşmaya çalışarak vakit kaybetse ne olurdu?

Kafasında çok sayıda soru vardı ama hiçbirinin cevabını bilmiyordu.

Indiana'ya geldikten birkaç saat sonra benzin almak için durdu. Benzin istasyonu oldukça küçüktü ve self servis hizmet vardı. Kredi kartını makineye yerleştirdikten sonra, istediğin kadar benzin dolduruyordun ve bu esnada ön camlarını temizleyebiliyordun. Kimse seni görmüyor, sen de kimseyi görmüyordun.

Peşin ödeme yapmak istediğinde işler değişiyordu. İçeriye gidip kasanın ardında duran kıza ne kadarlık benzin almak istediğini söylüyordun. Kız önce parayı alıyor, ardından da benzin pompalarını programlayarak benzinin miktarını belirliyordu.

Yol üzerinde daha önce de bu tür istasyonlarla karşılaşmış ama riske girmemek için benzin almamıştı. Oysa şimdi depo boşalmak üzereydi ve başka çaresi yoktu. Ayrıca benzinliğin türü ne olursa olsun, oradaki personelin ona dikkatlice bakıp bakmayacağının da garantisi yoktu. Morrison'daki gençle herhangi bir sorun yaşamamıştı ama bu durum diğerleriyle de yaşamayacağı anlamına gelmiyordu.

Bu kez kırk dolarlık benzin alamazdı. Bu konu hakkında biraz düşündü. Depoyu tamamen dolduracak kadar benzin alan insanlar, genellikle kredi kartıyla ödeme yapıyordu. Sadece on ya da yirmi dolarlık benzin alacaklar peşin ödeme yapıyordu. Kırk dolarlık benzin alıp, peşin ödeme yaparsa dikkat çekebilirdi. Keller'ın en son istediği şey dikkat çekmekti.

Tabelada "PEŞİN ÖDEME YAPACAKLAR İÇERİDE ÖDEME YAPTIKTAN SONRA BENZİN DOLDURABİLECEKTİR" yazıyordu ve mesaj son derece açık bir şekilde anlaşılıyordu. Keller ceketini giydi. Böylece daha saygın bir görünüm kazanacağını ve daha az dikkat çekeceğini düşündü. Asıl amacıysa revolveri kapatabilmekti. Silahı yanından ayırmıyordu; çünkü ona ihtiyacı olabilirdi.

Cüzdanından yirmi dolar çıkardı, içeriye girerken parayı elinde tutuyordu. Bu tür yerler sürekli soygun riski taşıdıkları için içeride mutlaka güvenlik kamerası vardı. Burada da bir güvenlik kamerası olup olmadığını merak etti. Indiana'nın ortasında böyle bir güvenlik önlemi alınmış olabilir miydi?

Nasıl olsa her işi ters gidiyordu. Endişelenecek bir konu daha çıksa ne fark ederdi ki?

İçeriye girdi. Görevli kız içeride yalnızdı ve *Soap Opera Digest* adlı bir dergi okuyordu. Radyoda ise country müzik çalıyordu. Keller parayı masanın üzerine bırakarak "Merhaba. 2 no'lu pompaya yirmi dolarlık benzin lütfen," dedi. Sözcükler ağzından bir solukta çıkıp gitti. Kız gözlerini dergiden ayırıp ona bakıncaya kadar kapıya yönelmişti. Arkasından "iyi günler" diye bağırdığında, kızla herhangi bir sorun yaşamadığını hissetti.

Benzini doldururken kızın onu tanıyabileceği ihtimalini düşündü. Kız onu bir süre nereden tanıdığını düşündükten sonra sorumluluk sahibi bir vatandaş olarak 911'i arayacaktı.

Keller, yola nasıl devam edeceksin?

Şimdiye dek benzin için altmış dolar, hamburger, patates ve içecekler için on beş dolar ve su için on dolar vermişti. Sabahtan bu yana elindeki paranın yarısını harcamıştı. Şimdi seksen dolar ve biraz da bozukluğu vardı. Hamburgerlerinden bir kısmı hâlâ duruyordu ve şansına bu hamburgerler soğuk yenebilir türdendi. Oysa patates kızartmaları öyle değildi. Hiç açılmamış bir milkshake duruyordu. Biraz erimiş olsa da tam manasıyla sıvı bir hal almamıştı. New York'a kadar bunlarla idare edebileceğini düşünüyordu. Eğer çok acıkmış olsaydı, onları da yerdi. Yemediğine göre, o kadar da acıkmamıştı.

Öte yandan arabanın ihtiyaçları, kendi ihtiyaçları kadar vazgeçilebilir değildi. Depoda sürekli benzin bulundurmalıydı ve OPEC üyesi ülkeler piyasaya benzin girişini arttırsa bile Keller daha otobandan çıkmadan elindeki bütün parayı benzine yatırmış olacaktı.

Bu duruma bir çözüm olmalıydı ama Keller'ın bu çözümü görebilmesi için lanetlenmiş olması gerekiyordu. Bütün sorunların çözümsüz kaldığı noktaya gelmişti. Gökyüzünden beyzbol şapkası ve saç boyası yağsa, hatta yüz hatlarını başka birinin yüzüyle değiştirme imkanı doğsa bile Keller Ohio'nun doğusunda ya da Pennsylvania'nın batısında bir yerlerde beş parasız ortada kalacaktı. Başka bir deyişle elinde sadece sihirli fasulyeleri olacaktı.

Pulları satabilir miydi? Sıkı bir pazarlıkla altı yüz dolara aldığı pulları yarı fiyatına satabilir miydi? Ne yapacaktı, gidip kapı kapı dolaşacak mıydı? Sarı sayfalardan pul satıcılarını mı bulacaktı? Bu fikirlerin hiçbiri işe yaramazdı. En iyisi pulları alnına yapıştırıp kendini New York'a postalamaktı.

Aklına başka fikirler de geliyordu ama geldikleri gibi gidiyorlardı. Trene binebilir miydi? Artık demiryollarına rağbet eskisi gibi değildi ama yine de Chicago ve New York arası seferler düzenleniyordu. Nereden trene bineceğini bilmiyordu. Ayrıca kimseye yakalanmadan istasyona girse bile bilet masrafını karşılayacak kadar parası yoktu. Bir süre önce Washington'a gitmek için metroliner denilen hızlı trene binmişti. Şehir merkezlerinde durarak yola devam ediyordu. Üstelik havaalanı güvenliği gibi can sıkıcı güvenlik elemanları da yoktu ama hiç de ucuz değildi. Yakınlarda ismini Acela Express olarak değiştirmişlerdi. İnsanlar ismini söyleyemediği gibi, fiyatların yüksekliğinden ötürü bilet de alamıyorlardı. Keller'ın benzin alacak parası yoksa, tren bileti alacak parası da yoktu.

Peki ya otobüs? En son ne zaman şehirlerarası bir otobüse bindiğini hatırlayamıyordu. Tek hatırladığı lise yıllarındayken bir yaz tatilinde otobüse binmesi ve otobüsün tıklım tıklım dolu oluşuydu. Her yer sigara dumanıydı ve insanlar anlaşılmasın diye gazete kağıdına sardıkları şişelerden viski içiyorlardı. Otobüsün ucuz olması gerekirdi; başka türlü kimse o eziyeti çekmezdi.

Otobüs ucuz olmasına rağmen, yüzü ulusal kanallarda gösterilen bir adam için çok tehlikeli bir seçenekti. Saatlerce kırk ya da elli kişiyle bir yere tıkılıp kalacaktı. Kaç kişi onun yüzüne dikkatlice bakardı? Kimse ilk bakışta bir bağlantı kuramazdı ama Keller orada, o kadar kişi içinde, kaçacak hiçbir yeri olmadan saatlerce duramazdı. Çünkü insanlar da onca saat boyunca düşünebilir ve sonunda onun kim olduğunu hatırlayabilirdi.

Otobüs olmazdı. Tren olmazdı. Montrose ya da Blankenship adlı adamın Des Moines havaalanından kaçışını anlatan radyo kanalı, suikastçinin özel uçaklardan birini kaçırmış olabileceği teorisini ele alıyordu. Önceden kendisine bir uçak kiralamış ve işini bitirinceye kadar orada bekletmiş olabilirdi. Belki de uçağı kendisi kullanmıştı. Daha da ileri giderek suikastçinin uçağı kaçırmış olabileceğinden bahsediliyordu. Pilotu rehin alıp, istediği yere götürmesi için tehdit ediyor olabilirdi.

Bu teoriler Keller'ın çok hoşuna gitmişti. Hatta uzun zamandır gülmediği kadar çok gülmüştü. Aslında hiç de fena bir fikir değildi. Ülkenin hemen her yerinde özel hava alanları vardı. Bir özel uçak bulabilir ve taşrada bir yerlerde inerek gözden kaybolabilirdi. Uçağın hazırlıklarını tamamlamış ve kalkışa hazır halde bekleyen bir pilotu rehin alıp onu 49. Cadde'nin doğusunda bırakmasını isteyebilirdi.

Belki de isteyemezdi.

Adını bilmediği bir şehirde Travelodge motellerinden birine rastladı. Motelde kalan müşteriler için ayrılan park sahasına girdi ve arabasını park etti. Uzaktan bakıldığında odasına çıkmak üzere olan bir müşteri gibi görünüyordu. Önce farları söndürdü ama sonra motoru tamamen durdurdu. Direksiyon başında oturmuş soğuk hamburgerlerinden birini yiyor ve su içiyordu. Bir yandan da arkasındaki Honda'dan inip motele yönelen kadınla adamı izliyordu. Valizleri yoktu. Adam elini kadının kalçasına koyduğunda, Keller doğru bir tahminde bulunduğunu anladı. Kadın, adamın elini uzaklaştırdı ama tekrarlayınca kadın da itiraz etmekten vazgeçti. Odalarına çekilinceye kadar bu şekilde ilerlediler.

Keller onlara imrendi. Ama bu imrenmenin sebebi yapmak üzere oldukları şey değil, o işi yapacak bir odaya sahip olmalarıydı. Traveldoge motelinde oda fiyatlarının ne olduğunu bilmiyordu. En iyi ihtimalle elli dolar civarında olmalıydı. Gelen çift geceyi orada geçirmeyecekti ve yine de bir oda için o kadar para harcayacaktı. Belli ki ikisi de evliydi ama başkalarıyla. Keller'ın kaderi direksiyon başında uyumaktı. O çiftin kaderi ise kiraladıkları çarşaflar üzerinde zevk içinde bir, en fazla iki saat geçirmekti.

Bu durumdan nasıl faydalanabilirdi? Onlar çıkıncaya kadar beklemeyi düşündü. Ayrılırken odanın kapısını kilitlerler miydi? Belki kapıyı açık bırakırlardı ve Keller onlar çıkar çıkmaz içeri girebilirdi.

Kapıyı kilitleseler bile içeri girmek ne kadar zor olabilirdi ki? Keller ve İsveç çakısı iyi bir ikili olmuşlardı. Bu ikili işe yaramazsa, kapıyı tekmeleyerek açabilirdi. En nihayetinde burası Fort Knox askeri üssü değil, yol üzerinde bir oteldi.

Otel yönetimi, odanın tüm gün için kiralandığını düşünecekti. Odanın boşaltıldığından şüphelenirlerse, temizlik yapması için bir görevli gönderirlerdi. Park yerindeki araba sayısına bakılırsa, otelin yarısı boştu. Neden böyle bir zahmete gireceklerdi ki? Müşteri gelirse boş odalardan birini verirlerdi. Keller kimse fark etmeden bu çiftin odasında kalabilirdi.

Gerçek bir yatakta birkaç saat uyuyabilirdi. Yüce Tanrım, belki duş bile alabilirdi.

Beklemek hiç kolay değildi. İçinden bir ses sürekli olarak zaman kaybettiğini söylüyordu. Çoktan buradan ayrılmış ve kilometrelerce yol kat etmiş olabilirdi.

Çiftin birkaç saat içinde ayrılacağından nasıl bu kadar emin olabiliyordu? Belki gerçekten bütün günü yolda geçirmiş ve yorgun oldukları için valizlerini odaya taşımaya üşenmiş yolculardı. Kadının el çantası yanındaydı. Gerekli olan her şey çantada olduğu için valizlere sabaha kadar ihtiyacı olmayabilirdi. Bu düşünce biraz garipti ama her yerde garip şeyler yaşanıyordu.

Çiftin arabasına doğru gitti. Arka koltukta hiçbir şey yoktu ama valizleri bagajda olabilirdi. Tıpkı kendi eşyalarının bagajda olması gibi. Arabanın plakası Indiana eyaletine aitti ama bu onların yerel vatandaş olduğunu kanıtlamazdı, değil mi? Indiana oldukça büyük bir eyaletti. Aslında Indiana ne kadar büyük ya da Keller şu anda bu eyaletin neresinde tam olarak bilmiyordu. Yanındaki haritalar bir daha geri dönmeyi düşünmediği Iowa'ya ve Klamath Falls olayından sonra gitmeyi planlarından çıkardığı Oregon'a aitti. Yine de Indiana'nın büyük olduğundan emindi. Texas kadar büyük olmasa da Delaware ile de kıyaslanamazdı.

Arabasına döndü. Bu insanlar büyük ihtimalle bu eyaletin yerlilerindendi ve kabul etmeliydi ki geceyi burada geçirme ihtimalleri vardı. Belki adam ailesi yaşıyordu, kızın da oda arkadaşları vardı. Baş başa vakit geçirebilecekleri bir yer buldular ve sabaha kadar da burada kalacaklardı. Bütün bu düşüncelerin arasında Keller arabada oturmuş, gözlerini açılmasını tüm kalbiyle dilediği o kapıya dikmiş bekliyordu.

Kapı açıldığında hemen saatine baktı. Çift henüz bir saat olmadan odayı terk ediyordu. Önce adam çıktı ve kapıyı tutarak kadının çıkmasını bekledi. Odadan ayrılan kadın ilerlerken, adamın eli yine kadının kalçasındaki yerini almıştı. Kıyafetleri son derece düzgündü. Onları gören hiç kimse son elli dakikayı Indiana'nın yerel David Letterman şovunu izlemekten daha eğlenceli bir iş üzerinde geçirdiklerini anlayamazdı. Buna rağmen Keller, çiftin içeride yaptıklarına dair tahminlerinden son derece emin görünüyordu.

Hadi ama! dedi Keller. *Kapıyı açık bırakın.*

Bir an için kapıyı kilitlemeyeceklerini düşündü ama hayır. O aşağılık herif geri dönüp tokmağı kavradı ve kapıyı kilitledi. Çift arabalarına doğru giderken adam beyaz karta benzeyen bir şeyi kadına uzattı. Kadın kartı almak istemediğini gösterircesine ellerini havaya kaldırdı. Adam, kadının çantasını kaptı ve kartı içine atmak istedi ama kadın çantasını geri alıp çantayla adama vurmaya başladı. Kahkahalarla gülüyorlardı. Sonunda kadın kartı alıp yere attı. Sonra da arabaya doğru yürümeye devam ettiler, adamın eli her zamanki yerdeydi. Keller kartın tam olarak nereye düştüğüne baktı; çünkü onun ne olduğunu biliyordu.

Elbette kapının anahtarıydı. *İşte tatlım, bu gecenin sürprizi! İzin ver de çantana kaldırayım.* Keller kartı yerden aldı ve üzerini temizledi. Sonra gidip anahtarı denedi. Evet, kapı açılmıştı. Keller diğer tüm yasal turistler gibi arabasına gidip çantalarını aldı ve odaya döndü.

12

Keller, bu eğlenceli çiftin çarşafları üzerinde nasıl uyuyacağını düşünürken odada iki yatak olduğunu fark etti. Çift sadece birini kullanmıştı ve görünüşe göre yatağın hakkını vermişlerdi. Çiftin yatağını gelişigüzel örttü. Sonra bir duş alıp, diğer yatağa kıvrılıverdi. Kapıya RAHATSIZ ETMEYİN notu asıp, içeriden kilitlemişti. Böylece dışarıdan kimse kapıyı açamayacaktı. Yatmadan önce kapıyı son kez kontrol edecekti ama artık çok geçti. Uykuya dalmıştı bile.

Temizlik görevlileri vardiyaya başlamadan önce uyandı. Tekrar duş alıp, tıraş oldu. Temiz giysiler giydi. Çantasında temiz bir iç çamaşırı ve çorap daha vardı. Giyinme işi bittikten sonra üzerinden çıkanları çantaya kaldırdı. Giysilerini yıkama ya da yenilerini alma şansı olmayabilirdi. Bu yüzden eskileri çöpe atmadı.

İki buçuk milyon dolarlık bir hesabı vardı ama kendine bir çift temiz iç çamaşırı alamıyordu.

Kimse odada parmak izi araması yapmayacaktı ama yine de her yeri temizledi. Bu durum adeta bir alışkanlık haline gelmişti.

Arabaya döndüğünde son hamburgerini yedi ve su içti. Kendini mükellef bir kahvaltı yaptığına inandırmaya çalıştı. Kalan patatesleri ve çilekli içecekleri çöpe attı.

Arabayı çalıştırdı ve benzin göstergesine baktı. Yakında benzin almak zorunda kalacaktı. Bunun için yirmi dolar ayırması gerekiyordu.

İlk bakışta benzin istasyonunun açık olup olmadığını anlayamadı. Hatta buranın hâlâ işletmeye açık olduğundan bile emin değildi. Oysa her şey olması gerektiği gibiydi. Küçük bir dükkan ve önünde birkaç tane benzin pompası vardı. Ortalıkta görünen tek araç, arka tarafa park edilen çekici kamyondu.

İçeride birileri var mıydı? Keller pompayı eline aldığında, nakit ödeme yapacak müşterilerin önce içeriye uğramaları gerektiğini söyleyen yazıyı gördü. Burada hoşuna gitmeyen bir şeyler vardı. Bir sonraki benzin istasyonuna gitmeye karar verdi ama zaten çok sayıda istasyonu geride bırakmıştı. Kısa sürede hem umutları hem de benzini tükenebilirdi.

Saçlarını düzeltti ve ceketini giydi. Ceketin silahı kapatıp kapatmadığını kontrol etti. Travelodge'daki mutlu çift geride neden sadece kirli çarşaflarını bırakmışlardı? Bir beyzbol şapkası, saç boyası, birkaç yüz dolar ve bir dizi kredi kartı bırakamazlar mıydı?

Keller içeriye girdiğinde elinde yirmi dolar vardı. Tezgahın arkasında kısa boylu ama sağlam yapılı bir adam duruyordu. Alnı çok genişti ve burnu daha önce en az bir kez kırılmış gibi görünüyordu. Beyzbol şapkası takıyordu ve şapkanın üzerinde bira bardağıyla poz veren bir Homer Simpson işlemesi vardı. Şapkasının yanlarından gördüğü kadarıyla saçları kısa kesilmişti ve gri renkteydi. Adam dergi okumakla meşguldü ve Keller bu derginin *Soap Opera Digest* dergisi olmadığına bahse girerdi. Üstelik adamın dergiyle olan samimiyeti, diğer benzin istasyonundaki kız kadar iyi değildi. Çünkü Keller parayı uzatmadan adam kafasını kaldırıp ona bakmaya başladı.

"Yardımcı olabilir miyim?"

"Yirmi dolarlık benzin istiyorum," dedi ve parayı uzattı.

Keller arkasını dönüp gitmek üzereyken, adam "Bir saniye bekle," dedi. Keller döndü ve adamın yirmi doları incelemekte olduğunu gördü. Tanrı aşkına sorun neydi?

"Bu aralar çok sayıda sahte yirmilikle karşılaştım ama bunda herhangi bir sorun yok."

Keller bu parayı kendi elleriyle yaptığını söyleyecekti ama adam şaka kaldıran birine benzemiyordu. "Parayı ATM'den çekip size verdim bayım," dedi.

"Öyle mi?"

Şüpheci pislik. Keller "Eğer her şey yolundaysa..." dedi ve yeniden kapıya yöneldi. Fakat adam Keller'ı bir kez daha durdurdu.

"Olduğun yerde kal evlat. Yavaşça arkanı dön, anladın mı?"

Keller arkasını döndü ve adamın elindeki silahı gördüğüne hiç şaşırmadı. Bu bir otomatik silahtı ama Keller kendisine yöneltilmiş bir top gibi görüyordu.

Adam "İsimlerle aram iyi değildir," dedi ve devam etti. "Görünüşe göre senin birden fazla ismin var ve hangisini söylesem doğru olur bilemiyorum. Ellerini havada tut ahbap, anlıyorsun değil mi?"

"Bir hata yapıyorsunuz," dedi Keller.

"Kahrolası fotoğrafın her yerde dolaşıyor evlat. İsimlerle aram iyi olmasa da yüzleri kolaylıkla tanıyabilirim. Üstelik senin bulana yüklü bir miktar ödül veriliyor."

"Tanrı aşkına! Benim şu Iowa'daki herifi vuran pislik olduğumu mu düşünüyorsunuz?"

"Şu zenciyi vurdun," dedi adam. "Birini vurmak zorunda kalmış olabilirsin. Seçimlerini yargılamıyorum ama Tanrı sana böyle bir hak tanımıyor evlat."

"O pisliğe benzediğimi biliyorum ve bunu fark eden ilk insan siz değilsiniz. Ama ben o değilim ve bunu kanıtlayabilirim."

"Hikayeni polislere sakla, tamam mı?" Adam diğer eliyle telefonu kavradı.

"Yemin ederim ki ben o değilim," dedi Keller.

"Ben sana ne dedim? Açıklamanı polislere yaparsın, onlar da seni dinler tamam mı?"

Keller "Polisler peşimde zaten ama başka bir sebepten dolayı," dedi.

"Nasıl yani?"

"Nafaka meselesi yüzünden. Uzun lafın kısası karım beni aldatıyordu ve çocuk benden değildi. Bunu DNA testi yaptırarak kanıtladım. Mahkeme yine de nafaka ödemem gerektiğini söylüyor."

"Kendine bir avukat tutmalısın."

"Kanıtlamama izin ver, tamam mı? Şimdi cebimden bir şey çıkartacağım, sakin ol!"

Cevabı beklemeden silahını kaptı ve adamın göğsüne iki el ateş etti.

13

Adam, tezgahın arkasına yığılıp kaldı. Yanındaki sandalye de onunla birlikte yere düştü. Başındaki Homer Simpson şapkası ise başka bir yöne savrulmuştu. Keller, tezgahın arkasına geçti ve adamın yaşayıp yaşamadığını kontrol etti. Tabii ki bu sadece formalite icabı yapılan bir kontroldü. Çünkü kurşunların ikisi de adamın sol tarafına gelmiş ve hatta biri tam olarak kalbine isabet etmişti.

Silahtan çıkan ses hâlâ Keller'ın kulaklarında çınlıyordu. Eli de biraz acımıştı. Ayağa kalktı ve camdan dışarı baktı. Pompaların yanında park halinde duran bir araba vardı. Bunun kendi arabası olduğunu anlamak birkaç saniyesini aldı.

Adamın silahı hâlâ elindeydi ve parmakları tetiğin üzerinde duruyordu. Keller, öldükten sonra son bir refleks olarak silahı ateşleyen adamlar olduğunu duymuştu. Böyle bir şeyin gerçek olabileceğini düşünmüyordu ama küçükken okuduğu bir çizgi romanda buna benzer bir hikaye vardı. Ne olursa olsun, Keller o silahı almalıydı. Bu bir SIG Sauer otomatik silahtı ve içinde on beş mermi vardı. Kendi revolverinde ise sadece iki tane kalmıştı. SIG göründüğü kadar büyük değildi. Kendisine doğrultulduğu zaman ne kadar da büyük görünüyordu. Yine de revolverden büyük ve ağır olduğu kesindi. Adamın silahını alıp daha önce revolveri taşıdığı yere koydu ve oldukça rahat olduğunu fark etti. Sanırım bu mesele burada kapanmıştı.

Revolverin üzerindeki parmak izlerini temizledi ve silahı adamın eline bıraktı. Eli hâlâ sıcaktı. Parmaklarını tutup, tetiğin üzerine getirdi. Büyük ihtimalle kimse adamın kendini kalbine iki el ateş ederek öldürdüğüne inanmayacaktı ama revolveri bırakabileceği en iyi yer burasıydı. En azından bu hikaye üzerinde düşünecek birileri çıkabilirdi.

Gözleri kasayı aradı ama dükkanda kasa yoktu. Tezgahın üzerinde eski bir Garcia y Vega sigara kutusu duruyordu. Belli ki yaşlı adam parayı ve kredi kartı sliplerini burada tutuyordu. Kutunun içinde birkaç tane beşlik ve biraz da bozuk para vardı. Keller'ın uzattığı yirmiliğe bu kadar uzun bakmasının sebebi bu olmalıydı. Büyük ihtimalle aylardır gördüğü tek nakit buydu.

Ölü adama dokunmak istemiyordu ama bunun sebebi cesetlerden tiksinmesi değildi. Adamın sağ üst cebinde duran deri cüzdanı aldı. Cüzdanın üzerinde bir tür amblem vardı ama Keller ne olduğunu çözemedi. Bir tür armaya benziyordu. Bir yerlerden tanıdık geliyordu ama bulamadı.

Cüzdanın içinde de aynı amblem vardı. Kredi kartının üzerinde adamın ismi yazıyordu: Miller L. Remsen. Ulusal Tüfek Birliği'ne üyeydi. Keller insanları öldüren silahlar değil diye düşündü. İnsanları öldüren şey, başkalarının işine burnunu sokma merakıydı.

Adamın Indiana eyaletine ait sürücü belgesinde ikinci ismi açık olarak yazıyordu. Miller Lewis Remsen. Doğum tarihini gördü ve hesaplarına göre adam yetmiş üç yaşındaydı. Ekim ayında yetmiş dört yaşına girecekti. Keşke duyarlı bir vatandaş olmaya çalışmasaydı. Sosyal Güvenlik ve Sağlık Güvencesi kartlarının yanında çocuklarına ait birkaç fotoğraf vardı. Belli ki çocuklarının okulda çekilmiş fotoğraflarıydı. Resimlerin eskiliğine bakılacak olursa, bu çocuklar çoktan kendi ailelerini kurup çoluk çocuğa karışmış olmalıydı. Fakat görünüşe göre Remsen torunlarının fotoğraflarını yanında taşımıyordu.

Cüzdanda nakit para da vardı. İki adet elli dolar ve birkaç tane yirmilik. Hepsi bir araya geldiğinde toplam üç yüz dolar ediyordu. Miller L. Remsen adına düzenlenmiş iki tane kredi kartı vardı ama Citibank Visa kartının kullanım süresi dolmuştu. Diğeri ise CapitalOne bankasından alınmış bir Master Card'dı. Bir buçuk yıl daha kullanılabilirdi.

Parayı ve kullanılabilir durumda olan kredi kartını yanına aldı. Diğerlerini parmak izi bırakmamak için temizledi ve tekrar adamın cebine koydu. Sigara kutusunu açtı ve içindeki bozuklukları avuçladı.

Köşede duran bir şey dikkatini çekti. Tavanda, iki duvarın birleştiği yerdeydi. Yakından baktı ve bunun bir güvenlik kamerası olduğunu fark etti. Remsen'ın dükkanı gibi ıssız bir yerde güvenlik kamerası olacağı kimin aklına gelirdi? Bugünlerde her yerde bunlardan bir tane görmek mümkündü. Polisler ölü adamı bulduklarında, kamera görüntülerini kontrol edeceklerdi. Keller bunu göze alamazdı.

Sandalyeye çıktı ve birkaç dakika sonra başını şaşkınlıkla sağa sola sallayarak sandalyeden indi. Kamera oraya montelenmişti ama içinde ne bir film ne de batarya vardı. Üstelik bir güç kaynağına bağlı olduğunu gösteren kablolar da yoktu. Bu tıpkı, içeride alarm sistemi olduğunu gösteren sahte çıkartmalar gibiydi. Başka bir deyişle bir tür korkuluk görevi yapıyordu. Keller kameranın üzerindeki parmak izlerini temizledi ve aleti olduğu yerde bıraktı.

Dükkanda satılan mallar çok fazla değildi. Pek çoğu araba parçası ya da araba aksesuarıydı. Motor yağları, silecekler ve motor için birtakım katkı maddeleri vardı. Bir buçuk metrelik iki kordon aldı. Belki bir yerlerde işime yarar diye düşündü. Dükkanda çok çeşitli abur cubur bulmak mümkündü. Cipsler, krakerler, fındık ezmeli sandviçler... Keller bunların da işe yarayacağını düşündü ama sonra almaktan vazgeçti. Görünüşlerine bakılırsa Carter yönetiminde bu yana, raflarda duruyorlardı. Hepsini oldukları yerde bıraktı.

Banyoya açılan bir kapı vardı ve banyo tıpkı Keller'ın tahmin ettiği gibi pislik içindeydi. Bu kapıyı hemen kapattı ve diğer kapıyı açtı. Burası geniş bir odaydı ve belli ki Remsen burada kalıyordu. Odada çok sayıda dergi vardı. Silah, avcılık, balıkçılık ve daha pek çok konu üzerine çok sayıda dergi ve üç tane de *Ayn Rand* romanı gördü. Remsen'in yatağında şişme bir kadın vardı ve yüzüne bir tür maske takılmıştı. Maskeye bakınca bu yüzün bir yerlerden tanıdık geldiğini fark etti. Bir süre sonra bunun bir Ann Coulter maskesi olduğunu fark etti. Keller bunun hayatında gördüğü en acıklı sahne olduğunu düşündü.

Keller'ın canını sıkan bir konu vardı. Ne olduğunu anlaması birkaç dakika sürdü. Sorun bir adamı öldürmüş olmak değildi. Bu işi zaten defalarca yapmıştı. Ayrıca diğerlerini neden öldürdüğünü bilmiyordu. Ölüm anını aklından çıkarmak için beyin jimnastiği yapmayı tercih etmişti. Oysa Remsen'ı öldürmek için haklı bir sebebi vardı ve bu anı unutmak istemiyordu.

Keller'ın canını sıkan daha önce yapmadığı bir şeyi yapmaktı. Ölen adamın eşyalarını çalıyordu.

Ölen birinin eşyalarını çalmak neden bu kadar kötüydü? Özellikle hayatını çaldığını düşününce, eşyalar hiçbir şey ifade etmemeliydi. Öldükten sonra kolundaki saatin ya da parmağındaki yüzüğün ne anlamı kalırdı? Şarkılarda da söylendiği üzere kefenin cebi yoktu ve kimse giderken yanına bir şey almıyordu. Öyleyse eşyalarını çalmanın nesi yanlıştı? Nekrofili gibi iğrenç bir hareket değildi. Tek amacı artık sahibinin hiçbir işine yaramayacak olan eşyaları kendi işleri için kullanmaktı.

Sonuçta bu bir hırsızlıktı. Eşyalar ölen kişinin yakınlarına gitmeliydi. Oysa Keller bunları çalıyordu. Ölenin ardından eşyaları kıymete biner denirdi. Keller bunu hiçbir zaman anlayamamıştı. Toplumun gereksiz tabularından biri daha diye düşünürdü. Eğer böyle bir tabu konmamış olsaydı, herkes mutlaka ölen kişinin eşyalarından kendine düşen payı almaya çalışırdı.

Bu şekilde düşününce içi biraz daha rahatladı ve kafasındaki tüm o düşünceleri uzaklaştırdı. Adamın saatini ya da yüzüğünü çalmıyordu. Aldıklarının arasında kişisel hiçbir eşya yoktu. Sadece biraz nakit para ve kredi kartı almıştı. Çünkü ikisine de çok ihtiyacı vardı.

Dışarıya çıktı. Arabasının yanına gidip depoyu doldurdu. Araba benzini yavaş yavaş içine çekti ve tıpkı yemekten sonra koltuğa gömülen insanlar gibi tekerlerin üzerine yayıldı.

Remsen'ın yazdığı not hâlâ pompanın üzerinde duruyordu. Keller, nakit ödeme yapacakların içeri girmesi gerektiğini söyleyen notu aldı ve yerine Remsen'ın kalemine benzer bir kalemle yazdığı yeni notu bıraktı. AİLE İŞLERİ NEDENİYLE KAPALIDIR. BENZİNİ DOLDURUN VE ÖDEMEYİ DAHA SONRA YAPIN. Remsen'ı tanıyanların böyle bir nottan şüphelenebileceklerini düşündü ama kim ücretsiz bir depo benzine hayır diyebilirdi? Gelenler benzinini doldurup uzaklaşacaktır ama sadece bir kısmı geri gelip ödeme yapacaktır dedi kendi kendine.

Tekrar dükkana döndü ve camda duran tabelanın arkasını çevirerek KAPALI yazan tarafı öne getirdi. Işıkları söndürdü ve tezgahın arkasındaki görüntüyü biraz değiştirdi. Böylece dışarıdan bakan birinin cesedi görmesine imkan yoktu. Kapıdan çıktı ve tokmağın üzerindeki klipsi döndürerek kapıyı kilitledi. Eşikten bir adım geri çekildi ve olduğu yerde durdu. Çünkü Remsen'ın sesini duyduğunu zannetti.

Olduğun yerde kal evlat. Nereye gittiğini sanıyorsun?

Tezgahın arkasına gitmek istemiyordu ama gitmekten başka çaresi yoktu. Cesetlerden tiksinmiyordu. Öyleyse neden şimdi tereddüt ediyordu?

Kendini topladı ve tezgahın arkasına giderek Homer Simpson şapkasını aldı. Şapkayı Remsen'ın kafasından çıkarmasına gerek yoktu. Çünkü zaten adamdan uzakta bir yere düşmüştü. Şapkayı kolayca yerden alacaktı ve kendi başına takacaktı. İşte bu kısım hiç de kolay değildi.

Arabaya binince yan aynalardan nasıl göründüğüne baktı. Şapka gerçekten işe yaramıştı. Şapkanın arkasındaki ayarı biraz sıkması gerekmişti. Belli ki Remsen'ın kafası kendisininkinden biraz büyüktü. Şapkayı biraz öne indirdi ve alnının büyük bir kısmını kapattı. Böyle çok daha iyi olmuştu.

Belinde ölü bir adamın silahı, ceplerinde ölü bir adamın parası ve kredi kartı, arabanın deposunda da ölü bir adamın benzini vardı. Şimdi de ölü adamın şapkasını takıyordu.

Keller için oldukça ilginç bir gelişmeydi. Yine de bu gelişme onun New York'a gitmesine olanak tanıyacaktı.

Wendy's restoranındaki arabaya servis bölmesi, Burger King'den çok daha pratikti. İki tane hamburger ve bir salata sipariş etti. Birkaç kilometre gittikten sonra arabayı kenara çekti ve yemeğini yedi. Indiana'dan çıkıp Ohio eyaletine geldi. Hiç durmadan ilerliyordu. Batı Virginia'dan geçti ve Pennsylvania'ya gelmek üzereyken benzin almak için durdu. Kamyonların geldiği bir istasyonu tercih etmişti. Self servis bölümüne geçti ve Remsen'ın kredi kartını kullanarak depoyu doldurdu.

Bir anda az ileride duran motorcunun ona bakmakta olduğunu fark etti. Ne yapacağını bilmiyordu. Etrafta çok sayıda insan vardı. Dönüp tekrar yirmili yaşlarda görünen motorcu adama baktı. Adam bu kez Keller'a gülümsedi ve baş parmağıyla her şey yolunda anlamına gelen bir işaret yaptı.

Tanrı aşkına neden böyle bir şey yapmıştı?

Adam "Homer bir numara!" dedikten sonra Keller adamın kendisine değil şapkasına baktığını anladı. O da Homer'ı ya da Homer'ın bira sevgisini takdir ettiğini belirten bir işaretle karşılık verdi.

Keller'ın o ana kadar şapkayla ilgili endişeleri vardı. Görünüşe göre şapka onun tanınabilirliğini azaltıyor ama dikkat çekiciliğini artırıyordu. Bir John Deere, Bud Light ya da Dallas Cowboys şapkası hiç şüphesiz çok daha iyi olurdu. Bir ara şapkanın üzerindeki Homer ve bira işlemelerini sökmeyi düşündü.

Oysa şimdi kendini daha iyi hissediyordu. Çünkü Homer bütün ilgiyi toplamış ve Keller'ın yüzü önemsiz bir hal almıştı. İnsanlar Homer'ı görünce, Keller'la ilgilenmiyordu. Sadece şapkasında Homer olan sıradan bir adamdı ve etrafa tehlikeli biri olmadığı mesajı veriyordu. Hangi tehlikeli gangster kaşlarının iki parmak üstünde Homer resmi taşırdı ki?

14

Pittsburgh şehrinin yakınlarından geçerken, bir şekilde 30 no'lu karayolundan saptı ve yol üstündeki tabelalar Pennsylvania Paralı Otoban Girişi'ne doğru gitmekte olduğunu gösteriyordu. Bu yolu takip ederek New York'a gidebilirdi ama motorlu trafik polislerinin hız limitini aşan sürücüleri ödeme noktalarında beklediklerini hatırladı. Gişelerde polis olduğu bilgisini yaklaşık yirmi yıl önce almıştı ve o zamanlarda da bu bilginin ne derece doğru olduğunu bilmiyordu. Des Moines'den bu yana hız limitini aşmamıştı. Yol üzerinde gördüğü diğer tabelalara göre bu yol I-80 karayoluna çıkıyordu ve Keller'ın gitmek istediği yol burasıydı.

Remsen'la karşılaşmadan önce I-80 yoluna girmek, onun için bir zorunluluktu. Çünkü bu yol Pennsylvania'ya giden ücretsiz geçiş yoluydu. Diğer yolda ise ödeme gişeleri vardı. Sadece benzin almaya yetecek kadar parası olduğu zamanlarda ödeme gişelerinden geçme düşüncesini aklından çıkarmıştı. Oysa şimdi parası vardı ve gişelerden geçmenin tek kötü yanı gişe görevlisinin Keller'ın yüzüne bakma ihtimaliydi.

Eyaletler arası yola çıkmak, sandığından daha uzun sürmüştü. Artık bu yola ulaştığına göre bir dinlenme alanı bulup durabilirdi. Acilen tuvalete gitmesi gerekiyordu. Yol kenarındaki dinlenme alanlarından birinde tuvalet buldu ve girdiğinde ilk işi aynada kendisine bakmak oldu. Gözlerini şapkasındaki Homer Simpson'dan ayıramıyordu. Homer bu kadar parlak olmak zorunda mıydı? Belki de desenin parlaklığını almak için üzerini biraz kirletmesi gerekiyordu.

Bu fikirden vazgeçti ve şapkayı olduğu gibi bıraktı. Dışarı çıktığında duvarın üzerindeki haritaya baktı. Arabasına döndü ve Pittsburgh şehrine geri dönüp dönemeyeceğini düşünmeye başladı. Yeteri kadar benzini vardı ama yanlış hesap yapıp George Washington Köprüsü üzerinde benzinsiz kalma riskiyle karşı karşıya kalabilirdi. Özellikle de tekrar Miller Remsen'ın benzin istasyonuna gidip depoyu doldurmak zorunda kalma olasılığı çok daha korkutucuydu.

Tek yapması gereken geceyi yolda geçirip geçiremeyeceğine karar vermekti. Birkaç saatliğine de olsa gerçek bir yatakta uyumak onu oldukça şımartmıştı ve şimdi de arabada uyuma fikri hiç cazip gelmiyordu. Şehir ne kadar uzaktaydı? Yedi saat mi sekiz saat mi? Benzin ve yiyecek molaları da hesaba katıldığında yol daha da uzar mıydı?

Kabataslak bir hesap yaptı ve bu hesaba göre sabaha karşı üç sularında şehre girmiş olacaktı. Evine girmek için uygun bir saat gibi görünüyordu. O saatte sokaklarda fazla insan olmazdı ve olanlar da büyük ihtimalle sarhoş olacağı için onu fark edemez ya da tanıyamazlardı.

Onu bu fikirden vazgeçirecek her türlü düşünceyi aklından uzaklaştırdı.

Hiç durmadan yol alırsa, şehre vardığında oldukça yorgun olacaktı. Bu durumda yapılabilecek en güzel şey eve gitmek miydi? Eve gittiğinde doğruca yatağına kıvrılıp uyumak isteyecekti; oysa yapılması gereken tonlarca iş vardı. E-postalar yığılmış olmalıydı ama onlar çok önemli değildi. Acilen ilgilenmesi gereken şeyler olacaktı. Çünkü her zaman olurdu.

Aklına gelen düşünceleri uzaklaştırmaktan o kadar yoruldu ki neredeyse bütün bu süre boyunca bilinci kapanmıştı.

Remsen'ın istasyonundan ayrıldığından beri ilk kez radyoyu açtı. Dağlık bir alandan geçtiği için radyo frekansları çok az çekiyordu. Sabitleyebildiği tek bir kanal vardı. O kanalda da müzik çalıyordu ama cızırtıdan ne olduğunu anlamak mümkün değildi.

Radyoyu kapattı. Remsen'ın cesedini bulmaları şimdilik mümkün görünmüyordu. Girişe astığı not, adamın neden ortalarda görünmediğini açıklıyordu. Bu nota rağmen kapıyı kırıp içeri girmek isteyenlerin olacağını da zannetmiyordu. Üstelik adam yalnız yaşıyordu ve bu dünya üzerinde herhangi bir arkadaşı varsa da Keller içeride ona ait herhangi bir ipucu bulamamıştı.

Yol üzerinde eski bir bina gördü. Burada tuvalet ve bozuk para ile çalışan satış makineleri vardı. Girişin hemen yanında *USA Today* gazetesi satılıyordu. Keller gazete alıp son haberleri bu yolla takip etmeyi hiç düşünmemişti. Binanın önünde durunca gazete almanın iyi bir fikir olacağını düşündü. Tam o anda önünde bir SUV araç durdu ve içinden tuvalete gitmek için koşturan iki yetişkin ve dört çocuk indi.

Bu kalabalık Keller için tehlikeliydi. O yüzden arabasına döndü. Gazete bekleyebilirdi.

Tekrar yola koyuldu ve Indiana'da öldürdüğü adamı düşünmeye başladı. Belki Remsen'la birlikte ava ya da balığa çıkan yaşlı bir adam vardı ya da onunla birlikte içki içmeye gelen insanlar vardı. Bu insanlar er ya da geç ortaya çıkıp, içeri dalabilir ve Remsen'ın cesedini bulabilirdi. Öte yandan Keller o zamana kadar adamın kredi kartından ve Sentra arabadan kurtulmuş olurdu. Çünkü New York'a varmış olacaktı ve New York'ta araba kullanmak tam bir çılgınlık olurdu.

New York'a gitmesi bir ya da iki gün sürebilirdi. Bu tamamen Keller'a bağlıydı. Yolda oyalanır ve dinlenmek isterse süreyi uzatabilirdi. Bilinen tek bir şey vardı; o da er geç New York'a ulaşacağıydı. Böylece evinde güven içinde olurdu.

Yol üzerinde gördüğü reklam tabelasına göre Pennsylvania ev yemekleri sunan bir restorana yaklaşmaktaydı. Ev yemeği ile ne kastettiklerini bilmiyordu ama bu fikir son derece cazip geldi. Büyük ihtimalle Grand Union marka yiyecekleri alıp, mikro dalga fırında ısıtıyorlardı ama restoranın ıssız bir yerde olduğu düşünülürse bu olasılık bayağı düşüktü. Tarif edilen yola saptı ve restoranı buldu. Park alanına geldiğinde burada ne aradığını düşünüyordu.

Sıradan bir restorandı. Oturduğunda ona bir menü getirecekler ve o da siparişini verecekti. Sonra da garson gerekli servisi yapacaktı. Garson gibi diğer müşteriler de onun yüzüne bakacaklardı ki Keller Des Moines'deki Days Inn otelinden ayrıldığından beri böyle bir ortamda bulunmamak için köşe bucak saklanıyordu. Şapkası vardı ama şapka onu Ann Coulter maskesi kadar koruyamazdı. İnsanlar yüzünü rahatlıkla görebilirdi.

Arabasını çalıştırdı ve park alanını terk etti. Arabaya servis yapan bir Hardee's restoranı buldu. Siparişini teslim aldı ve az ilerideki dinlenme alanına gitti. Yemeğini yedikten sonra paketleri dışarıdaki çöp kutusuna attı. Tekrar ana yola döndü ve eyaletler arası yolda ilerlemeye başladı.

Bütün bu risk ne içindi? Çörek ve elmalı pasta için mi? Açlığı, beynindeki diğer tüm düşünceleri bastırmış mıydı?

Bu konu hakkında düşünmeye başladı ve kendince bir çıkarım yaptı.

Pennsylvania'daydı ve Iowa'dan uzaklaşmış, evine yaklaşmaya başlamıştı. New York'a yaklaştıkça kendini güvende hissediyordu. Cebindeki parayla birlikte gelen güven duygusu, bir de benzin deposunu doldurduğu gün elde ettiği beyzbol şapkası onu tüm endişelerinden arındırmıştı.

Yakında dedi kendi kendine. Yakında evde olacaktı ama henüz eve gelmemişti.

Birkaç saat sonra, kendini gideceği herhangi bir motelin Pennsylvania'daki restorandan kat be kat güvenli olacağına ikna etmeyi başarmıştı.

İlk olarak, gideceği motelde onu gören müşteriler olmayacaktı. Sadece kayıt işlemlerini yapacak resepsiyon görevlisi ile karşı karşıya kalacaktı. Beyzbol şapkası olduğuna göre, gerekli evrakları doldururken yüzünü saklayabilirdi. İkinci olarak bu tür moteller bağımsız işletmelerdi. Oteller zinciri değildi. Bu durumda motel işletmecisinin Hintli bir göçmen olma olasılığı oldukça yüksekti. Hatta soyadı Patel olan Gujaratlı bir göçmen bile olabilirdi.

Yaklaşık dört yıldır Hindistan'ın Gujarat şehrinden gelen ve çoğunun soyadı Patel olan göçmenler Amerikan motellerini satın almaya başladı. Keller, Gujarat şehrinde otelcilik üzerine eğitim verildiğini düşünmeye başladı. *Sevgili öğrenciler bugünkü konumuz yastıkların üzerine çiçek bırakmak. Yarın da hijyen sağlamak amacıyla klozetlerde kağıt örtülerin kullanılması konusunu işleyeceğiz.*

Keller'ın dikkat çekmeyen ve dönüp de ikinci kez bakmaya gerek uyandırmayan bir yüzü olsaydı; farklı etnik kökenlerden gelen insanlar tarafından görmezden gelinecek kadar önemsiz biri olarak algılanır mıydı? Keller, insanların ırklarına ya da etnik kökenlerine önem vermezdi. Asyalıların ya da Afrikalıların tamamının birbirine benzer insanlar olduklarını da düşünmezdi. Yine de farklı milletlerden insanları gördüğünde, en belirgin özelliklerini tespit edebilirdi. Siyahi bir adamı, Koreli ya da Pakistanlı bir kadını gördüğünde simalarını aklına kazır; daha sonra diğer insanlarla benzerliklerini değerlendirirdi.

Gujarat'dan gelen biri olsaydı, resepsiyona gelmiş beyaz bir adamı inceleme zahmetine girer miydi? Özellikle de bu beyaz adamlardan ülkenin dört bir yanında milyonlarca varsa. Gelenin kim olduğunu incelemek yerine, bırakacağı parayı düşünmez miydi? Tek yapması gereken kredi kartından ödemeyi tahsil ettikten sonra adama odanın anahtarını vermekken, oturup onun yüzünü inceler miydi?

Keller bu riske girmeye karar verdi.

Kapıyı açıp motele girdiğinde, resepsiyonda kimseyi göremedi ama tahminlerinin doğru olduğunu kanıtlamak için birilerini görmeye ihtiyacı yoktu. İşletme sahipleri Gujarat şehrinden olmasa da Hindistan'dan göçüp gelmişlerdi. İçerideki yoğun köri kokusu şüpheleri ortadan kaldırıyordu.

Pennsylvania'da böyle bir kokuyla karşılaşmak hiç beklenilmeyen bir şeydi ve Keller üzerinde *Pennsylvania ev yemeklerinden* çok daha büyük bir etki yaratmıştı. Bu koku, yediği hamburger ve patates kızartmalarında eksik olan her türlü tadı vaat ediyordu. Keller kısa bir süre önce yemek yemişti ve karnı aç değildi. Ama burada söz konusu olan açlık değildi. Bu kokunun kaynağını bulmak istiyordu. Tıpkı bir leşin etrafında dönen akbabalar gibi, kokunun kaynağına gidip etrafında dolaşmak istiyordu (ki bu düşünce ne Keller'ın hoşuna gitmişti ne de yemeği olması gerektiği gibi yüceltiyordu).

Boncuklu perdenin arkasından genç bir kadının çıkıp gelmesiyle, Keller'ın aklındaki düşünceler de dağıldı. Bu genç kadın son derece narin görünümlü ve koyu tenliydi. Üzerinde beyaz bir bluz ve ekose bir etek vardı. Tıpkı kilise okullarının üniformalarına benziyordu. Büyük ihtimalle motel sahibinin kızıydı ve oldukça güzeldi. Başka koşullar altında karşılaşmış olsalardı, Keller kızla flört etmeyi düşünebilirdi. En azından ne kadar güzel koktuğunu söylerdi.

Oysa şimdi bunu yapmasına imkan yoktu. Tek yapabildiği boş oda olup olmadığını sormaktı ve kızın tek yapabildiği oda fiyatının 39 dolar olduğunu söylemekti. Fiyatları makuldü. Keller kızın ona ya da Homer şapkasına bakıp bakmadığına dikkat etti ama kız hiç oralı olmadı. Keller onun için mümkün olduğunca çabuk başından savması gereken bir yük gibiydi. İşlemleri bitirir bitirmez Harvard başvurusu için yazması gereken makalenin başına döndü.

Keller, kendisine verilen başvuru formunu doldurdu. İsim ve adres kısmına uydurma bilgiler yazarken, arabasının markasını ve plakasını soran kısmı boş bıraktı. Bu tür formlarda araba bilgileri için mutlaka bir yer ayrılırdı ama doldurulup doldurulmadığına önem verilmezdi. Kız Keller'a karşı o kadar ilgisizdi ki isim kısmına Mahatma Gandhi yazsa bile fark etmezdi.

Ödemeyi nakit olarak yaptı. Çünkü kredi kartında Remsen'ın ismi yazıyordu. Oysa Keller bambaşka bir isim uydurmuştu. Remsen'ının adını da kullanabilirdi. Bu onu birkaç gün idare ederdi. En geç bir gün içinde New York'a dönmüş olacağı için bu durum onu rahatsız etmezdi.

Kız telefon kullanıp kullanmayacağını sordu. Çünkü kullanacaksa depozito bırakması ya da kredi kartının fotokopisini vermesi gerekecekti. Keller hayır anlamına gelecek şekilde başını iki yana salladı. Odanın anahtarını aldı ve körinin o güzel kokusunu bir kez daha içine çekti.

15

Ertesi gün motelden ayrılıp arabasına giderken beyzbol şapkasını odada unuttuğunu fark etti. Odanın anahtarını da resepsiyona bırakmayı unutmuştu. Bu sayede kimseye görünmeden odasına döndü ve şapkasını alıp oradan ayrıldı. Homer şapkasını takınca kendisini bir Viking savaşçısı gibi dünyayla yüzleşmeye hazır hissetti.

Birkaç kilometre gittikten sonra depoyu tamamen doldurmak üzere durdu. İşlerin nasıl sonlanacağını bilemezdi. *En güvenilir yer, insanın evidir* mantrasını hatırladı bir an. Tek yapması gereken dairesine girip, kapıyı kilitlemekti. Böylece kaçak hayatı ve bu hayatın getirdiği zorluklar sona erecekti. Artık emekliye ayrılmıştı ve onu bekleyen *son bir iş* daha yoktu. Her şeyi kapının dışında bırakacaktı. Pulları ve program kaydı dahi yapabilen sanat harikası televizyonu ile baş başa olacaktı. Yaşamını sürdürmek için gerekli olan her şey yürüyüş mesafesi dahilindeydi. Hep gittiği market, en sevdiği restoran, her sabah *Times* aldığı gazete bayisi ve sabah bıraktığı kirlileri akşam tertemiz geri aldığı çamaşırhane. Bunun heyecan dolu bir yaşam olmadığını kendisi de kabul ediyordu. Televizyon ve pullarla geçen oldukça yalnız ve sakin bir yaşam olacaktı. Ancak son yıllarda yeterince heyecan yaşamıştı ve heyecanlı bir yaşam artık hiç de çekici gelmiyordu. Eğer bir süre sonra heyecana ihtiyaç duyduğunu hissederse eBay'de gördüğü bir pul için fiyat teklifi verir ve önerilen süre içinde başka bir adamın bu teklifi arttırmasını bekleyebilirdi. Küçük çaplı bir heyecandı ama yine de işe yarayacağı kesindi.

Zaman zaman bu tür hayallere kapılıyor ve tekrar gerçeklere dönüyordu. Tıpkı gözünün ucuna bir şey takılması gibi. Bir şey gördüğünüzü zannedip kafanızı çevirirsiniz ve sonra tekrar önünüze dönüp yolunuza devam edersiniz.

Arabaya servis yapan bir restorandan kahvaltı için iki yumurtalı sandviç ve büyük bir fincan kahve aldı. Eyaletler arası yoldan çıkmak üzereyken, 8 km ileride bir dinlenme sahası olduğunu gösteren tabelayı fark etti. Doğruca dinlenme sahasına gitti ve bir ağaç altına park etti. Zamanlaması oldukça iyiydi ve bu nedenle kendini tebrik etmeyi ihmal etmedi. Kahvenin sıcaklığı tam içilecek kıvamdaydı ve sandviçleri de hâlâ sıcaktı.

Kahvaltısını yaptıktan sonra tuvalete gitti ve dönüşte gazete alması gerektiğini hatırladı. *USA Today* gazetesi 75 sentti. Üç çeyreklik attıktan sonra, bozuk para bölmesinin yanında duran *New York Times* gazetelerini fark etti. Kutunun üzerindeki iade tuşuna bastı ve bozuk paraların geri aldı. Üzerine bir çeyreklik daha ekleyerek kendisine *Times* aldı. Arabaya doğru yürürken, gazeteyi hangi sırayla okuyacağını planlıyordu. Önce yerel ve ulusal haberler bölümüne bakacaktı. Daha sonra da spor haberleri ve bulmaca köşesi ile ilgilenecekti. Bu arada günlerden neydi? Perşembe mi? Bulmacalar her gün bir derece zorlaştırılıyordu. Pazartesi günleri on yaşında bir çocuğun kolaylıkla çözebileceği sorular varken, Pazar günleri Keller'ı zekasından şüpheye düşürecek kadar zor sorular yayınlanıyordu. Perşembe günlerinin zorluk derecesi iyi sayılırdı. Keller genellikle Perşembe günü bulmacalarını çözebilirdi. Çözebilirdi ama üzerinde epey zaman harcaması gerekirdi.

Direksiyon başına geçti ve kendini rahat hissettiği anda gazeteyi okumaya başladı. Bu kez bulmaca köşesine gelmesine imkan yoktu.

16

Keller'ın her sabah aldığı gazete dört bölümden oluşmaktaydı. Fakat *Times* gazetesinin New York şehri dışında dağıtılan baskılarında iki bölüm bulunmaktaydı. İlk sayfada suikastin siyasi yönüyle ilgili yazılar yer alıyordu. İlerleyen kısımlarda da tetikçinin aranması ile ilgili haberler vardı. Aramanın farklı yönlerde yapıldığı yazıyordu ama şu ana dek hiçbiri başarıyla sonuçlanmamıştı. Miller Remsen hakkında hiçbir haber yoktu. Keller bu duruma hiç şaşırmadı. Adamı bulsalar bile, bu haber Indiana dışında kimsenin ilgisini çekmeyecekti. Tabii bu cesedin yakınlarında *"Diğer belediye başkanlarını öldürmeden yakalayın beni"* yazan bir not çıkarsa işin seyri değişebilirdi.

Neredeyse asıl haberi kaçırıyordu.

İkinci bölümün üçüncü sayfasındaki başlık ilgisini çekti. "Kundaklama: White Plains Yangınının Ardında Bir Cinayet Yatıyor,". White Plains, Keller'ın dikkatini çekmişti. Eğer daha genel bir tarif yer alsaydı ve Westchester yazsalardı, Keller da bu kadar ilgilenmez ve haberi es geçerdi. Oysa White Plains, daha önce yaşlı adam ve Dot'ı görmek için pek çok kez gittiği bir yerdi. Grand Central durağından metroya, metrodan indikten sonra da taksiye binerek buraya gelirdi. Taunton Place'de bulunan bu eski evin verandasında ya da mutfağında buzlu çay içerdi. Şimdi White Plains'de bir yangın çıktığını biliyordu. Oraya tekrar gidemezdi. Çünkü artık ne eski ev, ne veranda ne de mutfak vardı. Artık Dot yoktu.

Büyük ihtimalle dünkü gazete bu habere detaylarıyla yer verilmişti ve tabii ki Keller görmemişti. Keller geçen Pazartesi ya da Pazar günü bir yangın haberi okuduğunu hatırladı. Yangın sabahın erken saatlerinde çıkmıştı ve itfaiye gelinceye kadar evin tamamı kül olmuştu.

Yangın mutfakta çıkmıştı ve evin yalnız oturan sahibinin cesedi de burada bulunmuştu. Komşuları kadını teşhis ederek adının Dorothea Harbison olduğunu bildirmişti. Olay yeri inceleme ekibi yangının bir kundaklama sonucu çıkmış olabileceğinden şüpheleniyordu. Çünkü binanın tamamı yangının hızla yayılmasını sağlayacak bir düzenekle kaplanmıştı. Başlangıçta yangını ev sahibinin başlatmış olabileceği düşünüldü. Çünkü komşuları kadının sessiz, içine kapanık biri olduğunu ve son aylarda depresyon belirtileri gösterdiğini söylemişti.

Keller, bu komşular her kimse, onlarla tartışmak istedi. İçine kapanık mı? Dot, başkalarının dertlerini dinlemezdi ya da kendi işini tüm dünyayla paylaşmazdı ama bu onu kendini toplumdan soyutlamış bir insan haline getirmezdi. Depresyon belirtileri mi? Ne belirtisi? Etrafta kahkaha atarak dolaşmazdı ama Keller onun depresyona girdiğini hiç görmemişti. Mary Bilmem Kim Poppins intihara ne kadar yakınsa, Dot da o kadar yakındı.

Kısa süre içinde durumun intihar olmadığı anlaşılmıştı. Yapılan tıbbi incelemeler sonucunda kadının başından 2 kez vurulduğu anlaşıldı. Küçük kalibreli bir silahla vurulmuştu. Kurşun izlerine göre kadın kendini vurmuş olamazdı. Keller durumun ciddi olduğunu anladı. Silahı olay yerinde bulamamışlardı. Bütün bu veriler sonucu, olay yeri inceleme ekibi kadının öldürüldüğünü ve yangının da cinayeti örtbas etmek için çıkartıldığını bildirmişti.

"Ama işe yaramadı değil mi?" dedi Keller. "Kahrolası ahmaklar."

Haberin geri kalanını güçlükle okudu. Polis hırsızlık olayından şüphelense de *Times* gazetesine göre cinayetin sebebi belli değildi. İsmi belirtilmeyen bir polis memuru Dorothea Harbison adındaki bu kadının Giuseppe Ragone'un iş arkadaşı olduğunu belirtmişti. Giuseppe Ragone, diğer bir deyişle Ejderha Joe, organize suçlardan tanınan bir isimdi.

Keller, yaşlı adamın *Ejderha Joe* lakabının basın tarafından bilinmediğini düşündü. Bu lakabı bilen birkaç kişi vardı ama onlar da adamın yüzüne söyleyemezdi. Örneğin Joey Rags ya da bilinen adıyla Ragman. Bu lakabı bilir ama asla yüzüne karşı kullanmazdı. Kendisine de Ragman lakabı takılmıştı. Hem soyadına benziyor hem de bir zamanlar karıştığı Garment District olayına gönderme yapıyordu. Keller Giuseppe Ragone'un lakabını bildiği halde ona bu şekilde hitap etmez, her zaman yaşlı adam derdi.

Yaşlı adam bu piyasadan hiç ayrılmadı ya da emekli olmadı. Son dönemlerde ilgisini kaybetti ama işleri takip etmekten ve Keller'a bitirilmesi gereken işler göndermekten asla vazgeçmedi.

"Harbison, Ejderha Joe'nun iş arkadaşı ve sırdaşıysa organize suçlar hakkında epey bilgi sahibi olmalı," diyordu ismi belirtilmeyen kaynak. "Belki birileri kadının bildiklerini anlatmasından korkmuştur. Ragon ortalarda görülmeyeli çok zaman oldu ama ne derler bilirsiniz. Tilkinin dönüp dolaşıp geleceği yer kürkçü dükkanıdır."

Hiçbir işe yaramayacağını biliyordu. Yine de ankesörlü bir telefon buldu ve Dot'ın numarasını tuşladı.

Viiiiiit!

Kullanılmayan bir numara. Neyle karşılaşmayı bekliyordu ki? Ev baştan aşağı yanmıştı ve doğal olarak telefon hattı da kesilmişti.

Bozuk paralarını geri aldı ve bu kez kendi numarasını tuşladı. İçinden bir ses aynı *viiiiit* sinyalini ve hattın kesildiğini söyleyen bant kaydını duyacağını söylüyordu. Eğer mesaj bekliyorsa telefonunun ayarlarını iki kez çaldırdıktan sonra mesaj bırakılacak şekilde düzenlerdi. Eğer mesaj beklemiyorsa telefonu en fazla dört kez çalar ve kapanırdı. Bu defa evden ayrılmadan önce iki kez çalma ve ardından mesaj bırakma ayarına getirmişti. Üçüncü çağrıyı duyduğunda çok şaşırdı. Telefon çalmaya devam ediyordu ve dördüncü, beşinci hatta altıncı çağrıyı duyduktan sonra telefonu kapattı. Kapatmasa sonsuza dek gidecek gibiydi.

Telefonu neden bu şekilde çalıyordu? Aramaları bekletme özelliği yoktu. Bu durumda telefonda konuşan birinin olması imkansızdı. Eğer telefonunu biri kullanıyor olsaydı, meşgul tonu gelirdi.

Ankesörlü telefonunda bozuk paraları geri almaya çalışırken, bunu neden yaptığını düşündü. Neden bozuk paraları geri alıyordu? Arayacak kim kalmıştı?

Artık anlıyordu. Her şey bitmişti. Yol boyunca aklından uzak tutmaya çalıştığı tüm kötü düşünceler gerçeğe dönüşmüştü. Iowa'dan bu yana eve ulaşmanın hayaliyle yaşıyor ve eve gittiğinde her şeyin yoluna gireceğine inanıyordu. Oysa bu hayalin gerçekleşmesi imkansızdı. Bunca zaman böyle bir hayalin peşinden nasıl koştuğunu düşündü. Peşinden koşmaktan öte, bunun bir hayal değil gerçek olduğuna yürekten inanmıştı.

New York'u sığınacağı bir liman olarak görüyordu. Güvenli ve kutsal bir yerdi. New York içinde bitirilmesi gereken işleri kabul etmemeyi kural olarak benimsemişti. Arada birkaç kaçamak yapsa da çoğunlukla bu kurala sadık kaldı. İş için ülkenin hemen hemen her yerine gitmişti. Oysa New York onun eviydi ve işini bitirdiğinde hep evine dönerdi.

Çoğu insan farklı düşünse de New York, Amerika'nın bir parçasıydı. New York'ta yaşayan insanlar da Amerika'nın geri kalanı ile aynı haberleri izliyor ve aynı gazete başlıklarını okuyordu. Kimsenin işine karışmadıkları bilinen bir gerçekti. Hatta pek çokları kendileriyle aynı binada oturan insanları dahi tanımazdı. Yine de bu onların kör ya da sağır olduğu anlamına gelmiyordu.

Fotoğrafı bütün televizyon kanallarında gösterilmiş ve bütün gazetelerde yer almıştı. Fotoğrafının basılmadığı tek gazete, pul koleksiyonculuğu üzerine basılan *Linn's Stamp News* olmalıydı. (Tabii James McCue kendisinden İsveç pulları alan adamı tanıyıp, bu gazeteyle bir röportaj yaptıysa; fotoğrafı *Linn's Stamp News*'de de basılmış olabilirdi.) Keller'ın yaşadığı apartmanda ya da apartman civarında kaç kişi yaşıyordu? Onu binaya, markete, spor salonuna ya da birkaç dakika önce gitmeye can attığı yerlere girip çıkarken gören kaç kişi vardı?

Bilinen bir gerçek vardı ki o da Keller'ın eski yaşantısına geri dönemeyecek olmasıydı.

Gazeteyi bir kez daha inceledi. Daha dikkatli okumaya ve kaçırdığı detayları görmeye çalışıyordu. Önceden okumadan geçtiği haberlerin birinde, bir komşusunun kendisini teşhis ettiğini ve fotoğraftaki benzerlikten yola çıkarak yetkililere haber verdiğini öğrendi. Gazetede komşusunun ismine yer verilmemişti. Çünkü bu kişi polise de ifade vermiş ve araştırmanın bir parçası olmuştu. Komşusu "İşinin ne olduğunu bilmiyorduk ama sürekli şehir dışına gidip geldiğini biliyorduk," diyordu.

Sırf bu ifade yüzünden evine bir baskın yapılacağı kesindi. Evinde onu suçlayabilecekleri herhangi bir şey var mıydı?

Kafası karmakarışık olmuştu ve hiçbir şey düşünemiyordu. Diz üstü bilgisayarını bulabilir ve bilgisayarın sürücüsüne el koyarak eski bilgilerin tümünü ele geçirebilirlerdi. Ancak Keller gönderilen e-postaların uranyumdan daha dayanıklı olduğunu ve birkaç teknolojik hile ile hepsinin görülebileceğini bildiği için, bilgisayarı aldığı günden bu yana hiç e-posta göndermemişti. Özellikle Dot'la hiç yazışmamış, selam dahi vermemişti.

Bu kadar tedbir yeterli değil miydi?

Bilgisayarı çoğunlukla hobisi olan pul araştırmaları için kullanırdı. Pul satıcılarına bakar, bilgi toplar, eBay'den pul alımı yapar ve açık arttırmalara katılırdı. Des Moines'e gitmeden önce hava yolları sitelerine girip uçuş bilgilerine bakmıştı ama biletini internet üzerinden almamıştı. Çünkü bileti Holden Blankenship adına alacaktı. Telefonla rezervasyon yaptırdığı için bu bilgiye bilgisayarından ulaşmalarına imkan yoktu.

Ne zaman hangi sitelere girdiğini görebilirler miydi? Emin değildi ama iş teknolojiye gelince herkesin her şeyi yapabileceğine inanıyordu. Şu anda emin olduğu tek şey, telefon kayıtları incelendiğinde Holden Blankenship adına Des Moines'e gitmek üzere bir uçak bileti ayırttığının ortaya çıkacak olmasıydı. Artık hiçbirinin önemi yoktu. Nihayet herkesin dikkatini üzerine çekmişti. Bütün bir yol boyunca gözden uzak olmaya çalıştı ama şimdi spot ışıklarının altında duruyordu. Her şey sona ermişti.

John Paul Keller'ın hikayesi sona ermişti. Hayatta kalmayı başarsa bile, başka bir yerde başka bir isimle yaşamını sürdürmek zorundaydı. John Paul isimleri onun için bir anlam ifade etmiyordu. Çünkü herkes Keller ismini kullanıyordu. Çocuklugundan beri hep Keller ismiyle çağrılmıştı. Adı buydu ve ne zaman bir yerlere tam adını yazmak zorunda kalsa John Paul Keller değil de Adım Yalnızca Keller anlamına gelen Just Plain Keller yazmak isterdi.

Artık Keller olarak yaşayamazdı. Keller ölmüştü. Anladı ki ölen sadece Keller değildi. Hayatındaki her şey ortadan kaybolup gitmişti. İsmi de gitse ne fark ederdi?

Parayı düşündü. Bildiği kadarıyla hesabında iki milyon dolardan fazla para vardı. Hesap Dot tarafından işletiliyordu ve erişimi de internet üzerinden yapıyordu. Dot öldü ama para hâlâ duruyordu. Fakat Keller bu hesaba nasıl erişeceğini bilmiyordu. Hatta hesabın kimin adına olduğu hakkında hiçbir fikri yoktu.

Kendisine ait banka hesapları, birikimleri ve senetleri vardı. Hepsinin toplamı on beş bin dolar civarında olmalıydı ama büyük ihtimalle bu hesaplar çoktan dondurulmuştu. Yetkililer Keller'ı ATM kartıyla para çekerken görüntülemek için her türlü hazırlığı yapmış olmalıydı. Zaten istese de ATM kartını kullanamazdı. Çünkü yanına almamıştı. Kartı bulup el koymaları mümkündü.

Bu durumda ne parası ne de evi vardı. Yıllardır o evde yaşıyordu. Alırken, dekore ederken ve hatta bakım yaptırırken bile çok masraflı bir yer olmamıştı. Ölünceye dek orada yaşayacağını hayal ederdi. Tek sığınağı eviydi ve şimdi oraya gitmesine imkan yoktu. Program kayıt özelliği olan büyük ekran televizyonu, rahat koltuğu, banyosu, çalışma masası, kısaca her şeyi geride kalmıştı.

Aman Tanrım! Pulları da evdeydi.

17

Keller, George Washington Köprüsü'nü geçtikten sonra Harlem yolunu takip ederek Franklin D. Roosevelt yoluna çıktı. Evinin birkaç blok yakınında indi arabasından. Bütün öğleden sonra Pennsylvania, Doğu Stroudsburg bölgesindeki bir alışveriş merkezinin sinemalarında oyalandı. Sinema salonlarının "quadruplex," olduğu yönünde ilanlar gördü. Bu kelime mayına bastıktan sonra hayatta kalmayı başarmış ve etrafta dolaşarak hikayesini anlatamaya çalışan birini andırıyordu. Oysa dört film birden gösterme kapasitesine sahip salonları tarif ediyordu. Keller iki film izledi ama sadece biri için para ödedi. İkinci bileti almak için gişeye gitme riskini göze alamadı. İlk filmden çıktıktan sonra tuvalete girdi ve oradan doğruca diğer salona gitti.

Yer gösteren çocuk onu tanısaydı ne yapacaktı? Oracıkta vuracak mıydı çocuğu? Bu hiç aklına gelmedi. Aksine silahını arabanın torpido gözüne kaldırmıştı ve silahı olmadan kendini nasıl korunmasız hissettiğine çok şaşırdı. Silahı sadece birkaç gündür taşıyordu ve bu birkaç gün içinde karanlık bir sinema salonundan daha tehlikeli bir yerde bulunmamıştı. Bütün öğleden sonra en az iki düzine insanla baş başa kalmıştı. Üstelik bu insanların yaş ortalamaları da yetmiş civarında olmalıydı. Başka bir deyişle herkes orta yaşlıydı. Kendini rahatlatmaya çalıştı ama o an anladı ki bir daha hiç rahat olamayacaktı. Nereye giderse gitsin, kendini güvensiz hissedecekti.

İkinci film bittiğinde, gitme vakti gelmişti. Başını önüne eğdi ve Homer Simpson'ı ön plana çıkardı. Arabasına döndükten sonra kemerini takmadan ya da motoru çalıştırmadan önce ilk işi silahı alıp beline takmak oldu. Sırtında silahın varlığını hissettiği anda rahatladı.

Sinemadan çıktığında hava kararmıştı. Aslında sinemaya gitmesinin amacı da buydu. Havanın kararmasını beklemek. Gece yarısına yakın evinin etrafında dolaşmaya başladı. Arabayı ne yapacağını düşünüyordu. *Times* okumadan önce kendince planlar yapmıştı. Brooklyn ya da Bronx gibi suç oranı bakımından kötü üne sahip bölgelerden birine gidecek ve arabayı orada bırakacaktı. Kapıları kilitlemeyecek ve anahtar da kontakta duracaktı. İlk olarak plakayı sökecekti ama büyük ihtimalle bu durum bölge gençlerini arabaya binip bir tur atma arzusundan alıkoymayacaktı. New York polisi arabanın parçalarını bulduğunda, Keller'ın endişelenmesi için hiçbir sebep olmayacaktı. Çünkü Keller evine dönmüş ve güzel hayatına başlamış olacaktı. Yürüyemeyeceği kadar uzakta bir yere gitmek isterse taksi çağırmayı düşünüyordu.

Evet, tam olarak bunları düşünmüştü.

Şimdi ise New York en az Des Moines kadar tehlikeliydi ve buradan uzaklaşmak için arabaya ihtiyacı vardı. Arabayı güvenli bir yere saklamalıydı ve her türlü beladan uzak tutmalıydı. En güvenilir yer otoparklardı ama otoparka gitmesi demek en az bir kişi ile yüz yüze gelmesi ve güvenlik kameralarından geçmesi demekti. Üstelik bu civarda yasal değil yasa dışı park yeri bulmak bile çok zordu. Birkaç blok ileride Birleşmiş Milletler Binası vardı ve güvenlik amacıyla bu civara park edilen arabaların plakaları alınıyordu.

Keller ve pullarının hikayesi oldukça karmaşıktı.

Pul koleksiyonculuğuna küçük bir çocukken başladı ama o dönemlerde çok önemsenecek boyutlarda değildi. Onun yaşında pek çok çocuk pul koleksiyonuna sahipti. Özellikle de Keller gibi içedönük olanlar. Bir komşuları iş için Latin Amerika'ya gelip gidiyordu ve bir keresinde Keller'a çok sayıda pul getirdi. İşte pul koleksiyonculuğuna bu şekilde başladı. Pulların arkasındaki yapışkan kısmı temizlemeyi ve düzgün bir biçimde kurutmayı öğrendi. Sonra da annesinin Lamston'dan aldığı albüme yerleştirmeye başladı. Zamanla pul alabileceği yerler keşfetti ve sayıları gittikçe arttı. Gimbel's mağazasının pul departmanından karışık paketler alıyordu. Ülkenin bir ucundan sipariş üzerine satış yapan birini bulmuştu. Adam bir seri gönderiyordu ve Keller içlerinden istediklerini seçip geri kalanları adama gönderiyordu. Birkaç yıl bu şekilde devam etti. Haftada bir ya da iki dolar karşılığında koleksiyonunu genişletiyordu. Sonunda koleksiyona olan ilgisi azaldı ve annesi pulların hepsini sattı. Belki de öylesine elden çıkardı. Çünkü koleksiyoncuların ilgisini çekecek kadar değerli parçalar yoktu.

Pullarının hepsi gittiğinde çok üzüldü ama büyük bir yıkım olmadı. Hatta onları unutup yeni hobiler aramaya başladı. Bazıları toplum içinde yaygın olmayan ama masraflı hobilerdi. Zaman ilerledi ve dünya değişti. Keller'ın annesi hayata gözlerini yumdu. Gimbel's ve Lamston da kapanmıştı.

Aradan geçen yıllar boyunca pulları hiç düşünmedi. Fakat ne zaman çocukluk anılarını düşünse aklına ilk gelen pulların yapışkan kısmı ve pul maşaları olurdu. Bazen geçmişe dair aklında tutabildiği bilginin tamamen hobisine ait olduğunu düşünüyordu. Amerika Birleşik Devletleri başkanlarının hepsini ezbere sayabilirdi. Bu yeteneği 1938 basımlı başkanlar serisi pullardan geliyordu. Her bir pulun üzerinde bir başkan resmi vardı ve pulların değeri başkanlık sırasına göre belirlenmişti. Washington bir sent, Lincoln on altı sentti. Hatırladığı kadarıyla bir sentlik pul yeşil, yirmi bir sentlik pul siyah ve New York'lu Chester Alan Arthur'u resmeden pul maviydi.

Idaho'nun 1890 yılında eyalet olduğunu biliyordu. Çünkü 1940 yılında 50'nci yıldönümü pulu basılmıştı. 1638 yılında bir grup İsveçli ve Finlandiyalının Wilmington, Delaware'e yerleştiğini ve Amerikan Devrimi'nde görev yapan Polonyalı general Tadeusz Kosciuszko'nun 1783 yılında Amerikan vatandaşı olduğunu biliyordu. Adamın isminin nasıl yazıldığı bir yana nasıl olduğunu dahi bilmiyordu ama 1933 yılında basılan beş sentlik bir mavi pul sayesinde adamın hikayesini öğrenmişti.

Başka biri olsa eski günleri hatırladıkça pulları elden çıkardığına pişman olur ve keşke elimde olsaydı da bakıp eski günleri ansaydım diyerek üzülebilirdi. Oysa Keller hiç bu şekilde düşünmemişti. O günler geride kalmıştı ve olduğu yerde kalması gerekiyordu.

Yaşlı adam yavaş yavaş hafızasını kaybetmeye başladığında ve bu hayatta geçireceği günlerin sayısının azaldığını fark ettiğinde, Keller emekliliği düşünmeye başladı. Biraz birikmiş parası vardı ve Dot'ın hesabında duran paranın yaklaşık %10'u kadardı. Bu paranın yeterli olacağını düşündü.

Peki çalışmadığı zamanlarda ne yapacaktı? Golf mü oynayacaktı? Yoksa el işi mi yapacaktı? Belki de bir huzurevinde vakit geçirirdi. Dot bir hobi edinmesini söylediğinde, çocukluk anıları canlandı. İlk işi 1840 ve 1940 yılları arasında basılmış olan pulları almak oldu. Bu bir başlangıçtı ama çok geçmeden raflar dolusu pul albümü, Linn's kataloğu üyeliği ve kendisine fiyat listesi gönderen çok sayıda pul satıcısı bağlantısı olmuştu. Bütün bu süreç boyunca emeklilik parasının önemli bir kısmını harcamıştı. Yaşlı adam işlerden çekilince, doğrudan Dot'la çalışmaya başladı.

Pullarını düşündüğünde, bunca zaman uğraş verip elde ettiği en büyük başarının tamamen çılgınlık olduğu sonucuna vardı. Pullar için çok fazla para harcamıştı ve şimdi hiçbir değeri yoktu. Sadece onun gibi yarım akıllılar bu küçücük kağıt parçaları için para ödemeyi kabul ederdi. Üstelik bu kağıt parçaları için sadece para değil zaman da kaybetmişti. Hepsini tek tek ayırmış ve düzgün bir biçimde albüme yerleştirmişti. Albüm sayfalarının düzgün görünmesi için çok çaba sarf etmişti ama bu albümleri hiç kimseye göstermemişti. Koleksiyonunu herhangi bir sergide göstermemiş; hiçbir koleksiyoncunun gelip onları incelemesine müsaade etmemişti. Albümlerin ait oldukları raflarda durmasını ve onları görecek tek kişinin kendisi olmasını istemişti.

Şimdi kabul etmeliydi ki bütün bunlar son derece mantıksızdı.

Öte yandan pullarla ilgilendiği zaman bütün dikkatini onlara veriyordu. Böylesine önemsiz bir iş için konsantrasyonunu toplayabiliyordu ve bu şekilde ruhunu dinlendiriyordu. Kendini kötü hissettiğinde, pulları onu rahatlatıyordu. Endişeli ya da sinirli olduğunda, pullar onu sakin bir diyara sürüklüyordu. Dünyanın kontrolden çıktığını düşündüğü anlarda, pulları sayesinde huzurlu ve mantığın ön planda olduğu bir dünyaya adım atıyordu.

Psikolojik olarak hazır olmadığı zamanlarda, pullar bir köşede sessizce onu bekliyordu. Şehir dışına çıktığı zamanlarda, eve dönüp pullarını bıraktığı gibi bulacağını biliyordu. Hayvanlar gibi değillerdi. Beslenmeleri ya da düzenli olarak yürüyüşe çıkarılmaları gerekmiyordu. Çiçekler gibi sulanmaya da ihtiyaçları yoktu. Tek istedikleri ilgiydi ve bunu da o hazır olduğunda almayı kabullenmişlerdi.

Bazen koleksiyonu için çok fazla para harcadığını düşünüyordu. Harcıyordu da ama faturalarını düzenli olarak ödüyordu, kimseye borcu yoktu ve bir şekilde iki buçuk milyon dolar birikim yapmayı başarmıştı. Öyleyse pullar için para harcamanın ne sakıncası vardı?

Pul koleksiyonculuğunda sahip olunan tüm parçalar zaman içinde değer kazanırdı. Bir gün alıp, ertesi gün satmak olmazdı. Bir süre elde beklettiğinde kâr ederek satmak mümkündü. Peki diğer hobilerde işler nasıl yürüyordu? Bir tekne ya da yarış arabası sahibi olsaydı ya da safariye çıkmış olsaydı; yatırdığı paranın ne kadarını geri alabilirdi? Cristal marka şampanya ya da kokain işine girseydi, elinde kalan ne olacaktı?

New York'a pulları için dönmüştü. Geri dönmek için başka hiçbir sebebi yoktu. Aksine uzak durmak için milyonlarca gerekçesi vardı. Eğer polisin ilgisini çekmişse, polis evine adam gönderip banka hesabını dondurmanın yanı sıra daireyi sürekli izleyen birkaç kişi görevlendirmiş olabilirdi. Eve dönmek için aklını kaçırmış olmalıydı.

Polis yoksa bile "Bana kısaca Al Diyebilirsin"in adamları onu bekliyor olabilirdi. Des Moines'de Keller'ın ipini çekmek isteyen adamlar, şimdi bir köşeye oturup olayları akışına bırakmış olamazdı. Bunun en büyük ispatı White Plains'de yaşananlardı. Dot'ı önce vurmuşlar sonra da binayı başına yıkmışlardı.

Adamlar çoktan ismini ve nerede yaşadığını öğrenmiş olmalıydı. Belki de Dot'a sormuşlardı ve kız cevap vermeyince iki kurşun sıkarak kızın hayatına son vermişlerdi. Keşke doğru cevabı verseydi. Nasıl olsa er ya da geç cevabı bulacaklardı. En azından hayatı kurtulmuş olurdu.

Belki de ne polis ne de Al'in adamları evini bulabilmişlerdi. Tek yapması gereken kapıcıya yakalanmadan evine girmekti.

Eve birkaç kez gidip gelmesi gerekebilirdi. Çünkü pul koleksiyonu tam on albümden oluşuyordu. Aklına gelen en iyi fikir albümleri büyük boy tekerlekli valize doldurmaktı. Bu valizi birkaç sene önce televizyon tanıtımlarında görmüş ve telefonla arayarak sipariş vermişti. Dört, en fazla beş albüm alırdı. Tekerlekleri sayesinde kolayca arabaya getirip, albümleri bagaja kaldırabilir; sonra da ikinci kez eve dönerek geri kalan albümleri alabilirdi. En kötü ihtimalle eve üçüncü kez gider ve her şeyi aldığından emin olabilirdi.

Şimdiye kadar kimse bulmadıysa, evde biraz nakit parası vardı. Bir servet sayılmazdı ama acil durumlar için ayrılmış yaklaşık iki bin dolarlık bir birikimdi. Eğer şu an içinde bulunduğu durum acil durum sayılmıyorsa, Keller'ın acil anlayışını yeniden gözden geçirmesi gerekecekti. Paraya ihtiyacı vardı ama iki bin dolar için şehre dönmeye değmezdi. Bunun on ya da yirmi katı için olsa hiç düşünmeden gelirdi.

Oysa pul koleksiyonu onun için çok değerliydi. İlkini yıllar önce kaybetmişti ve bu kez elinden gitmesine izin vermeyecekti.

18

İzleyen birileri varsa da Keller fark etmedi. Yarım saat evin etrafını izledi ama şüpheli kimseye rastlamadı. Kapıcıya görünmeden binaya girmenin yollarını aradı ama bulamadı. En iyi ihtimalle bir merdiven bulup, onun sayesinde yangın merdivenine ulaşmak olurdu ama ondaki bu şansla boş bir daire yerine komşulardan birinin evine girerdi. Ayrıca boş daireyi bulsa bile büyük boy bir valizle yangın merdiveninden aşağı inmek de hiç kolay olmayacaktı.

Kararını vermişti. Önce başındaki Homer Simpson şapkasını çıkardı. Çünkü aklındaki plana uygun düşmüyordu. Evle işi bittikten sonra tekrar takmak üzere şapkayı katlayıp cebine koydu. Sonra karşıya geçti. Omuzları dik, kollarını iki yanda sallayarak kapıya yöneldi. Girişte kapıcıyı gördü.

"İyi akşamlar, Neil."

"İyi akşamlar, Bay Keller." Keller, adamın mavi gözlerini büyüterek kendisine baktığını fark etti.

Keller adama gülümseyerek devam etti. "Neil, bahse girerim birkaç kişi gelip beni aradı, değil mi?"

"Şey..."

"Endişelenecek bir şey yok," dedi Keller. "İşler bir iki gün içinde çözülür ama şu anda hem ben hem de birkaç arkadaşım kötü günler geçiriyoruz." Elini cebine attı ve Miller Remsen'dan aldığı iki elliği avucuna yerleştirdi. "Görmem gereken birkaç şey var," dedi ve parayı kapıcının eline sıkıştırdı. "Kimsenin bilmesine gerek yok, değil mi?"

Kendine güven ve biraz paranın yardımıyla sorun halloldu. Neil İrlandalı aksanıyla "Tabii Bay Keller. Ben sizi hiç görmedim," dedi.

Keller asansörle yukarı çıkarken, kapısına mühür vurulup vurulmadığını düşünüyordu. Ama kapıda ne mühür ne de arandığına dair herhangi bir belge vardı. Dairenin kilidi dahi değiştirilmemişti. Keller, anahtarlarını kullanarak kapıyı açtı. Eşyalar bıraktığı gibi değildi ama Keller bununla hiç ilgilenmedi. Doğruca pulları kaldırdığı kitaplığa yöneldi.

19

Hepsi gitmişti.

Keller bu duruma çok şaşırmadı. Eve geldiğinde pulların gitmiş olma olasılığı vardı. Ziyaretçilerden biri pulları beraberinde götürebilirdi. Polislerin el koyma olasılığı vardı ancak Keller Al'in ya da Al'in gönderdiği adamların almış olacağını düşündü. Çünkü onlar, pulların piyasadaki değerini az çok biliyor olmalıydı. Pulları alan her kimse üzerlerindeki fiyat göstergelerini fark etmişti. Aksi halde kimse on tane albümü taşıyarak fıtık olma riskini göze almazdı. Aldıktan sonra da ilk iş pazarlıktan iyi anlamayan bir pul satıcısı bulup, bütün koleksiyonu elden çıkarmak olurdu.

Eğer tahminleri doğruysa ve pullar satıldıysa, onları sonsuza dek unutması gerekecekti. Polis el koyduysa, yine sonsuza dek unutması gerekecekti. Çünkü polisler pulları kanıt olarak elinde tutacak ve önümüzdeki yirmi yıl boyunca kanıtların saklandığı o dolaplardan birinde tutacaktı. Bu süre zarfı içinde pullar sıcaktan, nemden, kemirgen hayvanlardan ve hava kirliliğinden zarar görecekti. Şans eseri Des Moines'den biri çıkıp suçu üstüne alsa ve Keller'ın masumiyetini kanıtlasa bile pullarına asla kavuşamayacaktı.

Hepsi gitmişti. Pekala, bunda büyütülecek bir şey yoktu. Dot da gitmişti. İşte asıl beklenmeyen Dot'ın ölümüydü. Kızın sonsuza dek arkadaşı olarak yanında kalacağını hayal ediyordu. Haberi ilk duyduğunda şoka girmiş ve kahrolmuştu. Hâlâ çok üzgündü ve bunun etkisinden uzun süre kurtulabileceğini zannetmiyordu. Yine de ölüm haberinin ardından kabuğuna çekilmemişti. Yoluna devam etti. Çünkü yapılması gereken buydu. Yoluna devam etmeliydi.

Pulların gidişi, ölümle kıyaslanamazdı ama yine de büyük bir kayıptı. Pulların gitme olasılığını önceden göz önünde bulundurmak, kaybın üzüntüsünü azaltmıyordu. Hepsi gitmişti, nokta, hikayenin sonu. Onları asla geri alamayacaktı. Tıpkı Dot'ı geri getiremeyeceği gibi. Ölen ölmüş, giden gitmişti.

Şimdi ne olacaktı?

Bilgisayarı da gitmişti. Mutlaka polisler almış olmalıydı. Büyük ihtimalle teknisyenler çoktan sabit disk üzerinde çalışmaya başlamıştı. Mümkün olduğunca çok bilgi elde etmek isteyeceklerdi ama umduklarını bulamayacaklardı. O sadece bir diz üstü bilgisayardı, bir MacBook. Hızlı, pratik, kullanışlı ama dikkatli bir kullanıcının elinden çıktıysa polise sunabileceği tek şey ikinci el satıştan getireceği para olacaktı.

Telefonu ve çağrı yanıtlama makinesi yerde parçalar halinde duruyordu. Telefonunun neden cevap vermediğini artık anlamıştı. Zavallı telefon insanları bu kadar kızdıracak ne yapmış olabilirdi? Belki birileri onu çalmaya karar verdi ama son anda para etmeyeceğini düşünerek öfkeyle duvara fırlattı. Öyle olsa bile ne değişirdi? Yerine yenisini almasına gerek yoktu. Çünkü ona mesaj bırakacak kimse kalmamıştı.

Yerde duran tek şey çağrı yanıtlama makinesi değildi. Bütün çekmeceleri ve dolaplarındaki eşyalar da yere saçılmıştı. Gördüğü kadarıyla elbiselerinin hepsi oradaydı. Birkaç eşyasını yanına almaya karar verdi. Gömlekler, çoraplar, iç çamaşırları ve spor ayakkabıları. Buradan ayrıldıktan sonra işine yarayabilirlerdi. Pullar olsa da olmasa da büyük boy tekerlekli valizi kullanması gerektiğini anladı. Valizi almak için dolaba gitti ama valiz orada değildi.

Tabii ki yerinde değil, diye düşündü. Pul albümlerini çalan herifler valizi de almış olmalıydı. Evde onları bekleyen albümlerden habersiz oldukları için, yanlarında çanta getirmemişlerdi. Valizi bulana dek bütün dolapları alt üst etmişlerdi.

Zaten Keller'ın o kadar büyük bir çantaya ihtiyacı yoktu. Yanına alacağı eşyalar, küçük bir çantaya sığabilirdi.

Çantayı hazırladı ve mutfağa gitti. Mutfaktaki alet çekmecesini açtı ve bir tornavida buldu. Tornavidayı alıp yatak odasındaki elektrik düğmesini söktü. Yıllar önce odanın tavanında bir aydınlatma sistemi olduğu kolaylıkla anlaşılıyordu ama Keller taşınmadan önce burada yaşayan kiracılar bütün sistemi sökmüştü. Geriye hiçbir işe yaramayan bir elektrik düğmesi kaldı. Keller eve taşındığı ilk günlerde işe yaramadığını unutup sürekli olarak bu düğmeye basıyordu.

Daireyi satın aldığında, burada birkaç değişiklik yapmanın iyi olacağını düşündü. İlk önce elektrik düğmesini söktü ve ortaya çıkan boşluğu sıvayla kapattıktan sonra üzerini boyamayı planladı. Fakat sonra buranın iyi bir gizli bölme olacağını fark etti. Acil durumlar için ayırdığı parayı buraya sakladı ve düğmeyi tekrar yerine monte etti.

Para hâlâ oradaydı. 1200 dolardan biraz fazlaydı. Düğmeyi tekrar takmaya çalışırken zaman kaybettiğini anladı. Çünkü bu daireye bir daha geri dönmeyecekti.

Çekmeceleri toplamak ya da ziyaretçilerin dağınıklığını düzeltmek de zaman kaybı olacaktı. Bu nedenle ne etrafı topladı ne de parmak izlerini temizledi. Burası onun dairesiydi ve yıllarca burada yaşamıştı. Her yerde parmak izleri vardı. Bugün bıraktığı izleri temizlemek ne işe yarayacaktı?

Keller apartman girişine geldiğinde Neil'ın dışarıya çıkmış olduğunu ve giriş kapısının solunda dikilerek karşı apartmanın yaklaşık yedinci katına doğru bakmakta olduğunu fark etti. Keller da o yöne doğru baktı ama sadece birkaç gölge gördü. Yeterince ışık olmadığı için kapıcının ilgisini çeken şeyin ne olduğunu anlayamadı. Keller adamın baktığı yerin değil, bakmaktan kaçındığı yerin önemli olduğunu fark etti. Kapıcı Keller'la karşılaşmamaya çalışıyordu.

Tabii memur bey, ben zaten adamla göz göze dahi gelmedim.

Kapıcının duruşundan, konuşmak istemediği anlaşılıyordu. Bu nedenle Keller tek kelime etmeden elinde çantası ve belinde SIG Sauer silahı ile kapıdan çıkıp gitti. Köşeyi dönünce Homer Simpson şapkasını taktı ve Neil'ın görüş alanından tamamen uzaklaştı.

Bir sonraki bloğa geldiğinde durdu ve Lincoln Town Car marka bir arabayı yoldan çekmeye çalışan iki görevliyi izlemeye başladı. Yangın musluğunun yanına park ettiği için görevliler tarafından çekiciye yüklenecek ve polislerin bu tür arabalar için ayırdığı park yerine bırakılacaktı.

Bu durum Keller'ı memnun etti. Bildiği bir Almanca sözcük vardı, *Schadenfreude.* Birden bu sözcüğü hatırladı. Bir başkasının üzüntüsünden mutluluk duymak anlamına geliyordu ve Keller bunun asil bir duygu olmadığının farkındaydı.

Yine de arabasına gidene kadar gülümsedi ve daha birkaç dakika öncesine kadar bir daha hiç gülemeyeceğini düşünüyordu. *Schadenfreude,* hiç mutlu olmamaktan iyidir diye düşündü.

Manhattan'a girerken köprü ve tünellerde gişeler vardı ve gelen her arabadan altı dolar alınıyordu. Oysa Manhattan çıkışında gişeler yoktu. Şehre giriş paralı ama çıkış bedavaydı. Keller bunun mantığını bulmaya çalıştı ve aklına gelen tek şey böylesine büyük bir şehirde vakit geçiren insanların şehir çıkışında beş parasız kalmış olma ihtimallerinin yüksek oluşuydu.

Bu durumun Keller açısından anlamı, gişe görevlisine yüzünü gösterme riski olmamasıydı. Lincoln Tünelinden geçerek şehri terk etti ve Jersey yolu üzerinde uygun bir yerde durdu. Plakanın üzerindeki DPL göstergelerini sökmesi gerekiyordu. Çünkü şehir dışında hoş karşılanmayabilirdi. Bunları bir daha nerede kullanabileceğini bilmiyordu ama atmak istemedi. O yüzden bagajda duran yedek lastiğin yanına kaldırdı.

Sahibinin Lincoln marka arabasını tekrar görüp göremeyeceğini merak etti ve arabanın ortadan kayboluşunun Uluslararası bir olay olarak algılanıp algılanmayacağını düşündü. Belki ertesi gün gazetelere haber olurdu.

Yola koyulduğunda gideceği yer hakkında hiçbir planı yoktu. Sonunda durdu ve kendine nereye gitmek istediğini sordu. Aklına ilk gelen cevap bir gece önce Pennsylvania'da kaldığı Gujarati moteli oldu. Motele gidip "Yine ben" diyecekti ve esmer güzeli kız bütün ilgisiz tavrıyla Keller'ın motel girişini yapacaktı. Peki motelin yerini bulabilecek miydi? 80 no'lu karayolundaydı ama tüm bildiği buydu. Oraya geldiğinde dönüş yapması gereken yolu hatırlayabilirdi ama...

Bunun kötü bir fikir olduğunu düşündü.

Bu fikri çekici kılan, o mekanın tanıdık olmasıydı. Orada hiçbir sorun yaşamadan kalmıştı ve ister istemez moteli güvenli bir yer olarak hayal ediyordu. Peki ya moteldeki kız, ayrıldığından bu yana Keller'ın fotoğrafını bir yerlerde gördüyse ve ilgisiz davranmış olmasına rağmen adamı kolaylıkla tanıdıysa ne olacaktı? Belki yetkililere haber verme gereği duymamıştır ama ailesini durumdan haberdar etmiştir. Belki de sadece benzerlik olduğunu düşünüp, gülüp geçmiştir.

Oraya geri dönmek demek, kafasında bunca soru işâreti olan bir kıza son bir kez detaylı inceleme yapma imkanı sunmak demekti. Bu imkanı vermek için de Keller'ın aklını yitirmiş olması gerekirdi. Kız onu tanıdığı anda, Keller da bir şeyler yapmalıydı. Belki de bunların hiçbiri yaşanmayacaktı ve kız motel girişini yaptıktan sonra adama iyi akşamlar dileyecek ve o odasına çekilir çekilmez telefonda sohbete devam edecekti.

Saat sabaha karşı iki olmuştu ve motele gitmek en az dört saatini alacaktı. Bütün geceyi yolda geçiren müşteriler öğleye yakın motele gelir ve giriş yaparlardı. Öğleden sonraya kalırlarsa ikinci günün parasını da ödemek zorundaydılar. Bu nedenle öğle saatlerine yakın gelen müşterilere özel ilgi gösterilir ve sohbeti uzun tutarak vaktin geçmesi sağlanırdı.

Bunların hiçbir önemi yoktu. Çünkü motele dönme fikri, son derece kötü bir fikirdi. Tek güzel yanı, tanıdık bir mekan olmasıydı ama bu da yeterli bir gerekçe değildi.

Karşısına aklına yatan bir motel çıkıncaya kadar yola devam etmeli miydi? Vakit oldukça geç olmuştu ve bütün gün yaşadıklarından sonra mantıklı düşünemiyordu. İyi bir uykuya ihtiyacı vardı.

Hâlâ New York yakınlarındaydı. Eskiden New York'a yaklaştıkça kendini güvende hissederdi. Şimdi ise uzaklaştıkça kendini rahat hissediyordu.

Bir şeyler yemeli miydi? Belki bir fincan kahve içmeliydi.

En son sinemada patlamış mısır yemişti ama henüz acıkmamıştı. Kahve de istemiyordu. Yorgun ve gergin olduğu zamanlarda uykusu da gelmezdi.

Yol üzerinde bir dinlenme alanı gördü ve buraya park etti. Burada hizmet veren küçük bina kapalıydı ve bütün alan bomboştu. Çalıların arasına gidip tuvaletini yaptı ve tekrar arabaya döndü. Direksiyonun başında rahatça oturdu ve gözlerini kapattı. Birkaç saniye içinde arkadan gelen ışıkları fark etti. Başka birileri de aynı sebepten dolayı burada dinlenmeye karar vermiş olmalıydı. Geceyi burada geçirmekten vazgeçti. Motoru çalıştırdı ve tekrar yola koyuldu.

20

On gün sonra sinemaya gitti ve bütün film boyunca patlamış mısır yedi. Film bilgisayar dahisi bir grup gencin, mafya çetesini çökertip milyonlarca dolar kazanmasını anlatıyordu. Filmin baş kahramanı arkadaşlarına göre daha az inek öğrenci izlenimi uyandırıyordu ve filmin sonunda sadece para değil güzel de bir kız arkadaş sahibi oluyordu. Filmin izleyici kitlesinin gençler olduğunu anlamak zor değildi. Hafta içi gösterimlerine indirimli bilet alan yetişkinler de sinema koltuklarında dinlenmeyi tercih ediyorlardı.

Keller filmi izlemese de olurdu ama bütün gösterimler arasında izlemediği tek film buydu. Sinemada sekiz salon vardı ve toplam altı film gösteriliyordu. En çok izlenen iki filme, ikişer salon ayrılmıştı. Bu sayede iki matine arasında bir saatten az beklemeniz gerekecekti. Keller diğer beş filmi önceden görmüştü ve şimdi de inek öğrenciler filmini izlemişti. Saatine baktı ve erken olduğunu düşünerek diğer filmlerden birini ikinci kez izlemeye karar verdi. İlk izlediğinde bile eğlenceli gelmeyen bu filmleri, ikinci kez izleyip kaçırdığı altyazıları yakalamanın hiçbir manası olmadığını düşündü.

Sinema Jackson, Mississippi yakınlarında bir alışveriş merkezinin içindeydi. Bir gece önce de başka bir alışveriş merkezindeydi. İlk gittiğinde Patel Motel zincirine ait olduğunu düşünmüştü ama sonra bağımsız bir işletme olduğunu anladı. Bu sefer geldiği yer ise Grenada'ya yakındı ve Tie Plant ismiyle oldukça geniş bir alan kaplıyordu. Filmi izlerken seçeneklerini gözden geçirmeyi denedi. Buradan uzaklaşmalı mıydı yoksa Jackson civarında bir motel mi bulmalıydı? Nereye gidileceğine ya da ne yapılacağına dair fikirler hep kendiliğinden gelişirdi.

Sinemadan çıktı ve arabasına yöneldi. Her zamanki gibi Homer Simpson şapkasını takıyordu. Gerçi birkaç gün önce gardırobundaki giysilerine bir yenisi eklenmişti. Tennessee'de gittiği sinemanın birinde bir kot ceket bulmuştu. Büyük ihtimalle o gün hava sıcaktı ve ceketin sahibi eve dönerken ceketin yokluğunu hissetmedi. Bir iki gün sonra geri dönüp ceketi bulamadığında da insanların o eski püskü şeyi neden almış olabileceğini düşünmüş olmalı. Çünkü ceketin kolları ve yakası aşınmıştı. Ayrıca dikişleri de atmaya başlamıştı.

Keller ceketi beğenmişti. Eski sahibinin kokusu sinmişti ama önemli değildi. Çünkü giyilemeyecek kadar kötü değildi. Keller için bir değişiklik olmuştu. Üstelik içinde bulunduğu koşullara da son derece uygundu. Mavi blazer ceketi bir erkeğin dolabında mutlaka bulunması gereken bir parçaydı ve hem kravat – gömlek ikilisiyle hem de tişörtle giyilebilirdi. Keller, Des Moines'den ayrıldığından beri giysilerin çok yönlü olanlarını daha çok sevmeye başlamıştı. Fakat güneye geldikçe, ceketiyle dikkat çekmeye başladı. Büyük kalabalıklara karışmıyordu ama yine de kot ceketle kendini daha rahat hissediyordu.

■ ■ ■

Bir kaçağın ya da en azından Keller gibi bir kaçağın karşısına çıkan iki seçenek vardır. Biri hiç durmadan kaçmak; diğeri de gizli bir yer bulup orada saklanmak.

İkisini birden yapmak mümkün değildir. Fakat Keller'a göre güvende olmak için ikisini birlikte yürütmek gerekiyordu.

Gizli bir yer bulup oraya yerleşmeyi tercih ederse, sürekli aynı insanlarla karşılaşacaktı. Bu insanlardan biri onun kim olduğunu fark ederse yapacağı ilk iş telefona sarılmak olacaktı.

Sürekli kaçarak sınıra ulaşması halinde de sınır polisleri ile karşılaşacaktı. Ehliyet, plaka, kimlik kontrolünü geçtiğini düşünelim. Bu kez Meksika sınırına gelecekti ve buradaki polisler kaçaklar konusunda çok daha hassastı. Keller burada olmayı hiç istemezdi.

İki yöntemi birlikte yürütmeye karar verdi. Çok hızlı yol almayacaktı ve geceleri güvenli bir yer bulup uyuyacaktı.

Sinemaların gündüz matineleri genelde boş oluyordu ve çalışanlar da gelenleri pek umursamıyordu. Geceleri de güzel bir motel bulup kapısını kilitlediği anda her şey yoluna girmiş olacaktı. Televizyonu da açabilirdi ama sesini kısık tutmak kaydıyla. Çünkü yan odadakilerin şikayetçi olmalarını istemezdi.

Her gece motelde kalma riskini göze alamazdı. Virginia I-81 otoyolunda gördüğü bir motelin önünde durdu ve tam içeri girmek üzereyken içinden gelen bir his onu durdurdu. Arabasına geri döndü. Sinirlerim gerildi herhalde, diye düşündü. Yine de bu hisse kulak verdi ve motelde kalmadı. Yol kenarında bir dinlenme alanı gördü ve oraya park edip arabada uyudu. Sabah uyandığında yanına park etmiş bir tır olduğunu fark etti. Diğer tarafında ise kalabalık bir aile kahvaltı yapıyordu. Birileri onu görmüş olmalıydı. Gün çoktan ağarmış ve her yer aydınlanmıştı. Fakat bütün gece başında şapkası ile uyumuştu ve uyandığında da başı önüne eğikti. Böylece şapka yüzünü gizlemişti. Herhangi bir sorunla karşılaşmadan oradan ayrıldı.

İki gece önce Tennessee'de oldukça uzun süre yol almış ve önünden geçtiği üç motelde de yer olmadığını öğrenmişti. Yol üzerinde SATILIK ÇİFTLİK tabelasını gördü ve çiftliğe ulaşana kadar çamurlu bir yolda ilerledi. Çiftlik evinde hiç ışık yoktu. Etrafta görebildiği tek araba tekerlekleri sökülmüş bir Ford'du. Eve girmeyi planladı. Büyük olasılıkla kapıları kilitli değildi ama kilitli olması halinde kolaylıkla kırıp içeri girebilirdi.

Peki ya sabah erkenden evi görmeye gelenler olursa ya da arabasıyla bu yöne geldiğini gören bir komşu merak edip, evi dolaşmaya gelirse ne yapacaktı?

Arabasını ahırın içine park etti. Böylece dışarıdan kimse göremezdi. Ahırda bir baykuş vardı ve Keller'dan çok gürültü çıkartıyordu. Birkaç tane de fare gördü ama onlar baykuştan kaçmak istedikleri için son derece sessiz hareket ediyorlardı. Ahırda hayvan, ot ve yem kokusu vardı ama yakınlarda bir insan yaşadığına dair hiçbir ipucu yoktu. Bu durumu dikkate alarak, kendine bir yatak hazırladı ve bütün sorunlarından uzak güzel bir uyku çekti.

Ertesi sabah Ford'a bakmak üzere dışarı çıktı. Tekerlekleri yoktu ve birileri de motoru çıkarmıştı. Buna rağmen plakası duruyordu. TENNESSEE / ADAY EYALET yazıyordu ama tarih belirtilmemişti. Plaka küflenmişti ama Keller plakayı söküp Sentra'ya taktı. Iowa plakalarını da ahırda duran yemlerin altına sakladı.

Jackson'ın dışında gördüğü motelde işletme sahibinin Sanjit Patel olduğunu gösteren bir tabela vardı. Fakat Patel işletmeleri Amerikan Rüyasını o kadar genişletmiş olmalıydı ki aile dışından insanları da çalıştırmaya başlamışlardı. Resepsiyonda duran genç adamın ten renginden Afro-Amerikalı olduğu anlaşılıyordu. Yakasındaki kartta isminin Aaron Wheldon olduğu yazıyordu. Uzun, oval bir yüzü ve kısa saçları vardı. Siyah çerçeveli bir gözlük takıyordu. Keller'ın yaklaşmakta olduğunu görünce bütün dişlerini göstererek sırıttı ve "Bart Simpson! Adamım benim!" dedi.

Keller da gülümseyerek karşılık verdi. Sonra odanın fiyatını sordu ve 49 dolar olduğunu öğrendi. Tezgaha üç yirmilik bıraktı ve kayıt belgelerini delikanlıya uzatarak "Bunları benim için sen doldurabilirsin belki," dedi. Kısa süren bir sessizliğin ardından "Faturaya gerek yok," diye ekledi.

Wheldon bir süre düşündü. Sonra gülümseyerek odanın anahtarı ve on dolarlık para üstünü uzattı. Vergisiyle birlikte odanın fiyatı yaklaşık 53 dolar olmalıydı. Keller on dolarlık para üstüne şaşırdı. Fakat sonra anladı ki ne Sanjit Patel moteli ödenen elli doları ne de Mississippi Eyaleti bu odaya ait bir vergi beyannamesi görecekti.

"Sanırım yanlış söyledim," dedi Wheldon. "Geldiğinizde Bart Simpson dedim ama bu onun babası Homer. İyi akşamlar dilerim Bay Simpson." *Tabii ki sizi hiç görmedim bayım.*

Odaya girdiğinde televizyonu açtı ve CNN'e gelene kadar bütün kanalları aradı. Her zamanki gibi yarım saat süren haberleri izledi. Sabah olduğunda, gazete almak için kutuya bozuk para attı.

Pennsylvania'ya giderken bir kez daha *New York Times* gazetesi alabildi. White Plains yangını ile ilgili bir haber vardı ve bu kez yangının ardından bulunan cesedin Dorothea Harbison'a ait olduğunun otopsi sonucu ile kesinleştiği yazıyordu. Diş yapısı cesedin kadına ait olduğunu doğruluyordu. Bu haber Keller'ın bütün umutlarını sona erdirmişti. Çünkü Keller içten içe cesedin bir başkasına ait olma ihtimali olduğunu düşünüyordu.

Keller hafta içi her gün *USA Today* gazetesi alıyor ve hafta sonları da bulabildiği tüm gazeteleri okuyordu. Suikastle ilgili haberler her geçen gün azalıyordu. Yıllar önce kendince bir mekanizma geliştirmişti. Öldürdüğü insanları zihninde canlandırıyordu ve zaman geçtikçe görüntüler siyah beyaz bir hal alıyordu. Zamanla odaklanmak güçleşiyor ve görüntü küçülüyor, en sonunda da yok olup gidiyordu. Teknik işe yarıyordu ama kalıcı değildi. Çünkü yıllar sonra bir gün öldürdüğü adamlardan birinin yüzü gözünün önüne gelebiliyordu. Bu gibi zamanlarda oldukça zorlanıyordu. Şimdi anlıyordu ki tek yapabildiği gerçeği çarpıtmaktı. Çünkü görüntülerin kaybolması ancak zamanın ilerlemesiyle mümkün olabilirdi. Hikayeler de böyleydi. Zamanla haberlerden silinip gidiyordu. Her gün yeni bir olay yaşanıyor ve eskilerin yerini alıyordu.

Medya da insan beyni ile benzer bir süreçten geçiyordu. Çaba sarf etmeye gerek yoktu. Zamanla her şey silinip gidiyordu ve yeni olaylar gündeme geliyordu.

Bunun örneklerini bulmak için çok düşünmesine gerek yoktu. Birkaç yıl önce bir köpeği vardı. Bir Avustralya çoban köpeğiydi ve adı Nelson'dı. Andria adında bir kadınla anlaşmıştı ve kadın her gün köpeği yürüyüşe çıkartıyordu. Zamanla Andria'yla ilişkileri ilerledi ve kadına ilgi göstermeye başladı. Ona çok güzel bir çift küpe hediye etti. Bir gün kadın köpeği de alıp ortadan kayboldu.

Bazı şeyleri olduğu gibi kabul etmek gerekir. Keller da öyle yaptı. Bu olay onu çok üzmüştü ama olduğu gibi kabullendi. Yine de kadını ve Nelson'ı her gün düşünüyordu.

Fakat bir gün ikisi de aklına gelmedi.

Birdenbire ikisini de hayatından çıkarması ve bir daha asla onları düşünmemesi mümkün değildi. Ara ara hatırlıyor ve ilk günkü acıyı hissedebiliyordu. Fakat zamanla daha az aklına gelmeye başladı ve hatırladığında hissettiği acı azaldı. Hiç unutmadı ama eskisi gibi de etkilenmedi.

Peki şimdi bunları hatırlamasının nedeni neydi? Bu kadar geçmişe gitmesine hiç gerek yoktu. Sadece bir hafta önce iki büyük kayıp yaşamıştı. En iyi arkadaşı öldürülmüş ve pul koleksiyonu çalınmıştı. Sürekli olarak onları düşünüyordu ama her geçen gün daha az etkilendiğinin de farkındaydı. Hâlâ acı veriyordu ama bu acıyla yaşamayı öğrenmişti.

Aslında yaşananları unutmaya çalışmanın hiçbir faydası yoktu. Her şey zamanla düzene giriyor ve anılar yerine oturuyordu.

21

New Orleans'da dolaşırken, Katrina Kasırgası'ndan kalan izlere bakıyordu. Kendini 9 Eylül saldırısından sonra New York'a gelip yaşanan felaket anısına yaptırılan Ground Zero anıtını arayan bir turist gibi hissetti. Kasırga zamanında gazetelerde çıkan haberleri hatırlardı. Bütün şehir rüzgâr ve selle birlikte sürüklenip gitmişti. Nereye gideceğini ya da ne aradığını bilmiyordu. Etrafta gördüğü tüm yerleşim yerleri harabeye dönmüştü. Şehrin bazı bölgeleri onarılamayacak ve yeniden eski günlerine dönemeyecek kadar kötü durumdaydı. Gideceği yönü bilmiyordu ve yoldan geçen birine de sormak istemiyordu.

Ayrıca neden afet bölgesinde dolaştığını da anlayamıyordu. New York'da yaşanan saldırıların ardından, olay yerine gitmiş ve kurtarma ekiplerine yiyecek dağıtımı yapmıştı. O günden sonra da yıkılan binaların olduğu yere bir daha hiç gitmemişti. Şimdi de kolları sıvayıp New Orleans'ı yeniden inşa edemeyeceğine ya da kalıp bu işi üstelenen insanlara yardımcı olamayacağına göre neden buralarda dolaşıyordu?

Arabasıyla dolaşırken ilginç bir semt buldu ve arabasını cadde üzerine park etti. Park yapılmayacağına dair herhangi bir uyarı yoktu. Ayrıca parkmetre de konmamıştı. Blazer ceketini mi yoksa kot ceketini mi giyeceğine karar veremedi. Hava sıcaktı. Tişörtünü pantolonun üzerine çıkarttı ve böylece silahını gizledi. Fakat pek işe yaramamıştı. Dikkatli bakan herkes, silahı kolaylıkla görebilirdi. Silahı yanına almak zorunda mıydı? Vazgeçti ve silahını arabanın torpido gözüne kaldırdı. Kapıları kilitledi ve New Orleans'da bir yürüyüşe çıktı.

Bu iyi bir fikir miydi?

Kabul etmeliydi ki çok da iyi bir fikir değildi. Güvende kalabilmek için eski usul yaşantısına devam etmeli ve insanlarla karşılaşma olasılığını minimuma indirmeliydi. Bütün öğleden sonrayı karanlık bir sinema salonunda geçirmeli ve gece olunca da sakin bir motel bulmalıydı. Arabaya servis yapan restoranları tercih etmeli ve dinlenme saatlerinde de mümkün olduğunca az riske girebileceği yerler seçmeliydi. Bütün bunların farkındaydı ama yine de kendini bu yürüyüşten alıkoyamadı.

Bu yürüyüş iyi gelmişti. Sentra'nın deposunu doldurmak için hâlâ Miller Remsen'ın kredi kartını kullanıyordu ve kısa bir süre içinde bu kartı kullanmaya bir son vermeliydi. Artık eskisi kadar sık benzin yakmıyordu. Çünkü günlerce direksiyon başında yol almıyordu. Son doldurduğundan bu yana çok az benzin tüketmişti. Belki de bu Remsen'ın kartıyla aldığı son benzin olurdu.

Şimdiden bunu söylemek güçtü elbette. Remsen hakkında tek bildiği, onu son gördüğünde tezgahın arkasında kimselere görünmeden yatıyor olduğuydu. Tabii gelen giden ziyaretçiler de para ödemeden benzin alıyor olmalıydı. *USA Today* gazetesi her gün bir sayfa ayırıp ülke genelinde yaşanan ilginç olaylara yer veriyordu. Bu olaylar büyük ihtimalle yerel basın tarafından ulaştırılıyordu. Eğer Montana'lı biri Maryland'e doğru bir iş seyahatine çıktıysa ve yol boyunca *Missoula Misery* ya da *Kalispell Cat*

Box Liner gazetelerine ulaşamıyorsa; *USA Today* okuyarak evden haberler almaya devam edebilirdi.

New York için durum farklıydı. Orada yaşanan her şey, ulusal haber sayılıyordu. Indiana da bu gruba dahil edilebilirdi. Keller gazeteleri her gün kontrol ediyor ve tüm eyaletlerden gelen haberlere göz gezdiriyordu. Bazıları az da olsa ilgisini çekiyordu ama henüz benzin istasyonunda ölü bulunan yaşlı adamla ilgili bir habere rastlamamıştı. Ancak bu cesedin bulunmadığı anlamına gelmiyordu. Haber standartlarına göre bu olay yeterince ilgi çekici olmayabilirdi.

Ceset bulunsa da bulunmasa da Keller'ın bir önce karttan kurtulması gerekiyordu. Artık çok benzin harcamadığına göre, nakit ödemeyle benzin alma riskine girebilirdi. Belki de Remsen olayında olduğu gibi, hiç beklemediği bir anda başka bir kart bulabilirdi.

Arabada yeterince benzin vardı ve park halinde durduğu sürece hiçbir sıkıntı yoktu. Şu anda asıl sorulması gereken soru, New Orleans sokaklarında yürüyerek kendini riske atıp atmadığı sorusuydu. Bu soruyu kendine sormak istemiyordu; çünkü alacağı cevaptan hiç hoşlanmayacağını biliyordu.

Evet, bu riskli bir hareketti.

Öte yandan New Orleans'da bir ileri bir geri dolaşıp, sadece fast food aramak düşüncesi de hiç hoşuna gitmiyordu. Bu şekilde vakit geçirmek Tie Plant, Mississippi ya da White Pine, Tennessee gibi seçeneklerin sınırlı olduğu yerlerde iyi bir fikir olabilirdi ama Keller New Orleans'a daha önce gelmişti. Cafe du Monde adlı yerde güzel içecekler olduğunu hatırlıyordu. Bir tabak deniz börülcesi ya da kırmızı barbunya ve pilav yemeden buradan ayrılabilir miydi? Peki ya istiridyeli sandviç, jambalaya, pirinçli kerevit ya da sadece New Orleans'da bulabileceği yerel lezzetler?

Tabii ki ayrılabilirdi. Hepsini bir kenara itip, yoluna devam edebilirdi. Fakat bunun iyi bir fikir olduğunu düşünmüyordu.

Yaşlı adamla çalıştığı yıllar boyunca, farklı işlerle uğraşmak zorunda kaldı. Özellikle de hükümetin Tanık Koruma Programı ile yeni bir kimlik edinip yeni bir hayata başlayan adamların peşine düştü. Oysa bu insanlar gözlerden uzak, sakin bir hayat kurma hayali peşindeydi.

Bu adamlardan biri Roseburg, Oregon'da yaşıyordu. Aslında bir muhasebeciydi ama çok şey biliyordu. Tehdit edilmeye başlandığında bildiği her şeyi anlatmıştı ve bu nedenle de Tanık Koruma Programına alınmıştı. Sonra Roseburg'da sakin bir hayat kurmuştu ve her cumartesi evinin bahçesindeki çimleri buduyordu. Onu tanıyan birileri çıkmamış olsaydı, sonsuza dek bu şekilde yaşabilirdi. Fakat birileri onu tanımış ve Keller'a bir iş teklifinde bulunmuştu. İşte adamın yaşamı böyle son buldu.

Pek çok kişi de federal ajanların onlar için sağladığı sessiz hayata uyum sağlamakta güçlük çekiyordu. Biri kendini at yarışlarından uzak tutamıyor; diğeri de Elizabeth, New Jersey'deki evinin hasretiyle yanıp tutuşuyordu. Kimisi de düzenli olarak alkol alıyor ve yaptığı her işi yabancılara anlatmaya başlıyordu. Maalesef seçtiği yabancılar da hep yanlış adamlar oluyordu. Federallerle işbirliği yaptığı için çocuklara cinsel taciz suçlamasından muaf tutulan bir adam da Hays, Kansas'a taşınmış ve çok geçmeden çocuk parklarının etrafında dolaşırken yakalanıp hapse atılmıştı. Federaller yine devreye girip adamın serbest bırakılmasını sağladı. Bu kez birileri Keller'ı aradı ve adamın işini bitirmek üzere teklifte bulundu. Keller adamın peşine düşmüştü ki adamın yeniden tutuklandığı haberi geldi. Adam reşit olmayan bir çocuğu kaçırmış ve cinsel tacizde bulunmuştu. Yaşlı adam bu haberi duyunca dünyaya bir iyilik yapması gerektiğini söyleyip, Keller'ı New York'a geri çağırmıştı. Daha sonra da hapishanede olan eski bir arkadaşını arayıp, bu sapık herifin kendi hücresinde boğazı sıkılarak öldürülmesini sağlamıştı.

Can sıkıntısı en büyük düşmandı. Kendisi için yarattığı bu yeni dünya katlanılamaz derecede monoton bir hale geldiyse, bununla nasıl başa çıkacaktı?

İşte bu yüzden kendine New Orleans'da bir gün armağan etti. Tam olarak bir gün sayılmazdı, sadece birkaç saat dolaşacaktı. Sarhoş olup bildiklerini anlatmayacak, parasını yarışlarda harcamayacak, okul bahçelerinde dolaşmayacak ya da Bourbon Caddesi'nde içki alemi yapmayacaktı. Sadece yemek yiyip, meşelerle çevrili sokaklarda yürüyüş yapacaktı. Sonra arabasına binecek, çevre yoluna çıkacak ve New Orleans'ı geride bırakacaktı.

New Orleans'da sonsuza dek kalamayacağını ve en fazla birkaç saati olduğunu bilen Keller, gördüğü yerlerin tadını çıkarmaya çalışıyordu. Sokaklarda dolaşıyor, eski evlere bakıyordu. Bazıları oldukça görkemli, bazıları daha mütevaziydi. Hepsi gözüne çok güzel gözüktü. Yıllardır yapmadığı bir şey yaptı ve burada yaşamanın nasıl bir şey olacağına dair hayal kurmaya başladı. Bu evlerden birini satın alsa ve ömrünün geri kalanını burada geçirse nasıl olurdu? Çok da sıradışı bir hayal değildi. Bir ay önce olsa, bu hayali rahatlıkla gerçeğe dönüştürebilirdi. Fakat bir ay önce tek yapmak istediği, New York'da yaşamaktı. Ortada ne kaçış ne de New Orleans'a yerleşme fikri vardı. Şimdi tüm serveti, cebinde duran nakit para ve satma imkanı bulunmayan beş İsveç puluydu. Bu evlerden birini almasına imkan yoktu. Tek yapabileceği yola koyulup, uzaklaşmaktı.

Sokaklarda dolaşırken hayal kurmaya devam etti. Verandalı bir ev istediğine karar verdi. Kendini verandada, sallanan beyaz ahşap bir sandalyeye oturmuş; sokaktan gelip geçenleri izlerken resmetmek hiç de zor değildi. Otururken bir şeyler içiyor olabilirdi. Belki bir bardak... Bir bardak ne?

Buzlu çay mı?

Dot'ın hayalleri aklına geldi. Kızın verandaya oturup buzlu çay içme hayalini aklından uzaklaştırmaya çalıştı. Katrina Kasırgasından önce trafiğe açık olan St.Charles Bulvarı'nda küçük bir restoranın önünde durdu. Burada deniz ürünleri yiyebilir ve sonra da kahve içebilirdi. İçeri girdi ve oturdu. Siparişleri getiren garson kız Homer Simpson şapkasına gülümseyerek yanından ayrıldı. Keller kız gittikten sonra şapkasını çıkarıp yanındaki koltuğa bıraktı. Homer'dan sıkılmaya başlamıştı. Şapka maksadını aşmıştı. Artık gazetelerde ya da haberlerde Keller'ın fotoğraflarına yer verilmiyordu. İnsanların onu tanıma riski gün geçtikçe azalıyordu. Yine de Homer'ı tanıyorlardı. Özellikle üzerindeki sarı işlemeden dolayı insanlar kendilerini Homer'a bakmaktan alıkoyamıyorlardı. Belki de başka zaman olsa dönüp bakmayacakları Keller'a, bu şapka yüzünden bakıyorlardı.

Yemek mükemmeldi. Kahve de arabaya servis yapan restoranların kahvesinden çok daha iyiydi. Yemek yemenin ne kadar keyifli bir iş olduğunu neredeyse unutacaktı. Oysa New York'un emlak, Washington'ın da siyasette başarılı olması gibi New Orleans da yemek konusunda çok başarılıydı. Yemekler konusunda bütün hafızası birden tazeleniverdi.

Homer şapkayı restoranda bırakmaya karar vermişti ama kapıdan çıkarken şapkası da başındaydı. Bir saat sonra acıkmaya başladığında da şapkası başındaydı. Yol üzerinde bir büfenin önünde durdu ve içeriye baktı. Izgaranın etrafında bir tezgah ve tabureler olduğunu gördü. İçeri girdi. Herkesin ceket ve diğer eşyalarını astığı askıya şapkasını bıraktı. Bir tabak kırmızı barbunya, pilav ve isli sosis yedi. Çok güzel bir kahve içti. Yemeğini bitirip büfeden ayrılmak üzereyken, başka birinin Homer şapkayı alıp, onun yerine bir New Orleans Saints şapkası bıraktığını fark etti.

Her şeyi akışına bıraktığında, karşına çıkan fırsatlar ne kadar ilginç oluyor, diye düşündü. Saints şapkasının arkasında boyutunu ayarlayabileceği bir yer vardı ama ayarlama yapmasına gerek yoktu. Çünkü şapka tam başına göreydi. Şapkayı taktı, gölgelik kısmını yüzüne doğru indirdi ve büfeden ayrıldı.

St. Charles Bulvarı'nda, 24 saat açık bir eczane vardı ve hatta arabalara servis veren camlı bir bölme bulunuyordu. 24 saat açık olmasının ya da arabaya servis özelliğinin Keller için hiçbir anlamı yoktu. Ama bütün gün New Orleans sokaklarında boy göstermişti ve şimdi de eczaneye girip ihtiyacı olan şeyleri almanın ne sakıncası olabilirdi?

Öncelikle saçlarına şekil verebileceği malzemeleri almalıydı. Henüz berbere girme riskini göze alamıyordu. Çünkü saçını kesecek adamla uzun bir süre aynı ortamda duracaktı. Özellikle de saç rengini değiştirmek istediğinde adam hayretler içinde yüzüne bakacak ve bu onu tanıması için yeterli bir zaman olacaktı.

İhtiyacı olan, onu daha yaşlı gösterecek bir şeylerdi. Saçlarını griye boyarsa, işe yarayabilirdi. Albuquerque'de çekilen ve medyaya verilen fotoğrafta saçları siyahtı. Üstelik Keller şimdiki halinden biraz daha genç görünüyordu. Saçlarını griye boyayıp, yaşlı adamlar gibi kestirirse, fotoğrafla arasındaki benzerlik azalacaktı.

İçeride kendisine uygun bir set buldu. Bu setin içinde elektrikli bir saç kesme makası ve değiştirilebilir başlıklar bulunuyordu. Paketin üstünde "Dünyanın önde gelen berberlerinin son model saç kesimlerini evde kolaylıkla yapabilirsiniz" yazıyordu. Bu fikir hoşuna gitmişti.

Saç boyalarında çok fazla çeşit vardı. Bazıları özellikle erkekler için üretilmişti; diğerleri tamamen kadınlar içindi. Keller boya ile cinsiyet arasında bir bağ kuramadı. Boya, insanların cinsiyetini nasıl ayırt edebilecekti ya da bunun ne önemi vardı?

Her renk mevcuttu. Yeşil ve mavi saç boyası bile vardı ama gri rengi bulamadı. Saçları grileşen insanlar için her türlü seçenek sunulmuştu. Eğer gri saçların arasında sarı tonlar varsa, bunu kullanmalısınız. Eğer gri saçlarınızın arasında mavi ışıltılar varsa – ne demekse – bunu kullanmalısınız. Gri saçlarınızdan tamamen kurtulup orijinal saç renginize kavuşmak istiyorsanız, uygun renk seçeneklerinden birini tercih etmeli ve saçınızı tarif edilen şekilde boyamalısınız.

Keller neden saçların griye boyanmasına izin vermediklerini düşündü. Bu dünyada saçını griye boyamak isteyen tek kişi o muydu? En sonunda erkekler için üretilen ve gri saçlardan kurtarıp eskisi kadar koyu ve canlı bir saç rengine kavuşturmayı vaat eden bir ürün aldı. Saçları zaten koyu ve canlıysa, ters etki oluşması imkanı var mıydı? Kararsız kalmıştı ama yine de aldı.

Saç makası da aldı. İstediği gibi bir sonuç elde edemezse, hepsini kesmek zorunda kalabilirdi. Her yerde şapkasıyla dolaşır ve iki hafta sonra dik dik uzayan saçlarını herkese gösterebilirdi.

Arabasının olduğu yere doğru yürürken, New Orleans Saints şapkasının gerçekten Homer şapkasını alan adama ait olup olmadığını düşünüyordu. Belki de Homer şapkasını başka biri almıştı ve Keller tamamen masum bir adamın şapkasını çalmıştı.

Bu durum Keller için sorun değildi. Bununla yaşayabilirdi ama şapkanın sahibi adam yolda yürürken şapkasını tanırsa ne yapacaktı?

New Orleans'dan ayrılmak üzereydi. Bu yüzden böyle bir olay yaşanma ihtimali çok düşüktü. Ayrıca şehrin yarısı New Orleans Saints hayranıydı. Takım iyi bir sezon geçirmişti ve beklenenin üstünde bir performans sergilemişti. Takımın başarılarıyla şehir yeniden hayat bulmuş ve canlanmıştı. Eğer Saints eleme maçlarına kalırsa, herkes bu konuya yönelir ve kasırga gibi önemsiz bir konu geride bırakılabilirdi.

Homer Simpson'dan ayrılmıştı ve artık yüzüne bakan kimse kalmamıştı. Saints şapkası ile yüzünü daha iyi saklayabilirdi. Ayrıca etrafındaki insanlarla kaynaşması da kolaylaşmıştı.

Gülümsedi ve yoluna devam etti.

Yürüdüğü cadde, Euterpe Caddesi'ydi. Caddenin tabelasını ilk gördüğünde, ismi nasıl telaffuz edeceğini bilemedi. Daha sonra paralel caddelerin isimlerini gördü. Terpsichore, Melpomene ve Polymnia. İlerledikçe Erato ve Callipo caddelerinin isimlerini okudu. Erato'nun dokuz sanat tanrıçasından biri olduğunu hatırladı. Bulmacalarda karşısına çıkmıştı. Calliope de karnavallarda karşınıza çıkabilecek türden buharlı bir araçtı ve aynı zamanda başka bir tanrıçanın adıydı. Bu konu üzerinde düşününce Euterpe'nin de bulmacalarda iki ya da üç kez çıktığını hatırladı. "Yu-tör-pi" şeklinde telaffuz ediliyordu ve sonundaki "i" biraz uzatılıyordu. Tıpkı diğer Yunan isimleri gibi. Nike, Aphrodite, Persephone ve Calliope.

Caddc isimlerinin dokuz sanat tanrıçasından geldiğini düşünsenize. Bu başka nerede karşınıza çıkabilirdi ki? Belki Atina'da ama başka nerede?

Euterpe Caddesi'nden Prytania Caddesi'ne geçti. Hatırladığı kadarıyla Prytania, sanat tanrıçası değildi. *Prytania, Prytania bütün dalgalara hükmederdi...* Prytania Caddesi'nden de Coliseum adında bir bölgeye geçti. Bu bir Roma ismiydi, Yunan değil. Bu bölgede bir park bulunuyordu ve Keller'a göre burası baştan başa iki futbol sahası olacak şekilde değerlendirilmeliydi. Tabii Colesium hariç. Çünkü burası ya sarhoşlara ya da caddelere tanrıça ismi veren yaratıcı insanlara ev sahipliği yapıyordu. Belki de iki grubu da bir arada barındırıyordu. Burası Mississippi gibiydi. Mississippi'de de futbol sahalarından büyük parklar vardı.

Keller burada futbol oynamak için meşe ağaçlarının kesilmesi gerektiğini düşündü. Ama büyük ihtimalle futbol oynamak için ağaçları kesmeye çalışan biri yakalandığı anda bu ağaçlardan birinde sallandırılırdı. Ağaçlar çok güzel görünüyordu; fakat arabaya gitmek için bu yoldan geçmek ne kadar akıllıcaydı? Yine de böyle güzel bir yerden yürümek, yolu uzatmaya değerdi. Ağaçların aralarından batmakta olan güneş görünüyordu ve...

Bir kadın çığlığı duyuldu.

22

"Dur! Aman Tanrım! Biri yardım etsin!"

İlk önce birinin Des Moines suikastinden dolayı kendisini tanıdığını ve korku içinde çığlık attığını düşündü. Fakat çığlıklar artarak devam ettikçe, bu düşünceden uzaklaştı. Ses parkın karşı tarafından, yaklaşık 50 metre öteden geliyordu. Keller orada, ağacın yanında hareketlenmeler olduğunu gördü. Bir çığlık daha duydu ama bu kez ses belli belirsizdi.

Birisi kadına saldırıyordu.

Seni ilgilendirmez, dedi kendi kendine. Peşinde ulusal bir takip ağı vardı. Şu anda yapmak isteyeceği en son şey, başka birinin sıkıntısına ortak olmaktı. Belli ki ailevi bir problemdi. Doğa harikası asil bir adam, pasaklı karısını dövüyordu. Polisler gelse, kadın kesin kocasına hak verir ve şikayetçi olmazdı. İşte bu yüzden polisler, aile kavgalarına müdahale etmeyi hiç istemezdi.

Üstelik Keller polis bile değildi. Buraya geleli de birkaç saat olmuştu. Arkasını dönüp parktan uzaklaşmalıydı. "Yu-tör-pi," diye telaffuz edilen Euterpe caddesine geri dönmeli ve arabasına giden başka bir yol keşfetmeliydi. Sonra da New Orleans'ı terk etmeliydi.

Yapılması gereken tek mantıklı hareket buydu.

Fakat bu düşünceler kafasından geçerken, o hızla çığlıkların geldiği yöne doğru gidiyordu.

Ortada hiçbir yanlış anlaşılma yoktu. Her şey apaçık görülüyordu. Hata yapmasına imkan yoktu.

İnce hatları olan, siyah saçlı bir kadın yerde yatıyordu. Bir eliyle yerden destek alıyor, diğer eliyle de saldırganı kendisinden uzaklaştırmaya çalışıyordu. Adam da tipik bir tecavüzcü sapıktı. Dağınık kirli saçları, bir haftalık kirli sakalı ve elmacık kemiğinin üzerindeki yağmur damlası şeklinde hapishane dövmesi ile belanın ta kendisi olduğunu gösteriyordu. Kadının üzerine abanmış, giysilerini yırtmaya çalışıyordu.

"Hey!"

Adam arkasına döndü ve Keller'a dişlerini gösterdi. Sanki dişleri, en büyük silahıydı. Ayağa kalktı ve bıçağını çekti.

"Bırak onu," dedi Keller.

Ama adam bıçağı bırakmadı. Keller'ın başını döndürmek istercesine sağa sola hareket ediyordu. Keller bıçağa değil, adamın gözlerine baktı. Silahını almak için elini beline attı ama silah orada değildi. Arabanın torpido gözündeydi ve Keller'ın onu bir daha görüp göremeyeceği de meçhuldü. Karşısında bıçaklı bir adam vardı ve onun elinde ise sadece bir eczane poşeti duruyordu. Ne yapacaktı, adamın saçını mı kesecekti?

Kadın, saldırganın elinde bıçak olduğunu söylemeye çalışıyordu ama Keller bunu çoktan görmüştü. Kadını dinlemek yerine, saldırgana odaklandı. Adamın gözlerine bakıyordu. Hava kararmaya başladığı için gözlerinin ne renk olduğunu göremiyordu ama adamın delilikten gelen enerjisini görebiliyordu. Elindeki poşeti bir kenara attı ve dengesini kurdu. Yıllardır dövüş sanatları üzerine çalışıyordu ve bildiği her şeyi tek tek aklından geçirdi.

Kung-fu, judo ve tekvando dersleri almıştı. Bugüne dek hiç kullanma fırsatı olmasa da Batı tarzı el-ele dövüş derleri de almıştı. Fakat bütün hocalarının söylediği ortak bir şey vardı. Karşındaki adam silahlıysa ve senin elinde hiçbir şey yoksa yapman gereken tek bir şey vardı. O da mümkün olduğunca hızlı kaçmak.

İçinde bulunduğu durumu düşününce, kaçmaya başladığı anda adam kesinlikle onu takip etmek yerine geri dönüp kadına saldırmaya devam edecekti.

Keller adamın gözlerine odaklandı ve o hareket ettikçe Keller da hareket etti. Adamın yanına gitti, havaya bir tekme attı ve adamın bıçak tutan elini bileğinden kavradı. Ayağında spor ayakkabılar vardı. Keşke çelik kaplama olsalardı. Fakat zamanlamayı o kadar iyi ayarladı ki bıçak yere düşerken adam da acı içinde bağırmaya başladı.

"Tamam," dedi adam. Bileğini tutarak geri çekilmeye başladı." Tamam, sen kazandın. Gidiyorum."

Arkasını döndü ve yürümeye başladı.

"Hiç sanmıyorum," dedi Keller. Adamın peşinden gitti. Adam arkasını döndü, kavgaya hazırdı. Sert bir yumruk salladı ama Keller eğilerek yumruktan kurtuldu. Sonra başını kaldırdı ve adamın çenesine bir yumruk attı. Adam afallayıp geri çekildiğinde, Keller bir kez daha atıldı. Bir eliyle adamın saçlarını tuttu ve diğer eliyle adamın çenesinin altından tutarak boynunu kavradı.

Bu hareketin ardından ne yapacağını düşünmesine gerek yoktu. Elleri ne yapması gerektiğin biliyordu.

Ellerini çekti ve adam olduğu yere yığıldı. Birkaç adım ötede duran kadın, olan biteni izliyordu. Hayretler içindeydi ve omuzları titriyordu.

Gitme zamanı geldi, diye düşündü. Arkasını dönüp, karanlıklar içinde kaybolacaktı. Kadın kendini toparladığında, o çoktan gitmiş olacaktı. *Bu maskeli adam da kimdi? Kim olduğunu bilmiyorum ama burada harikalar yarattı...*

Kadına doğru yürüdü ve elini tuttu. Kadın Keller'ın elini tutarak ayağa kalktı.

"Aman Tanrım," dedi kadın. "Hayatımı kurtardın."

Keller ne cevap vereceğini bilemedi. Aklına ilk gelen "vay be" demek oldu. Yüzünde de bu ifade vardı. Kadın bir iki adım geri çekildi ve önce Keller'a sonra da yerde yatan adama baktı.

Kadın "Polis çağırmamız lazım," dedi.

"Bunun iyi bir fikir olduğunu düşünmüyorum."

"Onun kim olduğunu bilmiyor musun? Üç gece önce Audubon Parkında bir hemşireyi öldüren adam bu. Önce tecavüz etti ve sonra yirmi kez bıçakladı. Tarife tam olarak uyuyor. Üstelik saldırdığı ilk kadın da o değildi. Beni de öldürecekti!"

"Ama şimdi güvendesin."

"Evet, şükürler olsun. Ama bu onun gitmesine izin vermemizi gerektirmez."

"Zaten buna fırsatı olacağını zannetmiyorum."

"Ne demek istiyorsun?" Kadın adama yakından baktı. "Ona ne yaptın? Yoksa..."

"Korkarım evet."

"Ama bu nasıl olur? Onun bıçağı vardı, sen de gördün. En az 30 santimdi."

"O kadar değildi."

"Aşağı yukarı o kadardı." Kadın, Keller'ın düşündüğünden daha hızlı toparlamıştı kendini. "Üstelik senin silahın yoktu. Elinde bir şey yoktu."

"Hava eldiven giymek için çok sıcak da ondan."

"Bu ne demek şimdi, anlamadım."

"Şaka yapmaya çalışmıştım," dedi Keller. "Sen elinde bir şey yoktu dedin ve ben de eldiven giymek için çok sıcak dedim."

"Oh."

Keller "İyi bir espri değildi ve sanırım açıklama da hiçbir işe yaramadı," dedi.

"Hayır, lütfen. Çok özür dilerim. Şu anda kafam karmakarışık. Demek istediğim elinde hiçbir silah olmamasıydı."

"Alışveriş poşetim vardı," dedi ve yerde duran poşetini aldı. "Bunu kastetmiyordun herhalde."

"Bir silahın ya da bıçağın yoktu, onu söylemek istemiştim."

"Hayır, yoktu."

"Ve bu adam öldü, öyle mi? Onu gerçekten öldürdün mü?"

Kadının yüz ifadelerinden ne düşündüğünü anlamak imkansızdı. Etkilenmiş miydi? Korkmuş muydu? Keller, bir türlü anlayamadı.

"Birdenbire ortaya çıkıverdin. Eğer dini saçmalıklara inanan bir kaçık olsaydım, senin bir melek olduğunu düşünürdüm. Peki öyle misin?"

"Nasıl mıyım?"

"Melek misin?"

"Yakınından bile geçmem."

"Seni kırmadım değil mi? Dini saçmalıklar, bunlara inanan kaçıklar filan. Alınmadın değil mi?"

"Hayır."

"Sanırım sen de pek dindar değilsin. Yoksa alınırdın. Tanrıya şükürler olsun. Bu bir şakaydı tabii."

"Ben de öyle olduğunu düşünmüştüm."

Kadın "Çok komik değildi ama şu anda elimden gelen en iyi espri buydu. Ha! İşte yüzünde bir gülümseme yakaladım. Gülümsedin, değil mi?"

"Evet, yakalandım."

Kadın derin bir nefes aldı. "Adam ölmüş olsa bile polisi aramamız gerekir. Onu burada bırakamayız. Çantamda telefonum var, 911'i arayalım."

"Lütfen, arama."

"Neden? Onlar bu işlerle ilgilenmiyorlar mı? Olayın yaşanmasını önleyemezler ya da suçluları yakalayamazlar ama her şey olup bittikten sonra çağırırsın ve gelirler. Etrafla ilgilenirler. Neden bana müsaade etmiyorsun ve ben de..."

Kadın kendiliğinden sustu ve Keller'a baktı. Keller kadının onu tanıdığını fark etti. Kadın eliyle ağzını kapattı ve Keller'a bakmaya devam etti.

Kahretsin.

23

"Artık güvendesin," dedi Keller.

"Güvende miyim?"

"Evet."

"Ama..."

"Bak, ben senin hayatını kurtardım ve şimdi de kalkıp seni öldürecek değilim. Benden korkmana gerek yok,"

Kadın Keller'a baktı ve söylediklerini onaylarcasına başını salladı. Keller, kadının düşündüğünden biraz daha yaşlı olduğunu fark etti. Kadın otuzlu yaşlarında olmalıydı. Siyah saçları omzuna dökülen güzel bir kadındı.

"Korkmuyorum ama sen..."

"Evet."

"Ve sen burada, New Orleans'dasın."

"Sadece bugünlük."

"Sonra..."

"Sonra başka bir yere gideceğim." Uzaklardan bir siren sesi geliyordu ama nereye gittiğini görmek mümkün değildi. Üstelik ambulans mı yoksa polis mi ayırt edilemiyordu. "Burada böylece bekleyemeyiz," dedi Keller.

"Tabii, tabii ki."

"Arabana kadar sana eşlik edeyim ve sonra da hayatından çıkıp giderim," dedi Keller. "Sana ne yapman gerektiğini söyleyemem ama beni gördüğünü unutursan..."

"Seni unutmak çok zor ama seni gördüğümü kimseye söylemem. Tabii demek istediğin buysa."

Demek istediği buydu.

Parktan ayrıldılar ve Camp Caddesi boyunca yürüdüler. Siren sesi kaybolup gitti. Kadın sessizliği bozarak buradan sonra nereye gideceğini sordu. Keller ne cevap vereceğini düşünürken, kadın;

"Hayır, sakın bana söyleme. Neden sorduğumu bile bilmiyorum," dedi.

"İstesem de söyleyemem zaten."

"Neden? Çünkü bilmiyorsun. Sana gitmen gereken yeri söyleyecek birileri var ve onlar aramadan nereye gideceğini bilmiyorsun. Gülüyorsun. Neden? Komik bir şey mi söyledim?"

Keller başını iki yana sallayarak cevap verdi. "Burada kendi başımayım. Arayıp ne yapmam gerektiğini söyleyecek hiç kimse yok."

"Senin bir suikastin parçası olduğunu düşünmüştüm."

"Ben büyük bir oyunda sadece piyonum."

"Anlamadım."

"Haklısın, nasıl anlayabilirsin ki? Anlaşılacak bir yanı da yok zaten. Araban nerede?"

"Garajda. Çok sıkılmıştım ve yürüyüşe çıkmıştım. Evim birkaç blok ileride."

"Oh."

"Benimle eve kadar yürümek zorunda değilsin. Gerçekten. Şimdi daha iyiyim." Kadın gülmeye başladı ama birden sustu.

"Demek istediğim, burası güvenli bir semt, gerçekten. Senin de büyük ihtimalle acelen vardır, yani nereye gitmen gerekiyorsa..."

"Acele etmem gerekir."

"Ama etmiyorsun?"

"Hayır," dedi Keller. Doğruları söylüyordu ve hiç acelesi yoktu. Sebebini kendisi de bilmiyordu. Sessizce yürümeye devam ettiler. İki katlı bir evin önünden geçtiler. Her iki katta da veranda vardı. Keller sallanan sandalye, buzlu çay ve konuşacak birini düşündü.

Keller birden bire konuşmaya başladı. "Bana inanmak zorunda değilsin, aslında inanıp inanmaman da bir şeyi değiştirmez ama Iowa'daki adamı ben öldürmedim."

Kadın cevap vermedi ve sözler havada kaldı. Keller bunları neden söylediğini bilmiyordu. Düşüncelere dalmışken, kadın "Sana inanıyorum," dedi.

"Bana neden inanasın ki?"

"Bilmiyorum. Neden o adamla kavga ettin, onu öldürdün ve benim hayatımı kurtardın? Polis her yerde seni arıyor. Neden bu riske girdin?"

"Bunu ben de kendime sorup duruyorum. Kendimi korumaya çalıştığım bu dönemde, yapılacak en aptalca işti. Biliyordum ama gidemedim. Sadece tepki gösterdim ve..."

"Bunu yaptığın için çok mutluyum."

"Ben de."

"Sen de mutlu musun gerçekten?"

Keller soruyu cevaplamak yerine, konuşmaya ve anlatmaya başladı. "Des Moines'deki suikastten ve fotoğrafımın CNN'de yayınlanmasından bu yana kaçıyorum. Arabayla seyahat ediyorum, arabada uyuyorum. Bazen ucuz motellerde kalıyorum ya da sinemaya gidip orada uyuyorum. Değer verdiğim tek insan öldü. Değer verdiği tek eşyam çalındı. Hayatım boyunca işlerin yolunda gideceğini düşündüm ve öyle de oldu. Ama bana komplo kuruldu. Eninde sonunda bu iş sona erecek. Ya ben kurtulacağım ya da şanslı taraf onlar olacak ve beni yakalayacaklar. Yakalanmamın en iyi yanı olacak biliyor musun? Kaçmak zorunda kalmayacağım."

Derin bir nefes aldı. "Bunları anlatmak istemezdim, neden yaptım bilmiyorum," dedi.

"Ne fark eder ki?" Kadın durdu ve Keller'ın yüzüne baktı. "Sana inandığımı söylemiştim. Senin yapmadığına inanıyorum."

"Ben de bunun bir şey ifade etmediğini söylemiştim. Tabii ki senin bana inanman benim için çok önemli ama ne bileyim. Sonuçta bütün bunlar hiçbir şey ifade etmiyor."

"Ama etmeli! Eğer suçsuz bir adama komplo kurmuşlarsa..."

"Bana komplo kuruldu, tamam. Ama bu benim masum bir adam olduğumu göstermez."

"Parktaki adam, öldürdüğün ilk adam değil. Değil mi?"

"Hayır."

Kadın onaylarcasına başını salladı. "Son derece profesyoneldin ve bu işi daha önce yaptığın belli oluyordu," dedi.

"Yıllar önce New Orleans'dan ayrıldım. Aslında burada doğan insanlar, sonsuza dek burada yaşarlar. Şehir, insanları bırakmak istemez."

"Anlıyorum."

"Ama benim gitmem gerekiyordu ve gittim," dedi kadın. "Katrina Kasırgasından sonra şehrin yarısı taşınırken, ben geri geldim. Her şeyin eskisi gibi olacağına inanmalısın. Bana baksana."

"Neden geri döndün?"

"Babam. Babam ölmek üzere."

"Çok üzüldüm."

"O da çok üzgün. Tedavisi olanaksız hastalar için açılan o hastanelerden birine gitmek istemedi. Bu adam kasırga zamanı evi boşaltmayan ve evden dışarı çıkartmalarına müsaade etmeyen bir adam. Onu evden çıkarmak istediğimde "Chere, ben bu evde doğdum ve öleceksem burada ölürüm," dedi. Aslında diğer pek çok insan gibi o da hastanede doğmuş. Ama takdir edersin ki kanserle mücadele eden bir adamın biraz abartmasına müsaade edilebilir. Oturdum ve düşündüm. Onun yanında kalıp, yardımcı olmaktan daha önemli ne gibi işlerim olduğunu düşündüm. Aklıma hiçbir şey gelmedi."

"Evli değil misin?"

"Artık değilim, ya sen?"

"Asla," dedi Keller.

"Benim evliliğim bir buçuk yıl sürdü. Çocuğum yok. Sahip olduğum tek şey işim ve dairemdi ama onlardan uzaklaşmak hiç de zor olmadı. Şimdi haftanın birkaç günü vekil öğretmenlik yapıyorum ve benim işe gittiğim günler de bir bakıcı gelip babamla ilgileniyor. Kazandığım para da bakıcıya gidiyor aslında ama benim için bir değişiklik oluyor."

Chere, diye düşündü Keller. Şarkıcı ismi gibi mi? Yoksa Sharon, Sherry ya da Cherly gibi bir ismin kısaltması mı?

Sanki çok önemliydi.

"Şu ilerideki benim evim. Önünde açelyalar olan. O kadar büyüdüler ki alt kattaki verandayı kapatıyorlar. Budanmaları gerek ama nereden başlayacağımı bilmiyorum."

"Bence güzel görünüyor. Biraz gür ve yabani ama güzel."

"Babamın yatağı alt katta. Bu yüzden merdivenlerle işi olmuyor. Babam alt katta olduğu için ben de orada bir odaya yerleştim. Üst kat tamamen boş. En son kim yukarı çıktı hatırlamıyorum bile."

"Bu koca evde sadece ikiniz mi kalıyorsunuz?"

"Bu gece üç kişi olacağız ve sen de üst katta kendi başına kalacaksın."

Kadın babasıyla konuşurken, Keller da koridorda bekledi. "Bugün eve bir erkek getirdim baba," dediğini duydu.

"Sen yaramaz bir kızsın," dedi babası.

"Öyle bir şey değil baba. Sen edepsiz şeyler düşünen yaşlı bir adamsın. Bu beyefendi Pearl O'Byrne'nın bir arkadaşı ve bu gece kalacak bir yere ihtiyacı var. Üst katta kalacak ve beğenirse öndeki odayı kiralayacak."

"Senin için daha çok iş çıkacak, chere. Tabii para da gelecek ama..."

Kendini kapı dinleyen biri gibi hissetti ve konuşulanları duyamayacağı bir yere doğru gitti. Duvardaki at resmine bakarken kadın geldi ve onu mutfağa sürükledi.

İkisi için kahve hazırladı ve masanın üzerine koydu. Sonra da şeker ve kahve kreması getirdi. Keller kahvesini sade içtiğini söyledi ve kadın da sade içtiğini söyleyerek kremayı dolaba kaldırdı. Kahvelerini içerken sohbet ettiler ve kadın Keller'ın acıkmış olabileceğini söyleyip ona bir sandviç hazırlamak konusunda ısrar etti.

Keller yıllar önce zavallı bir köpeği eve getirmişti ve konuşacak başka kimse olmadığı için birkaç hafta köpeği yanında gezdirmişti. Köpek iyi bir dinleyiciydi. Keller'ın anlattıklarını bölmeden dinliyordu ama kesinlikle bu kadından iyi değildi. Keller kahveleri bitinceye kadar hiç susmadan konuştu. Hatta kadının ikinci kahveyi yaptığını fark etmeden konuşmaya devam etti.

"Poşette ne olduğunu merak ettim," dedi kadın. Keller da görünüşünü değiştirmeye çalıştığını anlattı. Makası ve saç boyasını gösterdi. Kadın makasın işe yarayabileceğini ama insanın kendi saçını kesmekte zorlanabileceğini söyledi. Saç boyasının da kötü bir seçim olduğunu düşündü. Gri ya da beyaz saçları olan bir insan için faydalı olabilirdi ama koyu renk saçları olan birinin kafasını tamamen turuncuya dönüştürebilirdi.

Koyu renk bir saçı griye boyayamayacağını söyledi. Yapabileceği tek şey sprey boyayla saçlarını ağartmaktı. O da yıkayınca çıkardı. Bu yüzden her banyonun ardında yeniden sprey kullanması gerekecekti. Yağmura yakalanırsa bütün boya akıp gidebilirdi. En iyisi peruk kullanmaktı. Hem daha basit hem de daha etkiliydi.

Keller da peruk kullanmayı aklından geçirdiğini anlattı. Sonra peruğun kolayca anlaşılabileceği konusunda hemfikir oldular. Peki her zaman anlaşılır mıydı? Belki de çok gerçekçi bir peruk bulurlardı ve anlaşılmazdı.

"Benim saçlarım boyalıdır," dedi kadın. "Ayırt edebiliyor musun?"

"Ciddi misin?"

Kadın başıyla onayladı. "Altı ya da yedi yıl önce boyamaya başladım. Beyazlarımın çıktığını fark etmiştim. Ailemdeki kadınların hepsinin saçı erken beyazlaşır. Saçları parlak gri bir hal aldığında, herkes kraliçeler gibi göründüklerini söyler. Bense buna hiç inanmadım ve ilk iş bir saç boyası aldım. Dipleri çıkmaya başladıkça boyadım ve bu yüzden gri saçlı halimin neye benzediği hakkında hiçbir fikrim yok. Gerçekten boya olduğunu anlamadın mı?"

"Hayır. Hâlâ da inanmakta güçlük çekiyorum."

Kadın saçlarını elleriyle kabarttı. "Daha geçen hafta boyadım ama dikkatli bakarsan diplerinde gerçek saç rengimi görebilirsin."

Keller'a doğru eğildi ve o da kadının saçlarına yakından baktı. Diplerinde gri saç var mıydı? Keller görmekte zorlanıyordu. Özellikle de bu koşullarda saç diplerine odaklanmak çok güçtü. Dikkatini çeken tek şey kadının saçlarının kokusuydu. Temiz ve güzel.

Kadın doğruldu ve yüzü biraz kızarmıştı. Keller kahveden olduğunu düşündü. "Sen tanınmak istemiyorsun değil mi?" dedi kadın. "Biraz düşünmeme izin ver. Yarın sabah neler yapabileceğimizi konuşuruz."

"Pekala."

"Biraz daha kahve ister misin? Ben yeterince içtim."

"Ben de öyle."

"O zaman sana odanı göstereyim. Güzel bir odadır. Beğeneceğini düşünüyorum."

24

Sabah uyandığında üst kattaki banyoda duş aldı ve üzerinden çıkardığı kıyafetleri tekrar giyerek aşağıya indi. Kadın çoktan kahvaltıyı hazırlamıştı. Greyfurt, tost ve etrafa güzel kokular yayan kahve masanın üzerinde hazır bir halde bekliyordu. İkinci kahvelerini de içtikten sonra evden çıktılar ve garaja gittiler. Kadının Ford Taurus marka arabasıyla, Keller'ın Sentra'yı bıraktığı yere gittiler. Arabanın üzerine park ücretini gösteren bir fiş bırakılmıştı. Kadın, bunun olabileceğini söylemişti. Peki para ödenmezse ne olacaktı? Doğu Tennessee'de eski bir çiftlik evine duruşma celbi mi göndereceklerdi?

İki araba peş peşe eve döndüler. Keller arabasını kadının garajına park ederken; kadın da arabasıyla evden ayrıldı. Kahvaltı ederlerken "Bir süre burada babamla kalman gerekecek," demişti. Keller da çocuklara çok güzel ders anlattığına dair bahse girebileceğini söylemişti. "Hayatımı kurtardığında hiçbir itirazım olmadı," dedi kadın. "Bu yüzden sana bir iyilik yapmak istedim. Bu iyiliğe iyilikle karşılık versen iyi olur, anlatabiliyor muyum?"

"Evet madam."

"Böylesi daha iyi," dedi kadın. "Komik ayrıca. 'Evet madam.'"

"Sen nasıl istersen chere. Bu nasıl?"

"Ne zamandan beri New Orleans'lı oldun?"

"Ne?"

"Bana chere demedin mi?"

"Evet. İsmin bu, değil mi? Değil mi? Ama baban sana böyle sesleniyor."

"Burada herkes birbirine böyle seslenir. Canım sözcüğünün Fransızca'sıdır. Restoranlardaki garsonlar bile gelen müşterilere chere diyebilir."

"New York'da gittiğim restoranlarda garsonlar 'tatlım' derdi."

"Aynı şey işte."

Bu konuşmadan sonra ne kadın gerçek adını söyledi ne de Keller ona bu soruyu sorabildi.

Keller, meşe ağacından yapılma sandalyede otururken, kadın da berbercilik oynuyordu. Keller gömleğini çıkarmıştı ve kadın omzuna bir çarşaf örtmüştü. Kadın soluk bir kot pantolon giymişti ve üzerinde de uzun, beyaz bir erkek gömleği vardı. Kollarını kıvırmıştı. İkinci Dünya Savaşı'nı resmeden bir afişteki küçük Rosie the Riveter gibi görünüyordu. Tek fark elinde silah yerine saç kesme makası olmasıydı.

Keller New York'da on beş yıl boyunca aynı berbere gitmişti. Adamın adı Andy'di ve üç kişilik bir dükkanı vardı. Yılda bir Sao Paulo'ya gider ve oradaki akrabalarını ziyaret ederdi. Bir de hep naneli şeker yerdi. Keller adam hakkında sadece bunları biliyordu. Adamın da onun hakkında çok şey bildiği söylenemezdi. Çünkü dükkana gittiğinde fazla konuşmaz ve saçları kesilirken neredeyse uyurdu. Andy işini bitirip, sandalyeye hafifçe vurduğunda kendine gelir ve dükkandan ayrılırdı.

Şimdi uyuyabileceğini hiç sanmıyordu ama kadın artık gözlerini açabileceğini söylediğinde içinin geçmiş olduğunu fark etti. Keller uyandı ve kadının peşinden banyoya doğru gitti. Aynadaki yansımasına uzun uzun baktı. Orada gördüğü kendi yüzüydü elbette ama oldukça farklı görünüyordu.

Saçları kesilmeden önce oldukça kabarıktı. Oysa şimdi kısacık kesilmişti. Kadın bir zamanlar Ivy League denen tarzda kesmişti saçlarını. Tüvit ceket, kravat ve bir pipo ile profesörlere benzeyebilirdi.

Kadın, saçlarını gelişigüzel kesmemişti. Önleri biraz uzun ve şekilli, arkaları daha kısaydı. Makasla harikalar yaratmış denebilirdi. 10 yaş daha yaşlı görünüyordu. Aynaya bakarak mimik yapmaya başladı. Güldü, kaşlarını çattı, kızgın bir bakış attı ve her ifadede yüzünün nasıl değiştiğine hayret etti. Daha az tehlikeli görünüyordu. Bu haliyle valiyi öldürecek biri gibi değil; valiye asistanlık yapacak biri gibi görünüyordu.

Mutfağa döndü. Kadın yerleri süpürüyordu. Keller'ı görünce, süpürgeyi kapattı ve Rip Van Winkle gibi göründüğünü söyledi. "Bu sabah uyandığımda 10 yaş daha gençtim. Şimdi birilerinin sevimli yaşlı amcası gibi görünüyorum," dedi Keller.

"Beğenip beğenmeyeceğinden emin değildim. Rengi ile ilgili de bir fikrim var ama önce bir iki gün bekleyelim. Yeni görünüşüne alışalım ve sonraki adımı o zaman kararlaştıralım."

"Çok mantıklı ama..."

"Ama bu durumda burada kalman gerekecek. Bunu mu söyleyecektin? En son kaçmaktan ne kadar yorulduğunu anlatıyordun."

"Doğru."

"Belki de artık kaçmana gerek kalmamıştır. Belki bu senin karşına çıkan bir fırsattır. Araban, garajda ve güvende. Kimse göremez ve her ihtiyaç duyduğunda kolaylıkla garajdan çıkarıp kullanabilirsin. Yukarıdaki odada istediğin kadar kalabilirsin. Üst katı senden başka kullanan yok. Fazladan bir kişiye yemek yapmak, benim için hiç sorun değil. Eğer bana yemek yaptırdığın için kendini kötü hissedersen, arada bir beni akşam yemeğine çıkartırsın. Hoşuna gidecek restoranlar biliyorum."

"Yeni bir kimlik çıkartabilirim," dedi Keller. "Tabii yeni bir sürücü belgesi ve pasaport da. İşler eskisinden daha kolay. Son birkaç yılda güvenlik bu işi sıkıya aldı ama hâlâ sahte kimlik çıkartılabiliyor. Gerçi, biraz zaman alır ve beklemek gerekir."

"Şu an elinde zamandan başka ne var, söyler misin?" dedi kadın.

Kadın, Keller'ın kaldığı odadaki dolabı ve çekmeceleri temizledi. Elinde bir çanta dolusu kıyafetle gelerek, yirmi yıldır hiç giyilmediklerine dair yemin etti. "Bunların hepsini yıllar önce elden çıkarmış olmamız gerekirdi," dedi. "Eşyaların için yeterince yer var değil mi?"

Keller'ın bütün eşyası küçük bir çantada ve eczane poşetinde duruyordu. O kadar az eşyası vardı ki çekmecelerin her birine bir parça eşya kaldırsa bile fazladan boş yer kalırdı.

Kadının dışarı çıkması gerekiyordu ve Keller'a gerektiğinde babasını duyabilmesi için aşağıda kalıp kalamayacağını sordu. "Genellikle uyur. Uyandığı zaman da televizyon izler. Tuvalete kendisi gidebilir ve yardım edilmesinden hiç hoşlanmaz. Olur da düşerse ya da..."

Keller mutfakta oturdu ve gazete okudu. Gazete okumayı bıraktığında yukarı çıktı ve koridordaki kitaplıktan okuyabileceği bir kitap aramaya başladı. Bir Loren Estleman kitabı seçti. Kitapta gezgin bir celladın hayatı anlatılıyordu. Mutfağa inip kendine bir kahve yaptı ve yaşlı adam seslenineeye kadar kitap okudu.

İçeri girdi ve yaşlı adamı yatağında buldu. Elinde sigara vardı. Hasta olduğu yüzünden anlaşıyordu. Keller adamın ne tür bir kansere yakalandığını merak etti. Kanser sigarayla ilgili bir şey değil miydi ve bu adamın sigara içmesi doğru muydu? Sonra da bu saatten sonra tüm bunların ne önemi olduğunu düşündü.

Yaşlı adam aklını okumuşçasına "Karaciğer kanseri," dedi. "Sigaranın bununla hiçbir alakası yok. Hem de hiç. Doktorları bilirsin, her şey için sigarayı sorumlu tutarlar. Asit yağmurları, küresel ısınma ve daha pek çok şey. Kızım buralarda mı?"

"Dışarı çıktı."

"Dışarı mı çıktı? Kaçamak cevaplar konusunda çok başarılı olmalısın. Çocuklara ders vermeye gitmedi, değil mi? Çünkü derse gittiği zamanlarda şu bakıcı kadını çağırır."

"Sanırım alışveriş yapması gerekiyordu."

"Yaklaş da sana yakından bakayım. İnsanlar yaşlandıkça, etrafına emirler yağdırmaya başlar. Ben buna yetersizliğin telafisi diyorum. Ölüm hakkında düşünür müsün?"

"Bazen."

"Senin yaşında bir adam bazen ölüm hakkında düşünüyor öyle mi? Yemin ederim gençken bir an bile aklımdan geçmedi ama şimdi burada oturmuş bu konu üzerinde epey vakit harcıyorum. Aslında çok fazla düşünmemek lazım. Kızımla yatıyor musun?"

"Efendim?"

"Bugüne kadar sorulan en zor soru olmasa gerek. Kızım diyorum; onunla yatıyor musun?"

"Hayır."

"Hayır mı? Eşcinsel değilsin, değil mi?"

"Hayır."

"Öyle görünmüyorsun zaten ama emin olmak istedim. Bazen insanlar eşcinsel olmadıklarını söyler ama ben inanmam. Nasıl buraları beğendin mi?"

"Evet, burası güzel bir şehir."

"Ne de olsa New Orleans. Alışmak çok kolaydır, göreceksin. Ben evi kastetmiştim. Beğendin mi?"

"Çok rahat."

"Bir süre kalacak mısın?"

"Öyle sanıyorum efendim," dedi Keller. "Evet, kalacağım."

"Çok yorgunum. Sanırım biraz uyuyacağım."

"Ben çıkayım o zaman."

Kapıya doğru yönelmişti ki yaşlı adam seslendi.

"Şansın var," dedi. "Onunla birlikte olmalısın. Bir gün gelecek, yaşlanacaksın ve o zaman istesen de yapamazsın. İşte o zaman kaçırdığın her fırsat için kendinden nefret etmeye başlarsın."

Ertesi gün Rampart Caddesi'nde bir optometriste gittiler. Kadın, Keller'ın okuma gözlüğü alma fikrine karşı çıktı ve güzel durmayacaklarını söyledi. Keller zaten gözlüğe ihtiyacı olmadığını söylediğinde, kadın bekleyip optometristin neler söyleyeceğini görmek istedi. "Eğer gerçekten gözlerinde bir sorun yoksa, çok düşük numaralı bir lens alabilirsin."

Optometristin sonucuna göre Keller'ın bir uzak bir de okuma gözlüğüne ihtiyacı vardı. "Aslında bir taşla iki kuş vurabilirsiniz ve çift odaklı gözlük camı kullanabilirsiniz," dedi.

Tanrı aşkına, çift odaklı gözlük camı mı? Birkaç çerçeve modeli denedi. En çok siyah kalın çerçeveli olan gözlüğü beğendi. Kadın Keller'a baktı ve gülmeye başladı. Siyah çerçeve ile

Buddy Holly'e benzediğini söyledi. Sonra gidip daha az iddialı bir metal çerçeve seçti. Keller çerçeveyi denedi ve kadının haklı olduğunu kabul etmek zorunda kaldı.

Gözlüklerin bir saatte hazır edildiği yerler vardı ama burası kesinlikle onlardan biri değildi. Dükkandaki adam "Yarın bu saatlerde hazır olur," dedi ve onlar da Cafe du Monde'a gitti. Giderken Jackson Meydanı'nda durup, güvercinleri besleyen kadını izlediler. Kadının hayatı bu güvercinlere adanmış gibi görünüyordu.

"Gazeteyi gördün mü?" dedi kadın. "DNA sonucu gelmiş ve o adamın Audubon Parkında hemşireyi öldüren adam olduğu kesinleşmiş."

"Hiç şaşırmadım."

"Bak, olanlar hakkında ne demişler. Meşe ağaçlarının dalları neredeyse yere değer, bilirsin."

"Evet bu özelliğe sahip tek ağaç onlar diye biliyorum."

"İşte bu yüzden tırmanmak kolaydır. Adamın da ağaca tırmanıp, kendine kurban aradığını iddia ediyorlar."

"Bu hikayenin nereye gittiğini anladım sanırım."

"Evet. Adamın kanındaki bilmem ne alkol oranına da bakıldığında dengesini kaybedip ağaçtan düştüğünü ve boynunu kırarak öldüğünü düşünüyorlar."

"Ne demişler, dünya tehlikeli bir yerdir."

"Evet ama o pislik herif öldüğüne göre, daha az tehlikeli olduğunu söyleyebiliriz."

Kadının adı Julia Emilie Roussard'dı. Keller'ın kitaplıktan aldığı kitaplardan birinin içinde yazıyordu.

Fakat ismi telaffuz etmek iki gününü aldı. İki gün boyunca kadının adını söylemek için uygun bir fırsat kolladı ama hiçbir diyalogda isim kullanmasını gerektirecek bir durum yaşanmadı.

Gözlükleri aldıktan sonra kadını öğle yemeğine çıkardı. Eve dönerlerken kadın Keller'ın iki kayıptan söz ettiğini; birinin en iyi arkadaşı diğerinin de en sevdiği eşyası olduğunu hatırlattı. Kadın, arkadaşının kim olduğunu ve eşyanın ne olduğunu sordu.

Önce ikinci soruyu cevapladı. Evine gittiğinde, pul koleksiyonunu bulamamıştı.

"Sen pul koleksiyoncusu musun? Gerçekten mi?"

"Evet. Bir tür hobi denilebilir ama ben bu konuya çok önem verirdim. Çok zaman ve para harcadım," Koleksiyonunu, çocukluktan gelen merakını ve olanları anlattı.

"Peki ya arkadaşın?"

"Bir kız arkadaşımdı."

"Karın mıydı? Hayır, olamaz. Çünkü bana hiç evlenmediğini söyledin."

"Hayır ne karım ne de sevgilimdi. Aramızda fiziksel hiçbir şey yoktu. Bu, o tür biri ilişki değildi. Bir tür iş arkadaşı diyebilirsin ama gerçekten çok yakındık."

"İş arkadaşınsa, o zaman o da bir..."

Keller başını sallayarak onayladı. "Bana tuzak kuran insanlar tarafından öldürüldü. Kızın evi ateşe vererek intihar ettiği izlenimi yaratmaya çalıştılar ama görünüşe göre bu konu üzerinde fazla uğraşmamışlar. Acemi polisler bile bunun bir kundak olduğunu kolaylıkla anlayabilirdi. Üstelik evi ateşe vermeden önce kızı başından iki kez vurarak öldürmüşler." Omuzları düştü. "Herhalde polislerin ne düşünecekleri umurlarında değildi. Çünkü kimse hiçbir şey yapamazdı."

"Onu özlüyor musun?"

"Her zaman. Bu kadar çok konuşmamın sebebi de bu sanırım. Normalde bu kadar çok konuşmam. Özellikle de yeni tanıştığım insanlarla. Çenemin düşmesinin iki sebebi var. Birincisi seninle konuşmak gerçekten çok güzel. İkincisi de Dot'la sohbet etmeye o kadar alışmışım ki..."

"İsmi bu muydu? Dot."

"Aslında Dorothea. Ben hep Dorothy olduğunu düşünmüştüm ama gazetelerde Dorothea yazıyordu. Ya onlar yanlış ya da ben yanlış düşünmüşüm. Tanıdığım herkes onu Dot diye çağırırdı."

"Benim hiç lakabım olmadı."

"Herkes sana Julia diyor, değil mi?"

"Çocuklar hariç. Onlar Bayan Roussard der. Bu arada ismimi ilk kez söylediğinin farkındasın, değil mi?"

"Bana isminin Julia olduğunu hiç söylemedin ki!"

"Söylemedim mi?"

"Hayır. Ben evdeki birkaç kağıdın üzerinde gördüm. Seni de sıkıştırmak istemedim. Ne zaman söylemek istersen, o zaman söylemeni bekledim."

"Bildiğini sanıyordum. Bu konuşmayı yaptığımıza sevindim. Sen hayatımı kurtardın, gözümün önünde bir adamın boynunu kırdın ve benimle eve geldin. Birlikte kahve içtik. Nasıl olur da adımı bilmezsin?"

"Bir kitap okuyordum ve adını orada gördüm. Tanrı aşkına!"

"Ne oldu?"

"Bu ismin sana ait olduğunu nereden bilebilirdim? Belki ikinci el bir kitaptı ya da aileden birinin ismiydi."

"Hayır, benim adım."

"Julia Emilie Roussard."

"*Oui, monsieur. C'est moi.*"

"Fransız mısın?"

"Baba tarafımdan. Anne tarafım ise İrlandalıdır. Annemin genç yaşta öldüğünü söylemiştim, değil mi?"

"Saçlarının erken beyazladığını söyledin."

"Evet. Erken yaşta da öldü zaten. 36 yaşındaydı. Bir akşam sofradan kalktı ve yatmaya gitti. Biraz ateşi vardı. Sabah kalktığımıza, ölmüştü."

"Aman Tanrım!"

"Bir tür virüsün yol açtığı menenjit. Bir gün çok sağlıklıydı ve ertesi gün öldü. Babam olan biteni bir türlü anlayamadı. Ben de öyle. O zaman 11 yaşındaydım." Keller'a baktı. "Şimdi 38 yaşındayım. Annem öldüğünde şimdiki yaşımdan iki yaş küçüktü."

"Üstelik senin bir tane bile beyaz saçın yok."

Kadın gülümsedi. Bu söz hoşuna gitmişti. Keller, kadından birkaç yaş büyük olduğunu söylediğinde, kadın da onun daha yaşlı gösterdiğini kabul etti. "Özellikle de yeni saç kesiminle," dedi. "Bence saçının rengini açmalı ve sonra da açık kahverengi boyamalıyız. Beğenmezsen, yeniden eski rengine boyarız."

■ ■ ■

Sonuç oldukça başarılıydı. Julia, Keller'ın yeni saç rengini *fare kahvesi* olarak adlandırdı ve doğuştan bu saç rengine sahip olan kadınların en kısa zamanda saçlarını başka bir renge boyattıklarını söyledi. "Çünkü bu renk çok... Anlıyorsun, değil mi? Çok dikkat çeken bir renk değil."

Mükemmel.

Julia'nın babası renk farkını anladıysa bile, yorum yapma gereği duymamıştı. Keller aynaya baktı ve açık saç rengi ile çift odaklı gözlüğün profesör imajını tamamladığını düşündü. Gözlüklere alışmaya başlamıştı. Aslında onlara ihtiyacı yoktu. Kendini idare edebiliyordu ama gözlüklerle çok daha iyi gördüğünü kabul etmeliydi. St.Charles Bulvarı'nda yürürken, önceden okuyamadığı cadde isimlerini şimdi kolaylıkla okuduğunu fark etti.

Julia'nın derse gittiği bir gün, Keller da yürüyüşe çıktı. Bay Roussard'a, Lucille adında bir kadın bakıyordu. Julia eve döndüğünde, Keller kapıda onu bekliyordu. "Her şey ayarlandı," dedi. "Lucille biraz daha kalmayı kabul etti. Haydi gidip bir film izleyelim ve sonra da yemek yiyelim."

Film romantik komedi türündeydi. Başrolde Cary Grant karakteriyle Hugh Grant oynuyordu. Akşam yemeğini ise yüksek tavanlı bir Fransız restoranında yediler. Servis yapan garson o kadar yaşlı görünüyordu ki Preservation Hall'da Dixieland jazz çalmış olma ihtimali oldukça yüksekti. Keller yemekle birlikte bir şişe şarap siparişi verdi. İkisi de birer kadeh içip, tadının çok güzel olduğuna karar verdiler ama gece boyunca şişeye bir daha hiç dokunmadılar.

Julia'nın arabasıyla gelmişlerdi ve eve dönme zamanı geldiğinde Julia anahtarları Keller'a uzattı. Hava çok güzeldi. Tropik bir esinti vardı. Baştan çıkartıcı diye düşündü Keller. Bu durumda söylenebilecek tek şey buydu.

Yol boyunca hiç konuşmadılar. Lucille, Julia'nın evine yakın bir yerde oturuyordu ve Keller'ın onu eve bırakma teklifini kabul etmedi.

Julia babasını kontrol ederken, Keller da mutfakta bekliyordu. Oturmak istemiyordu. Biraz dolaştı, kapıları açıp kapattı, dolaplara baktı. Her şey neredeyse mükemmel ama birazdan çuvallayacaksın dedi kendi kendine.

Kadının sonsuza dek gitmiş olabileceğini düşündü. Vakit geçmek bilmiyordu ama sonra Julia geldi. Keller'ın arkasında durdu ve omzunun üstünden bakarak "her yer ağzına kadar mutfak eşyası dolu," dedi. "Bir aile hep bir arada yaşarsa, bu kadar çok eşya birikebilir. Bu yakınlarda bir garaj satışı yapılırsa, birkaç şey satmayı düşünüyorum."

"Geçmişi olan bir evde yaşamak çok güzel."

"Bence de."

Keller, kadına doğru döndü ve parfüm kokusunu içine çekti. Julia'nın daha önce parfüm sıktığını hatırlamıyordu.

Keller, kadını kendine doğru çekti ve öptü.

25

"Neden korkuyordum biliyor musun? Nasıl yapıldığını unutmuş olmaktan korkuyordum."

"Görünüşe bakılırsa her şeyi hatırlamış gibisin. Uzun zaman oldu sanırım," dedi Keller.

"Yıllar oldu."

"Benim de."

"Hadi ama ülkenin her yerini dolaşmışsın. Hiç mi kaçamak yapmadın?"

"Evet son zamanlarda hep yollardaydım ama benimle konuşan kadınların tek sorduğu patates kızartmasını bir boy büyük isteyip istemediğimdi. Gittiğin güzel restoranlarda 'coq au vin' siparişinize bir porsiyon daha ekleyelim mi diye sorduklarını düşün."

"Ama Des Moines olayından önce her limanda bir sevgilin olduğuna bahse girerim."

"Hiç de değil. En son ne zaman biriyle birlikte olduğumu düşünüyorum da... Tek söyleyebileceğim çok uzun zaman olduğu."

"Babam birlikte olup olmadığımızı sordu."

"Şimdi mi?"

"Hayır tabii ki. Şimdi mışıl mışıl uyuyor. Sanırım Lucille biraz viski içmesine müsaade etti. Doktor içki içmesini istemiyor. Aslında sigara içmesini de istemiyor ama sigara içtiğine göre içki içmesi neyi değiştirir ki? Birkaç gün önce sordu. 'Sen ve şu yakışıklı genç adam birlikte misiniz chere?' Saçlarını boyamama rağmen, babam senin genç bir adam olduğunu düşünüyor."

"Bana da sordu."

"Şaka yapıyorsun!"

"Evde ilk yalnız kaldığımız zaman sordu. Beni yanına çağırdı ve birlikte olup olmadığımız sordu."

"Neden şaşırıyorum ki? Bu tam onun tarzı bir davranış. Peki sen ne dedin?"

"Hayır dedim tabii ki. Komik olan ne?"

"Bense tam tersini söyledim."

Keller dirseğine dayanarak doğruldu ve kadına bakıp "Neden böyle bir şey yaptın?" diye sordu.

"Çünkü bir gün hayır deyip ertesi gün evet demek istemedim. Tanrı aşkına bunların yaşanacağını tahmin etmemiş miydin sanki?"

"Evet, biraz umudum vardı."

"Umudun mu vardı? Beni yemeğe davet ederken sonucun böyle olacağını biliyordun."

"O zaman umudum biraz artmıştı."

"Burada kaldığın ilk gece, bana asılacaksın diye çok endişelenmiştim. Seni eve davet ettikten sonra aklım başıma geldi. Bu davetin ardında başka şeyler olduğunu düşüneceksin sanmıştım. Üstelik o zaman en son istediğim şey, bu konunun açılmasıydı."

"Parkta yaşananlardan sonra mı? Böyle bir teklifi yapacağım en son gün o gün olurdu."

"Tek istediğim, hayatımı kurtaran adama bir iyilik yapmaktı. Ama..."

"Ama... Ne?"

"O anda çok mantıklı düşünememiştim. Sonradan oturup yaşananları gözden geçirince fark ettim ki bu kadar sevimli olmasaydın, seni peşimden eve sürüklemezdim."

"Sevimli mi?"

"Evet, dağınık saçlı halinle çok sevimli görünüyordun. Ama endişelenme, şimdi çok daha sevimlisin." Uzandı ve Keller'ın saçlarını okşadı. "Kafama kurcalayan tek bir şey var. O da sana nasıl hitap edeceğim."

"Ne demek istiyorsun?"

"Adını biliyorum, en azından gazetelerde çıkan adını biliyorum. Ama sana hiç isminle seslenmedim ya da gerçek ismini sormadım. Çünkü etrafta başkaları varken, yanlış bir şey söylemek istemedim. Bir de yeni kimlik çıkartmaktan söz ettin."

"Evet. En kısa zamanda yeni bir kimlik çıkartmalıyım."

"İsminin ne olacağını bilmiyorsun, değil mi? Öyleyse yeni kimliğine kavuşmanı beklemeliyim. Böylece sana yeni isminle hitap ederim."

"Çok mantıklı."

"Yine de özel anlarda fısıldayabileceğim bir ismin olmalı. Az evvel ismimi söylediğinde, gerçekten içimin titrediğini hissettim."

"Julia."

"O an çok daha etkili olmuştu. Her neyse, bu gibi zamanlarda sana bir şeyler söyleyebilmeliyim. Cher diyebilirim ama bu da çok genel olur."

"Keller. Bana Keller diyebilirsin."

Sabah, arabasını garajdan çıkardı ve mezarlıkları ziyaret etmeye gitti. Mezar taşlarından birinin üzerinde 45 yıl önce bebekken hayata gözlerini yummuş bir erkek çocuğunun ismi dikkatini çekti. Taşın üzerinde yazan ismi ve doğum tarihini not aldı. Ertesi gün şehir merkezine indi ve nüfus memurluğunun yerini araştırdı.

Görevliye "Her şeyi yenilemem gerekli," dedi. "St. Bernard's semtinde bir evim vardı ve sonrasında olanları anlatmama gerek yok sanırım."

Görevli bayan "Sanırım kasırgada her şeyi kaybettiniz," dedi.

"Önce Galveston'a gittim. Ardından kuzeye, Altoona'daki kız kardeşimin yanına taşındım. Pennsylvania'ya."

"Altoona'yı daha önce duymuştum. Güzel bir yer midir?"

"Güzel ama evde olmak gibisi yok."

"Haklısınız, ev gibisi yok. Şimdi eğer isminizi ve doğum tarihinizi söylerseniz... Hepsini not etmişsiniz, ne güzel. Böylece yanlış yazma olasılığını ortadan kaldırmış olduk, değil mi Bay Nicholas Edwards?"

Eve geldiğinde Nicholas Edwards adına düzenlenmiş bir nüfus cüzdanına sahipti. Aynı hafta içinde bir direksiyon sınavına girdi ve Louisiana eyaletine ait bir sürücü belgesi aldı. Elindeki nakit paranın yarısıyla bankada bir hesap açtırdı ve görevliye kimlik kartı yerine ehliyetini gösterdi. Merkez postanedeki memurun verdiği pasaport formlarından birini doldurdu. Pasaport formunu işlem parası ve birkaç fotoğrafla birlikte Washington'daki merkez ofise gönderdi.

Julia önce sürücü belgesindeki resme baktı; sonra da Keller'a dönerek "Nick," dedi. "Yoksa Nicholas dememi mi tercih edersin?"

"Arkadaşlarım bana Bay Edwards der."

"Sanırım ben Nick demeyi tercih edeceğim. Zaten herkes sana böyle seslenecek. Belki de Nicholas demeliyim. Onlardan bir farkım olur."

"Nasıl istersen."

"Evet kesinlikle böyle istiyorum," dedi ve koluna girerek ekledi, "ama yukarı çıktığımızda sadece Keller diyeceğim."

Her gece birlikte yukarı çıkmaya başladılar. Ama Julia, babasına yakın olmak için sabaha karşı aşağı inip kendi yatağına yatıyordu. İkisi de bu zorunlu ayrılıktan hiç hoşlanmadıklarını söylüyorlardı ama aslında Keller sabahları yalnız uyanmaktan mutlu oluyordu. Julia'nın da onun gibi düşündüğüne emindi.

Bir gece birlikte olduktan sonra yatakta yan yana uzanıyorlardı ve Keller uzun zamandır düşündüğü bir şeyi dile getirdi. "Elimdeki parayı tüketmek üzereyim. Çok fazla para harcamıyorum ama bir gelirim olmadığı için hazır parayla fazla idare edemem."

Julia, biraz parası olduğunu söyledi ama Keller böyle bir şeyi aklından bile geçirmediğini söyledi. Her zaman kendi parasını ödemeyi tercih ederdi ve başka türlü rahat olmasına imkan yoktu. Julia geçen gün çimleri bu yüzden mi biçtiğini sordu.

"Hayır, arabadan bir şeyler almaya gitmiştim (aslında silahı almayı gitmişti ve silahı torpido gözünden alıp odasındaki çekmecelerden birine koymuştu) ve çim biçme makinesini gördüm. Çimler de uzamıştı ve ben de biçtim. Yoldan geçen yaşlı bir adam beni gördü ve bir süre izledi. Sonra bu iş için kaç para aldığımı sordu. Ben de beş kuruş vermediklerini ama evin hanımıyla yattığımı söyledim."

"Böyle bir şey söylemedin tabii ki. Söylemedin, değil mi? Bütün bunları şimdi uydurdun."

"Hayır, hepsini değil. Çimleri gerçekten biçtim."

"Peki Bay Leonidas durup seni izledi mi?"

"Hayır ama ortalıkta dolaşıyordu ve ben de onu hikayeme eklemeye karar verdim."

"Bay Leonidas gerçekten iyi bir seçim. Çünkü seni çim biçerken gördüğünü karısına anlatmıştır. Emin ol karısı da sen daha makineyi garaja kaldırmadan şehrin yarısını durumdan haberdar etmiştir. Seninle ne yapacağım ben, Keller?"

"Benim aklıma bir iki şey geliyor aslında."

Ertesi sabah kahve içerlerken Julia "Düşündüm de senin bir işe ihtiyacın var," dedi.

"Evet ama nasıl iş bulacağım bilmiyorum."

"Nasıl iş bulacağını bilmiyor musun?"

"Aslında ben hiçbir işte çalışmadım."

"Hiçbir işte çalışmadın mı?"

"Geri alıyorum. Liseye giderken, yaşlı bir adamın yanında çalışmıştım. Bana temizlik işleri buluyordu. İnsanların çatı katlarını ya da kilerlerini temizliyordum. Asıl işi nakliyecilikti. Ben de ona yardım ediyordum."

"Peki sonra ne yaptın?"

"Sonrasında yaptığım iş için sosyal güvenlik kartı vermiyorlardı. Ama Nick Edwards'ın var. Bu aralar postadan çıkabilir."

Julia bir süre düşündü ve "Şehirde bu sıralar çok iş var. İnşaattan anlar mısın?" dedi.

"Ev inşa etmekten mi bahsediyorsun?"

"O kadar ciddi bir iş olmasa da olur. Restorasyonla uğraşan bir ekibe dahil olabilirsin. Parke döşersin ya da duvarları boyarsın."

"Olabilir," dedi Keller. "Bu işler için mühendislik diploması gerekmiyor nasıl olsa. Yine de eskiden bu işlerle uğraştığımı söylemenin faydası olur."

"Ama uzun zamandır işlerden uzak kalmışsın ve biraz paslanmış olabilirsin."

"Güzel bir hikaye oldu."

"Ayrıca geldiğin yerde, bu işler biraz daha farklı işliyordu."

"Evet bir de o var. Hikaye yazma konusunda çok başarılısınız, Bayan Julia."

"Çok çalışırsam, bahçıvanla birlikte olabileceğimi söylediler. Şimdi bir iki telefon görüşmesi yapsam fena olmayacak sanırım."

26

Keller, ertesi gün iş sahasına gitti. Napoleon Caddesi'ne çıkan dar bir sokaktaydı. Uzun zamandır o evde yaşayan kiracı vefat etmişti ve boşalan dairenin iyi bir bakıma ihtiyacı vardı. Müteahhit "Ev sahibi buranın Amerikan mutfağı bulunan tek odalı bir çatı katına dönüştürülmesini istiyor," dedi. Donny adındaki bu sarışın adam o kadar zayıftı ki adeta kemikleri sayılıyordu. "İşin eğlenceli kısmını kaçırdın. Duvarları yıkarken burada olmalıydın. İnsanı rahatlatıyor."

Alçı kaplama işi neredeyse bitmişti. Bir sonraki aşama duvarları ve tavanı boyamaktı. Hepsi bitince de döşemelere geçeceklerdi. Boya fırçalarıyla arası nasıldı? Merdiven üzerinde çalışabilir miydi? Keller, merdivenle çalışabileceğini ve fırçalarla arasının iyi olduğunu söyledi. Tabii bir süredir işlerden uzak kaldığı için başlarda ufak tefek sıkıntılar yaşayabileceğini söylemeyi de ihmal etmedi. "İstediğin gibi çalışabilirsin," dedi Donny. "Dikkatli çalış yeter. Umarım saati on dolara çalışmak senin için sorun olmaz. Çünkü ancak bu kadar ödeyebilirim."

Önce tavandan başladı. Bu kadar badana bilgisi vardı. Üstelik New York'daki dairesini boyarken rulo fırça kullanmıştı ve bu konuda sorun yaşamayacağını düşünüyordu. Donny zaman

zaman gelip kontrol ediyor ve birkaç tiyo veriyordu. Özellikle merdiveni nasıl tutması gerektiğini anlatıyordu. Böylece sık sık yer değiştirmesi gerekmeyecekti. Görünüşe göre bu işte yetenekliydi. Mola verdiği zamanlar, diğerlerinin neler yaptığına bakıyordu. Onlar da alçıların üzerindeki pürüzleri düzeltiyor ve çatlakları macunla kapatıyorlardı. Dışarıdan bakınca bu iş hiç de zor değildi.

İlk gün yedi saat çalıştı ve hem yetmiş dolar kazandı hem de ertesi gün sabah sekizde orada olması gerektiğini öğrendi. Merdivene inip çıkmaktan bacakları ağrımıştı. Ama dayanılmaz bir ağrı gibi değildi. Sanki spor salonunda antrenman yapmış gibiydi.

Eve giderken, çiçekçiye uğradı ve bir buket çiçek aldı.

"Arayan Patsy'di," dedi Julia. Patsy Morrill. Keller, kadının Julia'nın liseden bir arkadaşı olduğunu hatırladı. Evlenmeden önce adı Patsy Wallings'di. Donny Wallings de Patsy'nin erkek kardeşiydi. Patsy, Julia'yı arayarak Donny'nin uğradığını ve Nick'i gönderdiği için teşekkür ettiğini söyledi.

"Donny senin için çok konuşmayan ama anlatılanları çabuk kavrayan biri; 'Bu adama bir işi iki kez tekrarlamaya gerek yok' demiş. Patsy'nin söylediklerini aynen iletiyorum."

"Ne yaptığım hakkında hiçbir fikrim yoktu ama paydos dediğimizde şöyle bir baktım da hiç de fena değilmişim."

Ertesi gün tavan boyasını bitirip duvarlara geçti. Bir sonraki gün duvarlar da bitmişti. Donny eline bir fırça vererek ahşap döşemelerle ilgileneceğini söyledi. Sonra Keller'ı bir kenara çekip sessizce "Luis'den daha iyi çalışıyorsun. Bu yüzden ahşap işini sana verdim," dedi.

Evin boya işleri tamamlanmıştı. Söylenildiği gibi sabah sekizde işe geldi. Sadece Donny ve Keller oradaydı. Luis birkaç gün işe gelmeyecekti. Adamın döşemeler hakkında hiçbir bilgisi yoktu. Donny bu yüzden gelmesine gerek olmadığını söylemişti.

"Aslında benim de hiçbir bilgim yok," dedi Keller.

Bu durum Donny için sorun değildi. "En azından sana işin nasıl yapılacağını anlatabilirim. Eminim ki söylediklerimi Luis'den çok daha hızlı kaparsın."

Evin bütün işi on beş gün içinde tamamlanmıştı. Ev, bu haliyle çok güzel görünüyordu. Mutfakla salon birleşmişti ve banyoya da yeni fayanslar döşenmişti. Keller sadece ahşap zemini zımparalama işine katılmamıştı. Bu işi yaparken tozdan korunmak için maske takması gerekiyordu. Çünkü toz saçına, giysilerine ve hatta ağzına kaçabilirdi. Böyle bir işi her gün yapmak istemezdi. Gerçi bu inşaatta sadece birkaç gün sürdü ama yine de yapmadı. Banyoya seramik fayans döşerken, bu işten çok zevk aldığını fark etti. Fayans döşeme işi bittiğinde biraz üzülse de elde ettiği sonuçtan dolayı kendisiyle gurur duydu.

Ev sahibi birkaç kez gelip işlerin nasıl gittiğini kontrol etti. Her şey tamamlandığında etrafı titizlikle inceledi ve iyi bir iş çıkardıklarını söyledi. Luis ve Keller'a 100 dolar bahşiş bırakırken, Donny'e de bir hafta içinde başka bir iş için arayacağını söyledi.

Keller gün içinde yaşananları Julia'ya anlatmaya başladı ve "Donny evin bitmiş halinin aylık 1500 dolara kiraya verilebileceğini söyledi," dedi.

"Verilebilir tabii ki. Belki biraz daha düşük olabilir. Şimdi kiralar inanılmaz. 1500 dolar neden olmasın!"

"New York'da böyle bir yere bakım yapmak için beş ya da altı bin doları gözden çıkarman gerekir. Üstelik banyoya seramik fayans döşemeni de beklemezler."

"Umarım Donny'e bundan söz etmedin."

Elbette söz etmemişti. Uydurdukları hikayeye göre Keller, Julia'nın erkek arkadaşıydı – ki burası kısmen doğru – ve Wichita'dan gelip Julia'nın evine taşınmıştı. Keller er ya da geç orayı bilen birilerinin Wichita'da yaşamanın nasıl bir şey olduğunu sormasından korkuyordu. Çünkü bildiği tek şey, Wichita'nın Kansas'da olduğuydu.

Birkaç gün sonra Donny'nin bir arkadaşı aradı. Bir boya işi vardı ve sadece duvarlar boyanacaktı. Üç gün kesindi ama belki dördüncü güne de sarkabilirdi. Ücret aynıydı, saati on dolar. Nick bu işi kabul eder miydi?

Boyayı üç günde tamamladı. O hafta sonu ve takip eden iki gün dinlendi. Üçüncü gün Donny arayıp bir iş aldığını ve ertesi sabah gelip gelemeyeceğini sordu. Keller adresi bir yere not edip, orada olacağını söyledi.

Julia'ya dönerek "Bu iş sayesinde geçimimi sağlayabileceğime inanıyorum," dedi.

"Neden olmasın? Ben dördüncü sınıflara ders anlatarak geçinebiliyorsam..."

"Ama senin bir vasfın var."

"Nedir o vasıf? Öğretmenlik formasyonu mu? Senin de vasıfların var. Ağırbaşlısın, zamanında işte oluyorsun, sana söylenen her şeyi yapıyorsun ve bu işler için çok fazla olduğunu düşünerek böbürlenmiyorsun. Seninle gurur duyuyorum, Nicholas."

Donny ve diğerleri Nick diye sesleniyorlardı ve ona sadece Julia, Nicholas diyordu. Yatakta Keller demeye devam ediyordu ama Keller bunun da yakında değişebileceğinin farkındaydı. St. Patrick's Mezarlığı'nda bulduğu isim konusunda çok şanslıydı. Bu isimle yaşayabilirdi. Mezar taşlarına bakarken, isimlere değil doğum tarihlerine dikkat ediyordu. Şimdi anlıyordu ki Nick Edwards ismi karşısına çıkabilecek belki de en güzel isimdi.

Kazandığının yarısını kira ve ev masrafları için Julia'ya vermek istedi. Kadın başlarda itiraz etti ama sonunda Keller'ın ısrarlarına dayanamayıp kabul etmek zorunda kaldı. Arabaya benzin almaktan başka nereye para harcayacaktı? (Gerçi para biriktirip yeni ya da ikinci el bir araba almak hiç de fena bir fikir değildi. Çünkü birileri durdurup arabanın ruhsatını sorsa, verecek cevabı yoktu.)

Akşam yemeğinden sonra kahvelerini alıp, ön taraftaki verandaya çıktılar. Burada oturmak çok keyifliydi. Hem yoldan geçen insanları hem de gün batımını izleyebiliyorlardı. Keller, Julia'nın evin önündeki yeşillikler hakkında söylediklerini hatırladı. Gerçekten biraz uzamışlar ve ışığı kapatmışlardı.

Boş olduğu bir gün, bunları budaması iyi olacaktı.

Bir gece birlikte olduktan sonra Julia sessizliği bozdu ve ona Keller değil Nicholas dediğini hatırlattı. İlginç olan Keller'ın da bunu fark etmemiş olmasıydı. Yatakta ya da dışarıda kendisine Nicholas denmesini yadırgamıyordu. Çünkü bunu gerçek ismi gibi kabullenmişti.

Posta yoluyla eline geçen Sosyal Güvenlik kartında ve pasaportunda da bu isim yazıyordu. Pasaportun geldiği gün postadan bir de kredi kartı başvuru davetiyesi çıkmıştı. Gelen yazıda ilk onayın gerçekleştirildiği belirtiliyordu. Keller, hangi kritere dayanarak ilk onayı verdiklerini merak etti. Görünüşe bakılırsa hayatta olması ve bir posta adresinin bulunması, onay için yeterliydi.

Tavanda yavaşça dönen vantilatörün altında uzanıyorlardı. Keller "Sanırım pulları satmama gerek kalmayacak," dedi.

"Sen neden bahsediyorsun?"

Kadın çok şaşırmıştı ve Keller bu tepkinin nedenini anlayamadı.

"Onları kaybettiğini sanıyordum. Bütün koleksiyonun çalındığını söylemiştin."

"Çalındı ama Des Moines'deyken nadir bulunan beş pul satın almıştım. Elden çıkarmak zor olacak ama şu anda elimde olup da para eden tek şey bu pullar. Araba daha çok para eder aslında ama ruhsatı olmadığı için satamam."

"Des Moines'de pul mu aldın?"

Üst çekmeden pulları ve pul maşasını aldı. Başucundaki lambayı yakarak, Julia'ya beş küçük kağıt parçasını göstermeye çalıştı. Kadın pulların kaç yıllık olduğu ya da satılsa ne kadar edeceği gibi sorular sordu. Keller da pullar hakkında tüm bildiklerini ve bu beş pulu satın aldığında içinde bulunduğu koşulları anlattı.

"Eğer bu pullara 600 dolar ödemeseydim, New York'a dönecek kadar param olurdu. Pulları aldıktan sonra elimde 200 dolardan az bir para kaldı. Ama o zamanki hesabıma göre bu para benim için yeterliydi. Üstelik New York'a uçakla dönebilirdim. Pulların parasını henüz ödemiştim ki radyodan suikast haberini duydum."

"Yani suikasti duymamış mıydın?"

"Kimse duymamıştı. Suikast zamanında Des Moines'de olmamın tamamen bir tesadüf olduğunu düşünmüştüm. Çünkü ben oraya başka bir iş için gittim. En azından ben öyle düşünmüştüm. Her neyse, ne fark eder ki?"

"Anlamıyor musun?"

"Neyi?"

"Adamı sen öldürmedin. Vali Longford'u sen öldürmedin."

"Şaka yapmıyorsun, değil mi? Bunu sana çok önceden söylemiştim."

"Hayır anlamıyorsun. Suikasti senin yapmadığını sadece ikimiz biliyoruz ama ikimizin bilmesi polislerden kurtulman için yeterli değil."

"Doğru."

"Suikast esnasında o yerdeki, neydi adı? Her neyse işte o pul satan dükkandaydın."

"Urbandale."

"Urbandale, Iowa'da pul satan bir dükkandaydın. Valinin vurulduğu sırada o dükkandaydın ve Bay McWhatsit de seninle birlikteydi."

"McCue."

"Her neyse."

"Adamın adı soyadı McWhatsit'miş ama kız arkadaşı soyadını değiştirmediği sürece onunla evlenmeyeceğini söylemiş."

"Tanrı aşkına kapa çeneni ve şu olayı çözmeme müsaade et. Bu çok önemli. Eğer sen oradaysan ve o adam da yanındaysa, seni hatırlayacaktır. Çünkü suikast haberini birlikte aldınız. O zaman valiyi senin vurmadığın kanıtlanmış olur, değil mi? Neden olmasın?"

"Bütün gün anons yaptılar. McCue bana pul sattığını ve hatta bu satışı suikast haberini almasına yakın yaptığını hatırlayacaktır. Ama tam olarak neler yaşandığını anlatabileceğine dair yemin edemez. Etse bile tanık sandalyesine oturduğunda, savcı onu kolaylıkla tam bir aptal konumuna düşürebilir."

"Peki ya iyi bir savunma avukatı olursa?"

Julia, Keller'ın başını nasıl salladığını görünce konuşmayı yarım bıraktı.

Keller kibarca "Hayır," dedi. "Anlamadığın bir şey var. Diyelim ki masum olduğumu kanıtladım. Diyelim ki McCue'nun ifadesi beni özgürlüğüme kavuşturdu ve hatta hatırı sayılır kişiler de bu ifadeyi doğruladı. Bütün bunların hiçbir önemi yok."

27

"Hiçbir önemi yok. Benim olayım mahkemeye bile taşınmaz. Çünkü beni o kadar uzun yaşatmazlar."

"Polisler seni öldürür mü?"

"Hayır, polisler değil. Polisler, FBI, hepsi yanlarında son derece önemsiz kalır. Polis Dot'ın varlığından bile haberdar değildi ama bak kızın sonu nasıl oldu."

"Kim o zaman? Seni kim öldürebilir? Yoksa..."

"Evet."

"Bana adını söylemiştin. Al miydi?"

"Bana kısaca Al diyebilirsin. Bu demektir ki adamın adı Al değil. Bizimle iletişim kurmak için uydurduğu bir isim. Bana tuzak kurmaya başladığında, beni hangi iş için tutacağını biliyor muydu diye merak ediyorum. Neyse, bu başka bir konu. Şimdi Longford öldü ve herkes benim peşimde. Eğer teslim olursam, Al'in ağına takılan bir sinek olurum. Eğer Al beni bulursa, ölürüm. Ondan önce polisler bulursa, yine ölürüm,"

"Buna gücü yeter mi?"

Keller başıyla onayladı. "Elbette. Çevresinin geniş olduğu açıkça görülüyor. Ayrıca gözaltında birini ortadan kaldırtmak, hiç de zor değil,"

"Ama bu hiç..."

"Adil değil mi diyecektin?"

"Evet tam olarak böyle söyleyecektim. Ama hayatın adil olduğunu kim söyleyebilir ki?"

"Birileri söylemeli. Er ya da geç söylemeli. Ama o kişi ben olmayacağım."

Bir süre sonra Julia "Diyelim ki... Neyse boşver, çok saçma bir fikir," dedi.

"Ne oldu?"

"Artık televizyonda bu konudan bahsedilmiyor. Adamın birinin fotoğrafı her yerde gösterildi ve şimdi onu aklamanın tek yolu cinayeti kimin işlediğini bulmak."

"O.J. gibi mi? Gerçek katili bulmak için Florida'daki tüm golf kurslarını tek tek dolaşmıştı."

"Sana saçma olduğunu söylemiştim. Böyle bir araştırma için nereden başlayacağını biliyor musun?"

"Belki bir mezarlıktan başlayabilirim."

"Sence valiyi vuran tetikçi öldürüldü mü?"

"Bence Al oyunun kurallarını kendini güvende tutacak şekilde düzenlemiştir ve güvenliğini sağlamak için yapacağı ilk iş bu olmuştur. Suçu benim üstüme attı; çünkü benim onun hakkında hiçbir şey bilmediğimi biliyordu. Ama gerçek katil Al'i ya da ona yakın birilerini tanıyor olmalıydı. Bu da Al'e ulaşabileceği anlamına geliyordu."

"Kimse bu işin peşine düşmez ki... Herkes senin katil olduğunu düşünüyor."

"Doğru. Tabii bütün bunlar yaşanırken gerçeğin ortaya çıkmasını önlemek ya da katilin yaptıklarıyla etrafta böbürlenmesini önlemek için onu ortadan kaldırmışlardır. Önce adamı sarhoş etmişlerdir ya da bir kadın bulup..."

"Sence bu şekilde mi olmuştur?"

"Bence öyledir. Bu tür işleri bilen kadınlar da vardır. Konu şu ki vali öldürüldükten sonra katil değerli bir adamdan, ortadan kaldırılması gereken adam statüsüne düşmüştür. Adam, suikastten sonra ilk 48 saat içinde öldürülmüştür."

"O zaman adamımız O.J. ile golf oynuyor olamaz."

"Hiç şansı yok. Ama Elvis'le sandviçlerini paylaşıyor olabilir."

■ ■ ■

Perşembe günü, işte tesisatla ilgili bir sorun yaşandı. Donny'nin halledemeyeceği bir sorundu. Bu yüzden usta bir tesisatçı çağırıp evi ona teslim ettiler ve işten erken ayrıldılar. Keller doğruca eve geldi. Lucille'e öğleden sonra için izin vermeyi düşünüyordu ki ön taraftaki verandada Julia'yı gördü. Ağlıyordu.

Julia mutfakta kahve olduğunu söyledi ve Keller içeri girip iki fincan kahve hazırladı. Bu esnada kadın da biraz kendine gelmiş olurdu. Sonra kahvelerle birlikte verandaya geldi. Julia biraz daha iyi görünüyordu.

"Bu sabah neredeyse ölüyordu," dedi. "Lucille tam bir hemşire sayılmaz ama bu konuda eğitim almış. Babamın kalbi durdu. Sonra ya kendiliğinden ya da Lucille'in yaptıklarından sonra yeniden atmaya başladı. Lucille hemen okulu aradı ve ben de eve geldim. Ben geldiğimde, doktor da evdeydi."

"Neredeyse ölüyordu, dedin. Şimdi nasıl?"

"Hâlâ hayatta, sorduğun buysa eğer."

"Sanırım."

"Küçük bir kriz geçirmiş. Bu durum konuşmasını etkiledi ama çok da kötü durumda değil. Sadece söyledikleri biraz zor anlaşılıyor. Doktor hastaneye götürmek istemiş ama babam karşı çıkmış."

"Gitmek istememiş mi?"

"Ölmeyi tercih ederim demiş. Nasıl olsa bir gün öleceğim, burada ölmenin neresi kötü diye sormuş. Doktor da bir iğne yapmış ve dinlenmesini söylemiş. Bence o iğneyi babamı susturmak için yapmıştır. Doktor hastaneye gitmemiz gerektiğini söyledi."

"Sen ne dedin?"

"Babamın bir yetişkin olduğunu ve hangi yatakta hayata gözlerini yumacağına karar verme hakkı olduğunu söyledim. Benden böyle bir şey duymayı beklemiyordu. Sonra tıp derslerine konulacak türden bir vicdan konuşması yaptı ama ben bu konuşmayı müfredata dahil edeceklerini zannetmiyorum."

"Yani kararından vazgeçmedin."

"Evet vazgeçmedim ama en zor kısmı neydi biliyor musun?"

"Kendi kararını eleştirmek mi?"

"Evet! Doktorun karşısında sakin ve ısrarcı bir tutumla kararımı savundum ama içten içe bir ses beni yiyip bitiriyordu. Doktordan daha iyi bir karar vereceğimi de nereden çıkarmıştım? Bütün bunları babamın ölmesini istediğim için mi yapıyordum? Doktora diklenmemin sebebi babama karşı çıkmaya cesaret edemiyor olmam mıydı? Sanki kafamın içinde bir toplantı vardı ve herkes masaya vurarak konuşuyordu."

"Baban şimdi uyuyor mu?"

"Son baktığımda uyuyordu. İçeri mi gidiyorsun? Eğer uyanmışsa, seni hatırlamıyor olabilir. Doktor kısmi hafıza kaybı yaşayabileceğini söyledi."

"Kişisel algılamam, merak etme."

"Ayrıca başka krizler de geçirebileceğini söyledi. Kanser hastası olmasaymış, ona kan inceltici ilaçlar verirlermiş. Hastaneye giderse sürekli kontrol altında olurmuş ve herhangi bir kanama ya da kriz geçirmezmiş. Nicholas, sence doğru bir karar mı verdim?"

"Sen babanın arzusunu yerine getirdin. Bundan daha önemli ne olabilir?"

Keller, içeri girdi ve evde eskisinden çok daha yoğun bir ilaç kokusu olduğunu fark etti. Belki de psikolojik olarak böyle hissediyordu. İlk bakışta yaşlı adamın nefes alıp almadığını anlayamadı. Öldüğünü zannetti. Sonra nefes alıp verdiğini gördü. Bir süre orada durup, neler hissettiğini ve neler düşündüğünü anlamaya çalıştı.

Yaşlı adam gözlerini açtı ve Keller'a bakarak "Oh, sensin demek," dedi. Sesi biraz kalınlaşmıştı ama söyledikleri oldukça net anlaşılıyordu. Sonra gözlerini kapattı ve yeniden uykuya daldı.

Keller, ertesi gün işe gitti ve Donny'e on dolar verdi. "Dün fazla ödeme yapmışsın. Beş saat çalıştık ama sen 60 dolar vermişsin."

Donny, parayı geri verdi. "Maaşına zam yaptım. Artık saati 12 dolara çalışıyorsun. Diğerlerinin yanında söylemek istemedim." Diğerleri derken Luis ve dördüncü adam olan Dwayne'i kastediyordu. "Bunu hak ediyorsun dostum. Biraz daha fazla kazanmak için ek işler aramanı istemem doğrusu. Bu arada dürüst bir adam olduğunu görmek çok güzel."

Bu haberi akşam yemeğinden sonra Julia'yla paylaştı ve kadının tebriklerini kabul etti. "Hiç şaşırmadım," dedi Julia. "Patsy'nin annesi gerçekten akıllı çocuklar yetiştirmiş. Donny doğru söylemiş, sen bunu hak ediyorsun. Üstelik seni kaybetmeyecek kadar da uyanıkmış."

"Sanırım bundan sonra da bu iş sahasında geleceğim olduğunu söyleyeceksin."

"Hayır böyle söylemeyeceğim. Harcadığın emekle kıyaslandığında bu paranın hiçbir önemi yok."

"Eskiden zamanımın çoğunu telefon başında bekleyerek geçirirdim. İşimi tamamladığımda da paramı alırdım. Bu işle kıyaslanamaz bile. Tamamen farklı bir hayat sürüyordum."

"Tahmin edebiliyorum demek isterdim. Peki o zamanları özlüyor musun?"

"Tanrı aşkına, hayır. Neden özleyeyim ki?"

"Bilmiyorum. Eski yaşantınla kıyasladığında, burada yaptığın işi sıkıcı bulabilirsin."

Bu konu üzerine biraz düşündü. "İlgi çekici olan tek yanı ortada bir sorun olması ve benim de çözüm yolları arıyor olmamdı. Şimdi de tavanından su sızan bir adam geliyor ve bir sürü sorundan söz ediyor. Ben de çözüm üretmeye çalışıyorum. Üstelik kimseyi incitmeden."

Julia bir süre sessiz kaldıktan sonra "Sana yeni bir araba alsak fena olmayacak. Bunun neresi komik?" dedi.

"Dot hep konudan konuya atladığımı söylerdi. Hatta beni Alakasız Söz Söyleme Ustası olarak ilan etmişti."

"Araba konusuna nereden geldiğimi öğrenmek istiyorsun sanırım. Yanılıyor muyum?"

"Yok, nereden geldiğin önemli değil. Sadece komik geldi, o kadar."

"Araba konusu nereden aklıma geldi biliyor musun? Burada bir süre daha kalmak isteyebileceğini düşündüm. Sorun çıkartabilecek tek şey de arabaydı. Plakalar sorun olmaz ama kenara çekip ruhsatını görmek istediklerinde işler değişir."

"Aslında havaalanında plakaları değiştirirken ruhsatı da almayı düşündüm. Üzerindeki bilgileri değiştirip kendi adımı ve adresimi yazmayı düşündüm."

"İşe yarar mıydı?"

"Öylesine bakan bir polisi kandırabilirdim ama eline alıp yakından bakmak istediğinde sorun çıkabilirdi. Ayrıca arabanın ruhsatı Iowa'dan, plakaları Tennessee'den ve benim sürücü belgem de Luisiana'dan olacaktı. Bu yüzden rahatlıkla söyleyebilirim ki ruhsata el koymak hiçbir işime yaramazdı. Bu yüzden hiç uğraşmadım bile."

"Hız limitini aşmazsın, tüm trafik kurallarına uyarsın ve bir daha geçen günkü gibi park cezası yemezsin. Sonra bir bakmışsın, sarhoşun biri gelip sana çarpmış ve kendini polislere ifade verirken bulmuşsun."

"Ya da Graceland'deki tatilinden yeni dönen bir polis beni durdurur ve Tennessee plakamın neden orada gördüklerinden farklı olduğunu sorar. Bana sorun yaratabilecek bir sürü olasılık olduğunu biliyorum. Para biriktirmeye başladım. Yeteri kadar biriktirdiğimde..."

"Ben verebilirim."

"Senden böyle bir şey yapmanı isteyemem."

"Sonra geri ödersin. Zaten biriktirmen fazla uzun sürmez."

"Biraz düşünmeme izin ver, olur mu?"

"Ben kararımı verdim. Sen istediğin kadar düşünebilirsin Nicholas ama cumartesi sabahı gidip sana bir araba alıyoruz."

Kendine bir araba bulması uzun sürmedi. Donny'le görüştükleri gün, hafta sonu araba bakacaklarını anlattı. Donny de bir kamyon alması ve yine eski bir arabayla yetinmemesi gerektiğini söyledi. Hatta bildiği iyi bir Chevy pikap vardı. Görünüşü kusursuz olmasa da motoru sağlamdı. Yalnız ödemenin nakit yapılması gerekiyordu. İsterse Sentra'yı alacak birilerini bulabilirdi. Keller, çoktan biriyle anlaştığını söyledi.

Pikabın sahibi kütüphane görevlilerine benzeyen yaşlı bir kadındı. Konuşmaları esnasında Jefferson bölgesinde bir kütüphaneden bahsetti ve o an anlaşıldı ki kadın gerçekten de eski bir kütüphane görevlisiydi. Keller böyle bir kadının nasıl olup da pikap kullanabildiğini merak etti. Görünüşe göre kadın kendini zora sokmaktan hoşlanıyordu. Arabanın ruhsatında herhangi bir sorun yoktu. Ne kadar istediğini sorduklarında derin bir iç çekti ve beş bin dolar istediğini söyledi. Aslında bu kadar yüksek bir fiyata satabileceğine kendisi de inanmıyordu. Keller dört bin dolar teklif etti ve biraz pazarlıkla ortada bir yerde anlaşabileceklerini düşünüyordu. Kadın dört bini kabul ettiğinde, neredeyse suçluluk duyacaktı.

Kadının evine Julia'nın arabasıyla gitmişlerdi. Dönüşte peş peşe arabalarla geldiler. Julia garaja park ederken, Keller dışarıya park etmeyi tercih etti. Keller kadının dört bin dolarlık teklifi kabul etmeyeceğini ve bu yüzden teklifi biraz arttırmayı düşündüğünü anlattı. Julia da saçmaladığını söyledi ve ekledi "O araba kadına ait değildi ki!"

"Evet, artık onun değil. Bizim arabamız."

"Hiçbir zaman da onun olmamıştı zaten. Araba baştan beri bir başkasınındı. Belki oğlunun, belki de sevgilisinin. Kim olduğunu bilmiyorum ama sonunda bir şekilde bu kadının elinde kalmıştı. İnan bana arabasını elinden çıkarmak hikayenin asıl üzücü kısmı değildi. Ne oldu?"

"Düşünüyorum da sen tıpkı güzel bir şarkının melodisi gibi kusursuz bir kadınsın," dedi Keller.

Sentra, Mississippi'nin sularına gömüldü. Keller kadına dört bin dolar teklif ederken suçluluk duygusu hissetmişti. O halde Sentra'yla aylardır süren sorunsuz birlikteliğini bitirirken kendini çok daha kötü hissetmiş olmalıydı. Yemeklerini arabada yemiş, arabada uyumuş ve onunla birlikte ülkenin her yerini dolaşmıştı. Minnettarlığını göstermek için de arabayı nehre atıyordu.

Keller için en güvenilir yöntem buydu. Eğer arabayı bir yerlerde bırakıp, çalınmasına fırsat verseydi; ondan kurtulmuş olacaktı. Fakat er ya da geç yetkililerin dikkatini çekecekti. Çünkü bu araba suikast gerçekleştirildiğinde Des Moines'de kiralanan arabaydı. Motorun seri numarasına bakan herkes bunu kolaylıkla açığa çıkarabilirdi. Kendini tetikçiye bulmaya adamış bir polis de buradan yola çıkacak ve New Orleans'da araştırma yapmaya başlayacaktı.

Sonsuza dek nehrin dibinde kalması en iyisi olacaktı. Bir şekilde su yüzüne çıksa bile, kimse gidip seri numarasına bakmayı düşünmeyecekti.

Şehre geri döndüğünde Julia'yı alıp yeni arabasıyla bir gezintiye çıkardı.

28

Julia'nın babası iyileşmeye başlamıştı. Fakat bir sabah Julia odaya girdi ve babasını çok daha kötü bir halde buldu. Büyük olasılıkla bir kriz daha geçirmişti. Konuşmasından hiçbir şey anlaşılmıyor, bacaklarını da hareket ettiremiyordu. Önceleri tuvalet ihtiyacını gidermesi için yatağına sürgü götürmeyi tercih etmişlerdi ama artık hasta bezi kullanmaya başlamışlardı. Julia, bu konuda Keller'ın yardımına ihtiyaç duyuyordu.

Doktor gelip bir serum taktı. "Yoksa açlıktan ölür," dedi. "Biliyorsunuz ki babanızı, olması gerektiği gibi gözetim altında tutamıyoruz. Şu anda kendi başına karar vermesine imkan yok. Her şey sizin elinizde. İsterseniz onu hastaneye kaldırabiliriz."

"Ne yapacağımı bilmiyorum. Hangi kararı alırsam alayım, pişmanlık duyacağım. Keşke..."

"Keşke ne?"

"Boşverin. Böyle şeyleri dile getirmek istemiyorum."

Cümlenin sonunu nasıl getireceği oldukça açıktı. Keşke bir an önce hayata gözlerini kapatsaydı ve çektiği acılara bir son verebilseydi.

Keller içeri girdi ve uyumakta olan yaşlı adamı izledi. Julia'nın dileklerinin aksini istemek mümkün değildi. Bay Roussard kendi haline bırakılsaydı, ne bir şey yiyebilir ne de içebilirdi. Bu durumda en fazla bir ya da iki gün yaşardı. Ama tıp mucizesi serum sayesinde beslenebiliyordu. Julia, serumun nasıl değiştirileceğini öğrenmişti. Artık vücudu tamamen iflas edinceye kadar bu şekilde yaşamaya devam edecekti.

Keller, Bay Roussard'ın başında beklerken bir başka yaşlı adamı hatırladı. Kimilerinin Joey Rags, kimilerinin de Ejderha Joe olarak tanıdığı Giuseppe Ragone. Keller ona hep "yaşlı adam" derdi ve bunu yüzüne söylemekten çekinmezdi. Başlarda "efendim" demiş miydi? Demiş olabilirdi. Hatırlayamadı. Yaşlı adam son anlarına kadar fiziksel açıdan çok iyi görünüyordu. Bu iyi bir şeydi aslında ama aklı gidip gelmeye başlamıştı. Hata yapmaya başlamıştı ve olayları takip edemiyordu. Bir keresinde Keller'ı iş için St. Louis'ye göndermişti. Keller, otelde kalan bir adamı öldürecekti. Yaşlı adam otelin adını ve odanın numarasını bir kağıda yazıp verdi. Kağıtta 3-1-4 yazıyordu. Bu numara hiç de bir otel odası numarasına benzemiyordu. Keller sonradan fark etti ki bu numara St. Louis'nin alan koduydu. Yaşlı adam Keller'ı yanlış odaya göndermişti. Odada bir de kadın vardı. Keller, kendisinden beklenen işi gerçekleştirdi ama sonradan o iki insanın sebepsiz yere öldürüldüğü anlaşıldı.

Dot hep yalanlasa da buna benzer birkaç olay daha yaşanmıştı. Sonunda yaşlı adam lise okul gazetesinde çalışan bir çocuğu işi almış ve anılarını yazdırmaya başlamıştı. Dot bu karmaşaya bir son vermek için Keller'ı bir seyahate göndermek istiyordu. Ona kendi ismini ve kredi kartını kullanarak bir pul sergisine katılması gerektiğini söylüyordu.

Başka bir deyişle Dot'ın planlarını gerçekleştirebilmesi için Keller'ın uzaklaşması gerekiyordu.

Dot, yaşlı adamın her gece yatmadan önce içtiği kakaonun içine uyku ilacı attı. Adam uykuya daldığı zaman da elindeki yastığı adamın yüzüne bastırdı. Bir süre bu şekilde bekledikten sonra ölüp ölmediğinden emin olmak istedi. Hepsi bu kadardı. Yaşlı adam artık yeni bir dünyadaydı. Üstelik kendisinin başkaları için yazdığı sonlardan çok daha ağrısız ve acısız bir şekilde hayata veda etmişti.

Konu hakkında daha sonraları sohbet ederlerken, Dot bir itirafta bulundu. "Yaşlı adamın istediği son bu muydu bilmiyorum. Çünkü bu konuda hiç konuşmamıştık. Ama ben böyle olsun istedim. Eğer planlarımı bilseydin ve buralarda olsaydın bana engel olmaya çalışacaktın. İşte bundan eminim."

Keller evet dercesine başını salladı ve Dot gözlerini devirerek konuşmaya devam etti. "Şimdi söylemesi kolay ama zamanı geldiğinde sen de kendi kendine konuşmaya başlayacaksın. Bakalım, Dot için ne yapabilirim? Nasıl bir son istediğini söylemiş miydi? Hiç hatırlamıyorum."

"İçeride babana bakarken, aklıma bir şey geldi," dedi Keller. "Eğer ona söylemek istediklerin varsa, içinde tuttuğun şeyler; hâlâ şansın varken söylemelisin bence."

"Yoksa..."

"Hayır durumunda hiçbir değişiklik yok ama içimden bir ses en fazla bir ya da iki gün daha dayanabileceğini söylüyor,"

Julia, Keller'a hak verdi. Kalktı ve babasının odasına gitti.

Gecenin ilerleyen saatlerinde birlikte yukarı çıktılar. Karanlıkta öylece uzandılar. Gökyüzünde ne ay ne de yıldız görünüyordu. Julia, küçük bir kızken ailesiyle geçirdiği zamanları anlatmaya başladı. Keller çok konuşmadı. Dinlemeyi tercih etti ve kendi düşüncelerine kapılıp gitti.

Julia, aşağı indiğinde; Keller da üst kattaki verandaya çıktı. Gökyüzü kapkaranlıktı. Ne yıldızları ne de ayı görebiliyordu. O an Mississippi'nin derinliklerinde yatan Sentra'yı, Dot'ı, pullarını, annesini ve hiç görmediği babasını düşündü. Uzun zamandır aklına gelmeyen düşüncelerin birdenbire ortaya çıkması ne kadar ilginçti.

Yaklaşık bir saat daha verandada kaldı. Bu süre Julia'nın uykuya dalması için yeterli diye düşündü. Aşağı inerken son derece sessiz davrandı. Basamaklarda gürültü çıkarmak istemiyordu.

Dot, yastık kullanmayı tercih etmişti. Hızlı ve basit bir çözümdü. Yalnız bir sorun vardı. Boğularak ölümlerde özellikle gözlerde peteşiyal kanama görülme olasılığı çok yüksekti. Yaşlı adam öldüğünde, bu bir sorun olmamıştı. Çünkü Dot'ın çağırdığı aile hekimi yaşlı adamın cesedi üzerinde hiçbir inceleme yapmamıştı. Yaşlı insanların genelde eceliyle öldüğüne inanıldığından, onlara otopsi yapma fikri kimsenin aklına gelmezdi.

Bu evde de otopsi yapılmayacağı kesindi. Hem kanser hastası olan hem de iki kez kriz geçiren bir adamın ölümü kimseyi şaşırtmazdı. Yine de doktor bir inceleme yapabilir ve Clement Roussard'ın gözlerindeki kırmızı noktaları görebilirdi. O zaman da Julia'dan şüphelenebilir ve babasını bu acıdan kurtarmak için onu öldürdüğünü düşünebilirdi. Belki kıza hak verirdi ama böyle bir riske girmeye ne gerek vardı?

Bay Roussard hastaneye kaldırılsaydı, krizleri önlemek için ona kanın pıhtılaşmasını önleyici ilaçlar verilecekti. Fakat alacağı bu ilaçlar kanserden dolayı yaşlı adamın iç kanama geçirmesine sebep olabilirdi. Ortada böyle bir ihtimal varken, adamın ölüm şeklinden şüphelenmek kimsenin aklına gelmezdi.

Kanın pıhtılaşmasını önleyen ilaçlar, reçeteyle satılıyordu. O yüzden Keller'ın bu ilaçları alma yetkisi yoktu. Fakat ilacın hammaddesinin warfarin olduğunu biliyordu. Warfarin aynı zamanda fare zehirlerinde de kullanılıyordu. Bu sayede hayvanlarda kan inceltici özellik gösterip, iç kanamadan ölmelerini yol açıyordu.

Warfarin almak için reçeteye ihtiyacı yoktu. Hatta dışarı çıkıp warfarin almasına da ihtiyacı yoktu. Çünkü garajdaki eşyaları toplarken, bahçe malzemelerinin arasında bir paket warfarin olduğunu görmüştü. Üzerinde son kullanma tarihi yazmıyordu ama geçmiş olsa bile işe yarayacağından emindi. Zaman geçtikçe zehir etkisinin yok olması mümkün müydü? Üzerinde herhangi bir uyarı yoktu. Aslında insanlar üzerinde kullanılmamasını söyleyen bir not olmalıydı. Şimdi fark eden hiçbir şey olmayacaktı. Çünkü içinde neler olduğunu ya da yan etkilerinin neler olduğunu bilmesine gerek yoktu.

Toz halindeki warfarini, serumun içine karıştırdı. Adamın başında bekleyerek, serumun kana karışmasını izledi. Nasıl bir etki yaratacağını ya da işe yarayıp yaramayacağını merak ediyordu.

Birkaç dakika sonra mutfağa gitti. Fincanda duran kahveyi mikrodalga fırında ısıttı. Julia uyanırsa, uyuyamadığını ve mutfağa geldiğini söyleyecekti. Ama Julia uyanmadı ve o da kahvesini içti. Fincanı yıkayıp, içeri döndü.

Doktor, nabzının atıp atmadığını kontrol etti. Keller, doktorun kanama ya da şakağında bir kurşun olup olmadığına bakacağını hiç zannetmiyordu. Doktor ölüm belgesini imzaladı. Julia da ailesinin her zaman başvurduğu cenaze levazımatçısını aradı. Cenazeye ailesinden ve arkadaş çevresinden yaklaşık yirmi kişinin katılacağını söyledi. Donny Wallings ve karısı da gelmişti. Keller, Patsy ve Edgar Morrill'le tanıştı. Bu iki çift, cenazeden sonra onlarla birlikte eve dönmüştü. Clement Roussard'ın bedeni yakılmıştı. Keller bunun iyi bir fikir olduğunu düşündü. Her şey düşünülmüştü. Böylece mezarlık ziyaretine gerek kalmayacaktı.

Wallings ve Morrill çiftleri kısa süre sonra ayrıldılar. Julia ve Keller baş başa kaldıklarında Julia "Artık Wichita'ya dönebilirim," dedi.

"Bir dakika, dur bakalım..."

"Geri döndüğümde kendime, babamın bana ihtiyacı olduğu sürece burada kalacağıma dair bir söz verdim. Başka bir deyişle, babam ölünceye kadar burada kalacağımı düşünüyordum. Ama içten içe buradan ayrılmamın mümkün olmayacağını biliyordum. Burası benim evim, anlıyor musun?"

"Seni New Orleans'dan, hatta bu evden başka bir yerde hayal etmem mümkün değil."

"Wichita iyi bir yerdir," dedi Julia. "Orada bir hayatım vardı. Yoga sınıfım, kitap okuma gurubum. Orası yaşanılacak bir yer ama geri dönmek için can atacağım bir yer değil."

Keller, Julia'nın ne demek istediğini anladı.

"Wichita'daki hayatıma geri dönmeden önce birkaç aylığına başka bir yere de gidebilirim. Oraya döndüğümde de hayatımı yeniden düzenlerim. Bu kez yoga değil, pilates sınıflarına katılırım. Yine de aynı yaşantımı devam ettiririm. Sonuçta oradaki arkadaşlarım yine eski Wichita arkadaşlarım olacak. Birkaç yıl yanlarından ayrılmış olsam da geri döndüğümde her şeyi aynı bulacağımdan eminim."

"Peki ya şimdi?"

"Şimdi babamın işleriyle ilgilenmem lazım. Eşyalarını ne yapacağıma karar vermeliyim. Bu konuda bana yardım eder misin?"

"Tabii ki."

"Ayrıca odayı temizlemem lazım. Bütün o sigara ve ilaç kokusundan kurtulmam gerekiyor. Küllerini ne yapacağımı da bilmiyorum."

"Küllerin gömülmesi gerekmiyor mu?"

"Sanırım gerekiyor ama o zaman böyle bir şey yapmanın ne anlamı kalacak. Yine bir mezara tıkılıp kalacak, değil mi? Ben ne yapacağımı biliyorum aslında."

"Ne yapacaksın?"

"Senin arabana yaptığına benzer bir şey yapacağım. Külleri körfeze dökeceğim. Bu konuda da bana yardımcı olur musun?"

"Benimle ilgili neler yapacağına da karar vermen lazım, biliyorsun değil mi? Külleri Meksika Körfezi'ne dökmeye ne dersin?"

"Long Island'dan bahsetmiyorsun. Yoksa eve dönmek istemiyor musun?"

"Hayır, ben burayı çok sevdim."

Julia "Sanırım ağlayacağım," dedi ve Keller'a yaslanıp ağlamaya başladı. Sonra döndü ve "Ama hemen gitmeyelim olur mu? Körfez bir yere kaçmıyor ya. Bir süre daha yanımda kal," dedi.

Donny, bot sahibi birini tanıyordu. Keller ve Donny körfeze açıldılar ve külleri suya attılar. Geri döndüklerinde henüz bir saat bile geçmediğini fark ettiler. Bot sahibi, ödeme yapmalarına izin vermedi ve böyle bir iş için para almayacağını söyledi.

Kiralama şirketi geldi ve hastane yatağını geri götürdü. Beyaz bir arabayla gelen iki genç de serum ekipmanlarını topladı. Keller hasta odasında kullanılan çarşafları, havluları ve babasının giydiği pijamaları bir çöp torbasına topladı. Kanser bulaşıcı değildi. Bu eşyaların yıkanması yeterli olabilirdi ama yine de Keller hepsinin atılmasını istedi.

Patsy Morrill'in bir arkadaşı geldi ve odayı dumanla feraha kavuşturacağını söyledi. Keller bunun ne anlama geldiğini bilmiyordu. Kadın bir tutam kuru adaçayı bitkisi çıkardı ve bir ucunu yaktı. Odanın içinde dolaştı ve otlardan çıkan dumanın her yere dağılmasını sağladı. Dudakları kıpırdıyordu ama ne söylediğini anlamak imkansızdı. Bu işlem bir saate yakın sürdü. Kadın işini bitirdiğinde, Julia kendisine teşekkür etti ve kadını kırmamaya çalışarak hizmetleri için para alıp almayacağını sordu.

"Hayır," dedi kadın. "Ama bir fincan kahve iyi giderdi."

Kadın çok ilginç görünüyordu. Küçük bir cin gibiydi. Dış görünüşünden yaşını ya da etnik kökenlerini anlamak mümkün değildi. Kahve için teşekkür etti ama yarısını bile içmemişti. Evden çıkarken Julia ve Keller'a dönerek, ikisi üzerinde harika bir enerji olduğunu söyledi.

"Ne ilginç bir insan," dedi Julia. "Patsy bu kadınla nasıl tanıştı, çok merak ediyorum."

"Ben de içeride ne yaptığını merak ediyorum," dedi Keller. Julia'nın peşinden odaya gitti ve konuşmaya devam etti. "Her ne yaptıysa işe yaramışa benziyor. Bir kokunun yerini tamamen başka bir koku kapladı."

"Konu sadece kokuyu değiştirmekten ibaret değil. Buradaki enerjiyi değiştirdi. Şimdi lütfen bana bunun ne anlama geldiğini sorma."

Bu, Keller için yepyeni bir tecrübeydi. Aslında birinin hayatına son vermek, ilk kez yaptığı bir iş değildi. Ama sonrasında orada kalıp etrafı toplamak; işte bunu ilk kez yapıyordu.

29

Bir akşam telefon çaldı. Arayan Donny'di. Gretna nehrinin karşısında bir evin adresini verdi. Keller adresi not aldı ve ertesi gün bir harita yardımıyla adrese ulaştı.

Donny'nin arabasını gördü. Bina, tek katlıydı ve atış poligonlarına benziyordu. Uzun, dar ve odaları da birbirine bitişikti. Bu tür yapılar Soğuk Savaş'ın ardından New Orleans'da da görülmeye başlamış ve güneye yayılmıştı.

Bina, kötü haldeydi. Dış cephenin boyanması gerekiyordu. Çatıdaki kiremitler eksikti. Bahçe, yabani otlar ve çakıl taşlarıyla kaplıydı. İçerisi daha da kötüydü. Zemin, molozlarla kaplıydı ve mutfak çok kirliydi.

Keller "Burada yapılabilecek hiçbir şey yok," dedi.

"Çok güzel değil mi?"

"Dışarıda SATILIK tabelası mı görüyorum? Buraya alan kişi tam bir iyimser olmalı."

"Ben pek iyimser sayılmam ama..." dedi Donny.

Keller ağzı açık bir şaşkınlık ifadesi sergilerken, Donny de gülmeye başladı. "Burayı dün satın aldım," dedi ve anlatmaya başladı. "Kablolu TV'de çıkan *Evi Baştan Yarat* programını biliyor musun? İşte benim planım bu. Birazcık sevgiyle bu iğrenç yeri, mükemmel bir eve dönüştürebiliriz."

"Sevgiyle karıştırıldığında işimizi biraz daha uzayabilir," dedi Keller.

"Satarken kâr elde edebiliriz. Aklımdan geçenleri sana anlatayım," dedi.

Keller'la birlikte evi gezerken, planlarını anlatmaya başladı. İkinci katı çıkmak gibi ilginç planları vardı. Bu oldukça iddialı bir yaklaşımdı ama satış zamanı büyük kâr getirirdi.

"İşte yeni planım bu," dedi Donny.

"Elindeki nakit paranın büyük bir kısmını buraya yatırmış," dedi Keller ve Donny'nin planlarını Julia'ya anlatmaya başladı. "Kalan parayla da malzemeyi ve adamları ayarlayacak. Çünkü sadece Dwayne ve Luis'le bu işi halletmesi mümkün değil. Benim de projede yer almamı istiyor. Böylece evi sattığında kârın üçte birini alabilirmişim."

"Bu da saati 12 dolara çalışmaktan daha iyi bir teklif bence."

"Eğer işi kısa sürede bitirirsek, adamların günlük yevmiyelerinden zarar etmemiş oluruz. Alıcımız da peşin ödeme yaparsa, her şey çok güzel olabilir."

"Sen kararını çoktan vermiş gibi görünüyorsun."

"Bunu nasıl söylersin?"

"*Alıcımız* diyorsun, fark etmedin mi? Bu durumda evet diyeceğin kesin."

"Evet demeyi düşünüyorum ama işin kötü yanı bu süre içerisinde eve hiç para getiremeyeceğim."

"Sorun değil."

"Arabanın borcu için sana ödeme yapamayacağım ve evin bütçesine katkıda bulunamayacağım."

"Bu çok kötü işte. Aramızda cinsellik söz konusu olmasıydı, çoktan kapının önüne koymuştum seni."

Babasının külleri körfeze döküldükten ve hasta odası boşaltıldıktan sonra Julia üst kata, çocukluğunun geçtiği odaya taşındı. Keller'ın odası olduğu gibi duruyordu ama her gece Julia'nın odasına gidip orada uyuyordu.

Gretna'daki iş düşündüklerinden daha uzun sürdü ve planlanan bütçeyi de aştı. Bu durum elbette kimseyi şaşırtmadı. Donny ve Keller haftanın her günü çalışıyor; gün ağarırken gittikleri işten hava kararınca ayrılıyorlardı. Donny'nin elindeki para çoktan tükenmişti. Kredi kartlarında en üst limite ulaşınca, kayınpederinden 5.000 dolar istemek zorunda kaldı. "Aşağılık herif bana para karşılığında ne elde edeceğini sordu. Ben de 'kızının mutluluğuna ne dersin?' dedim. Sanırım görüşmenin nasıl geçtiğini anlamışsındır. Yine de parayı aldım, öyle değil mi?"

Ev, gittikçe daha da güzelleşiyordu. Donny planladığı gibi ikinci katı da inşa etti. Keller Julia'yla ev hakkında konuşuyordu. "Kendimi yepyeni bir ev inşa ediyor gibi hissettim. Sıfırdan başlamak gibi, anlatabiliyor muyum? Restorasyondan tamamen farklı."

Son olarak bahçe dizaynını tamamladılar. Çim ekip, güzel çiçekler diktiler. Keller evin işi tamamlandığında görmesi için Julia'yı buraya getirdi. Julia daha önce de gelmişti ama o zaman inşaat devam ediyordu. Julia buranın aynı ev olduğuna inanmakta zorlandı.

Kutlama için Quarter adlı restoranda akşam yemeği yediler. Asıl kutlama ev satıldığında olacaktı. Yine aynı restorana gelmişler, aynı yemeği sipariş vermişler ve yine şarabı bitirememişlerdi. İşten, işi bitirmenin verdiği mutluluktan ve Donny'nin satmak için ne kadar para isteyeceğinden konuştular.

Keller, Donny'nin istediği gibi kâr etmesi halinde yine böyle bir iş yapacağını ve bu kez kendisinin de ortak olacağını söyledi. Julia "Zaten ortak değil misiniz?" diye sorduğunda tam ortaklıktan bahsettiğini anlattı. Masrafların yarısını Keller karşılayacaktı ve kârın yarısını alacaktı. Donny çoktan yeni bir yer bakmaya başlamıştı ve üzerinde düşündükleri birkaç yer vardı.

"Ne de olsa bir Wallings," dedi Julia. "Onlar ailece girişimci bir ruha sahiptir."

Donny şimdilik iki iş almıştı. Biri Melpomene'de bir evin boya işi, bir diğeri de Metairie'de bir evin kasırga sonrası bakımıydı. Julia "Wallings'ler girişimci olmanın yanı sıra çalışkandırlar," dedi. Keller bu iki işe başlamadan önce birkaç gün tatil yapacaklarını söyledi.

"Tabii ki... Donny bir New Orleanslıydı, unutmuşum," dedi Julia.

Eve geldiklerinde Julia her şeyin yolunda olup olmadığını sordu.

"Restorandan çıkıp arabaya bininceye kadar ruh halin tamamen değişti. Hava oldukça iyi, canını sıkan bu olamaz. Ben yanlış bir şey mi söyledim? Sorun ben değilsem, nedir?"

"Bunu sana yansıttığımı fark etmemiştim."

"Ne oldu, söylesene."

Aslında anlatmak istemiyordu ama Julia'dan bir şeyler saklamak hiç hoşuna gitmiyordu. "Bir an biri bana bakıyor sandım," dedi.

"Neden olmasın? Son derece yakışıklı bir adamsın ve... Aman Tanrım!"

"Ama yanlış alarmdı. Sonradan gördüm ki arkamda duran valeye arabasını getirmesini söyleyecekmiş, o yüzden benim tarafıma bakıyormuş. Sonra aklıma eski bir olay geldi. Adamın biri

San Francisco'ya gitmişti ve orada birileri onu tanıdı. Başı belaya girdi."

Julia hemen fikir üretmeye başladı. "Bir daha Quarter'a gitmemeliyiz."

"Ben de böyle düşünmüştüm."

"Ayrıca turistik yerlere de gitmemeliyiz ama en çok Quarter'dan uzak durmalıyız. Cafe du Monde'ye ve Acme İstiridye Restoranı'na da gidemeyiz. İstiridye yemek için Felix'in Prytani'daki yerine gidebiliriz. Hem orası çok kalabalık da olmaz."

"Mardi Gras karnavalı boyunca..."

"Karnaval boyunca hep evde oturmalıyız," dedi Julia. "İkimiz baş başa evde otururuz. Zavallı sevgilim benim, moralinin bozulmasına şaşırmamalı."

"Adamın bana değil de valeye baktığını anlamak çok kısa sürdü. Bu yüzden korkulacak bir şey olmadığını hemen anladım. Canımı sıkan şey, bu konuda tedirgin olmak değil. Burada yeni bir hayat kurdum ve her şey yolunda gidiyor. Arabayı Mississippi'nin sularına bıraktığımda, geçmişle olan bütün bağlarımı kopardım."

"Ve geçmiş hayatının tamamen silinip gittiğini düşünüyorsun."

"Evet. Ayrıca geçmişimden gelen birinin beni bulamayacağını da düşünüyordum ama bugün gördüm ki bütün bu düşüncelerim tamamen bir hayal ürünüymüş. Her zaman bir aksilik yaşanması mümkün. New York'dan, Los Angeles'tan ya da Chicago'dan gelen bir pislik, beni kolaylıkla tanıyabilir."

"Ya da Des Moines'den gelen biri."

"Ya da herhangi bir yerden. Buraya tatil amaçlı gelebilirler. Sonuçta burası popüler bir yer."

"Kasırgadan sonra turistlerin sayısı azalmıştı ama bu yıl yine artmaya başladılar."

"Aynı restoranda bulunduğumuz ya da caddede karşılaştığımız herhangi bir beni tanıyabilir. Bunun yaşanma olasılığı çok düşük aslında. Çünkü biz gösterişli bir hayat yaşamıyoruz. Çoğu zaman evde oturuyoruz ve dışarı çıkmamız gerektiğinde Edgar ve Patsy ya da Donny ve Claudia ile görüşüyoruz. Güzel vakit geçiriyoruz ama kimse fotoğraflarımızı *Times-Picayune* dergisine basmıyor."

"Donny ve sen kasırga sonrası inşaat sektöründe büyük bir kâr elde ettiğiniz zaman fotoğraflarınız yerel basında çıkabilir."

"Bunun için endişelenmene gerek yok. İkimiz de bu kadar hırslı değiliz. Donny bu işe neden girdi biliyor musun? Kâr elde etmenin yanı sıra tabii ki. Çünkü diğer işlerden gelen parayı idare etmek çok zor oluyordu. Her şeyi göz önünde bulundurması gerekiyordu ve iş bitiminde ödenen para yüksek olsa bile Donny'nin eline fazla bir şey kalmıyordu. Aynı hesapları, kendi inşaatında da yapmak zorunda ama patron o olduğu için daha az sorun yaşıyor."

Böylece sohbet konusu değişmiş oldu ama yatağa girdiklerinde uzunca bir sessizliğin ardından Julia, Keller'ın kendisini bu suçlamadan kurtarmak için bir şey yapıp yapamayacağını sordu.

"Polise yakalanmadığım sürece Al'le başımın derde girip giremeyeceğini mi soruyorsun? Al, konusunda en iyi ilaç zaman. Zaman geçtikçe, benim hâlâ hayatta olup olmadığımın bir önemi kalmayacak. Onun peşimi bırakması için..."

"Ne yapman gerekli?"

"Al'in kim olduğunu ve onu nerede bulabileceğimi öğrenmeliyim. Sonra da oraya gidip, işini bitirmeliyim."

"Öldürmeliyim demek istiyorsun. Bu kelimeyi kullanabilirsin. Ben bundan rahatsızlık duymuyorum."

"Yapılması gereken tek şey bu. Çünkü Al'le karşılıklı saldırmazlık paktı imzalayıp, el sıkışamazsın."

"En iyisi, onu öldürmek olur. Komik olan ne?"

"Senin böyle sıkı bir adam olacağını kim bilebilirdi ki?" dedi Keller.

"Taş kalplinin biriyim ben. Peki Al'i bulmanın bir yolu var mı? Sen mutlaka bu konuyu düşünmüşsündür."

"Hem de çok düşündüm ama hiçbir yol bulamadım. Varsa da ben bilmiyorum. Nereden başlayacağımı bile bilmiyorum."

30

Donny ev için kısa sürede bir alıcı buldu. Teklif, istediğinden düşüktü ama masrafları fazlasıyla karşılıyordu. Bu yüzden kabul etti. Böylece bir sonraki işe başlayabilirdi. Keller'ın payına düşen para, 11.000 dolardan fazlaydı. Keller, bu iş için kaç saat çalıştığını bilmiyordu ama saati 12 dolara çalıştığı günlerden çok daha fazlasını kazanmıştı.

Bu haberi Julia'yal paylaşmak üzere eve geldi ama görünüşe göre Julia çoktan haber almıştı. Güzel bir sofra hazırlamış; üstelik sofraya çiçek bile almıştı. "Sanırım biri arayıp çoktan söyledi," dedi Keller. Oysa Julia'nın haberi yoktu. Hemen Keller'ı tebrik etti ve bu sofranın sebebinin bambaşka bir şey olduğunu söyledi. Julia'ya okuldan tam zamanlı öğretmenlik teklifi gelmişti.

"*Kalıcı* bir iş," dedi Julia. "O anda bu dünyada hiçbir şeyin kalıcı olmadığını söylemek istedim ama yine de çenemi tuttum."

"Akıllıca bir hareket doğrusu."

"Daha çok para alacağım kesin ama işin güzel yanı her hafta yeni çocuklarla çalışmak yerine kendime ait bir sınıfımın olması. Bütün sene aynı çocuklarla çalışacağım, düşünebiliyor musun?"

"Bu harika."

"Haftanın beş günü çalışacağım. Başka bir deyişle yılda kırk hafta. Artık öğretmenlerden birinin hastalanmasını ya da bir yerlere taşınmasını beklemek zorunda değilim."

"Mesela Wichita'ya."

"Tam zamanlı öğretmenlik insanı buraya tamamen bağlıyor ama yine de istediğimiz her şeyi yapabiliriz değil mi? En güzeli de yaz tatili olması. New Orleans'dan başka bir yere gitmek istesem, yazın giderdim zaten. Bu yüzden hiçbir sorun yaşamayacağımı düşünüyorum. Sanırım onlara evet demeliyim."

"Henüz kabul etmedin mi?"

"Önce seninle konuşmak istedim. Ne dersin, sence kabul etmeli miyim?"

Keller kabul etmesi gerektiğini söyledi ve sofraya oturdular. Julia, New Orleans yemek tarifleri kitabından öğrendiği bir yemeği pişirmişti. Bol baharatlı bir et yemeği ve pirinçle servis edilen bamya vardı. Yanında yeşil salata ve limon tartı hazırlamıştı. Aslında tart, Magazine Caddesi'nde bir pastaneden alınmıştı. Keller ikinci dilimi almak üzereyken, Julia ona bir hediye aldığını söyledi.

"Ben tatlının hediye olduğunu düşünmüştüm," dedi Keller.

"Çok lezzetli, değil mi? Ama hediyem bu değil. Hediyeni de Magazine Caddesi'nden aldım. Pastanenin yakınında bir yerden. Daha önce görüp görmediğini merak ediyorum."

"Neyi görüp görmediğimi?"

"Dükkanı tabii ki. Bilemiyorum, belki de bunu almakla bir hata yaptım. Beğenmeyebilirsin, belki de eski yaralarının yeniden canlanmasına sebep olurum."

"Neden bahsettiğini bilmiyorum. Bana bir hediyen var mı, yok mu?"

"Aslında tam olarak bir hediye sayılmaz. Paketlemedim. Paketlenecek türden bir şey değil çünkü."

"Güzel. Böylece paket açmakla zaman kaybetmeyeceğim. Paket açarken geçecek süreyi, burada seninle konuşarak geçirebilirim."

"Çok mu konuştum? 'Evet, Julia çok konuştun.' Sakın bir yere ayrılma, geliyorum."

"Nereye gidebilirim ki?"

Elinde karton bir torbayla geri döndü. Aslında bu da bir tür paket sayılırdı. Hediyeyi Keller'a uzatırken "Umarım yanlış bir şey yapmamışımdır," dedi. Keller paketin içindekini çıkardı ve bunun bir *Linn's Stamp News* gazetesi olduğunu gördü.

"Orada çok küçük bir dükkan vardı. Pullar, eski paralar ve seçim broşları satıyordu. Başka hobi malzemeleri de vardı ama bu üçü çoğunluktaydı. Bahsettiğim dükkanı biliyor musun?"

Bilmiyordu.

"Ben de içeri girdim. Pul almak istemiyordum. Çünkü bunun iyi bir fikir olmayacağını düşündüm..."

"Bu konuda haklısın."

"Sonra bu gazeteyi gördüm. Bana daha önce bundan bahsetmiştin değil mi? Ben bahsettiğini hatırlıyorum da."

"Evet, konuşmuş olabiliriz."

"Eskiden bunu okurdun, değil mi?"

"Evet, aboneliğim vardı."

"Almalı mıyım diye düşündüm. Çünkü pulların gitmişti ve onların senin için ne kadar önemli olduğunu biliyordum. Bunu alarak, seni üzebileceğimi düşündüm. Sonra da yazılanları okumanın sana iyi gelebileceğini ve belki de yeni bir koleksiyona başlayabileceğini hayal ettim. Gerçi her şeyini kaybettikten sonra başlamak biraz olur. Tanrı aşkına Julia dedim şu adama iki dolar elli sent ver ve gazeteyle birlikte eve dön. Ve işte buradayım."

"Evet, buradasın."

"Eğer bu kötü bir fikirse gazeteyi torbaya koy ve bana geri ver. Sana söz veriyorum ki bunu bir daha görmek zorunda kalmazsın. Sonra ikimiz de bu olay hiç yaşanmamış gibi davranırız."

"Sen harika bir kadınsın. Bunu daha önce söylemiş miydim?"

"Söylemiştin ama hep üst kattayken. Bu katta ilk kez söylüyorsun."

"Evet, sen kesinlikle harikasın."

"Yani hediyede bir sorun yok."

"Hayır, hiçbir sorun yok."

"Ben istedim ki..."

"Ne istediğini biliyorum. Hediye, *senin* hediyen mükemmel. Burada yazan makaleler ilgimi çekecek mi ya da ilanlar beni etkileyecek mi bilmiyorum. Bir gün mutlaka bunlarla yüzleşmek zorundaydım ve şimdi hepsini yaşayarak bu konudaki hislerimi öğrenebilirim."

"Bu iyi bir iş yaptım demektir. Şimdi ben kahveleri hazırlarken *Linn's* ve sen neden içeri geçmiyorsunuz?"

İlk sayfayı okurken, neden bununla vakit harcadığını düşünüyordu. Baş makalede Lucerne'de gerçekleştirilen ve 1917 devrimi öncesi Rus İmparatorluğu zamanından kalma pulların satıldığı açık arttırma fiyatlarının yüksek oluşundan bahsediliyordu. Makale için seçilen pul resmi tam bir hataydı. Çünkü resimde, renklerin çoğu silinmiş bir Amerikan puluna yer verilmişti.

Keller haftalardır, hatta yıllardır hep aynı hikayelere yer veriliyor diye düşündü. Aslında pullar, detaylar, fiyatlar, kısacası her şey değişiyordu ama yine de hepsi aynıydı. Aylar ya da yıllar önce okuduğu bir sayı olmadığından emin olmak için gazetenin tarihine baktı.

Editöre gönderilen şikayet mektupları bile aynıydı. Her defasında kızgın bir okuyucu, sipariş verdiği pulların gecikmeli olarak kendisine ulaştırıldığından yakınıyordu. Bir grup da sürekli olarak gençleri pul koleksiyonculuğuna yönlendirmenin yollarını arıyordu. Keller'a göre bunu gerçekleştirmenin tek bir yolu vardı. O da pul koleksiyonculuğunu video oyunlarından daha ilginç bir hale getirmekti. Bunu yapmak da imkansızdı.

Keller "Koleksiyoncunun Mutfağı" köşesini okumaya başladı. Ona göre bu köşe, gazetenin en ilginç kısmıydı. Bu köşede yazılanlar akıl almaz şeylerdi ama Keller kendini buradan uzaklaştıramıyordu. Bu köşede takma isimleriyle yazı yazan iki eleştirmen vardı. Her hafta birisi *Linn's ilan panosundan* görüp satın aldığı pulları detaylarıyla anlatıyordu. Bu haftada bu tür bir yazıya yer verilmişti. İki hafta kendisine ulaşan pulları anlatıyordu ama bu konuda çok rahatsızdı. Çünkü pulların %11'i söz verildiği gibi anı pulları değildi. Tanrı aşkına, diye düşündü Keller, buna bir son vermeyecekler miydi? Bu adamların gerçek bir hayatı olmayabilirdi ama en azından varmış gibi rol yapabilirlerdi.

Sonra ilginç bir şey oldu. Başka bir makaleyi okumaya başlamıştı ki kendini kaptırdığını fark etti. Birden kendini ilanlara bakarken buldu. Escondido'dan dünya çapında bir pul koleksiyoncusu Latin Amerika pullarını satışa çıkarmıştı. Keller yıllar önce bu adamla alışveriş yaptığını hatırladı. Tüm ilanlarda olduğu gibi bunda da sadece katalog numaraları verilmişti. Katalogdaki yerleri ve fiyatları belirtiliyordu. Okunacak pek bir şey yoktu aslında ama Keller buradan yola çıkarak bütün ilanlara göz atmaya başladı. Gazeteyi bir kenara bırakıp yukarı çıktı. Elinde Scott kataloğu ile geri döndü ve kaldığı yerden ilanlara bakmaya devam etti.

"Nicholas."

Bir rüyadan uyanır gibi Julia'ya baktı.

"Ben yukarı çıkıyorum. Haber vermek istedim. İşin bittiğinde ışıkları söndürüp gelirsin, olur mu?"

Kataloğu kapattı ve gazeteyi bir kenara bıraktı. "Şimdi çıkıyorum," dedi.

"Eğer okumaya devam edeceksen..."

"Yarın erken kalkmam lazım. Okumaya yarın devam ederim."

Duş alıp, dişlerini fırçaladı. Julia yatakta onu bekliyordu. Birlikte olduktan sonra kadının yanına uzandı ve "Bu gerçekten çok güzeldi," dedi.

"Bence de," dedi Julia.

"Evet, güzeldi ama ben daha çok bana aldığın hediyeyi kastetmiştim. Çok düşüncelisin."

"Hoşuna gitmesine sevindim. Hoşuna gitti, değil mi?"

"Evet, resmen kendimi kaptırdım. Gerçekten ilginç bir şey duymak ister misin? İlanlara bakarken ilgimi çeken bir şeyler buldum ve ne olduklarını görmek için yukarı çıkıp kataloğumu aldım."

"Fiyatını öğrenmek için mi?"

"Hayır, satın almak için yapmadım. Ben kataloğu kontrol amaçlı kullanırım. Kataloğu aşağı getirdim; çünkü bu pulun benim koleksiyonumda olup olmadığını görmek istedim."

"Çok mantıklı. Ben bunda ilginç bir yan göremiyorum."

"İlginç olan, benim koleksiyon yapmak için oradaki bütün pullara ihtiyaç duymam. Son aldığım beş İsveç pulu hariç. Bu beşi dışında bir tane bile pulum yok."

"Doğru."

"En iyi kısmı da şu ki artık bir koleksiyonum olmadığı halde koleksiyondaki eksik pulları tespit etmeye çalışıyorum."

Koleksiyonunu özlediğini fark etti.

O gün geç saatlere kadar çalıştı. Eve döndüğünde yemek yedi ve bir saat kadar televizyon izleyip yatmaya çıktı. Ertesi gün boş günüydü. Bütün sabah bahçeyle uğraştı ve çalılıklara şekil vermeye çalıştı. Julia'nın tek istediği eve biraz ışık girmesiydi. Bu yüzden biraz uğraştı. Sonra durdu ve yeterince budayıp budamadığını kontrol etti.

Öğleden sonra Julia geldi ve kadının arabasına binip körfezde deniz ürünleri sunan bir lokantaya gittiler. Donny ve Claudia buradan övgüyle bahsetmişlerdi. Eve dönerlerken, bahsedildiği kadar iyi bir yer olmadığına karar verdiler. Eve geldiklerinde Julia çamaşırları toplamaya çıktı ve Keller da sandalyenin üzerinde duran gazeteyi fark etti. Alıp, çöpe atmayı düşündü. Makalelerin çoğunu okumuştu ve artık bir koleksiyonu da olmadığına göre gazeteyi elinde tutmanın ne anlamı vardı?

Fakat eline alınca okumaya başladı. Koleksiyonu olmadan, nasıl koleksiyonculuk yapabileceğini düşünüyordu. Belki de hâlâ koleksiyonu varmış gibi davranmalı ve eksik pulları almaya devam etmeliydi. Yalnız bu kez pulları albüme değil bir kutuya kaldıracaktı. Böylece kayıp koleksiyon bir yolunu bulup kendisine geri döndüğünde, ki bunun asla olmayacağını kendisi de biliyordu; yeni pullar albüme kaldırabilirdi. Şimdilik pulları yerleştirmeye değil, satın almaya odaklanmalıydı.

Bu şekilde pul koleksiyonculuğu yapmak, bir kuş bilimcinin kuşları toplamasına benziyordu. Tespit ettiği her yeni kuş, kuş bilimcilere ait yaşam listesine eklenirdi. Listeye kuş ismi ekleyen kişi bu kuşa sahip olup olmadığını belirtmezdi. Bu mantıkla yola çıkıldığında, koleksiyon elinde olmasa da hâlâ Keller'a ait sayılabilirdi. Onlar da Keller'ın yaşam listesine dahildi.

Kontrol için Scott kataloğunu kullanmaya devam edebilirdi. Yeni bir pul aldığında, katalog üzerindeki numarasını daire içine alır; böylece aynı pulu ikinci kez satın alma riskini ortadan kaldırabilirdi. Ancak bu kez farklı renkte bir kalem kullanmalıydı. Böylece kataloğa baktığında hangi pulların koleksiyon çalındıktan önce, hangilerinin de sonra alındığını ayırt edebilirdi.

Bu durum oldukça garipti. Keller da bunun farkındaydı ama en başından pul koleksiyonculuğu yapmak çok mu mantıklı bir işti?

Sayfaları çevirirken, gördüklerine değil aklından geçen düşüncelere dalmıştı. Bu yüzden daha önce baktığı ilanlara tekrar bakıyordu.

Gazetenin arka sayfalarında doğru bir yerde küçük, özel ilanlara yer verilirdi. Burası özel ilanları olan insanları, koleksiyoncularla buluşturmak üzere ayrılmıştı. Burada sadece pul ilanları verilmiyordu. Bir keresinde adamın biri Fransa ve 1960 öncesi İngiltere Kraliyet pulları konusunda uzman olduğunu anlatan bir ilan vermişti. Adamın biri de yıllarca aynı ilanı vermiş ve elinde İkinci Dünya Savaşı'ndan sonra Almanya ve Avusturya'da kurulan Müttefik Askeri Hükümet dönemine ait pullar olduğunu duyurmuştu. Keller, bu ilanı tekrar karşısında görünce çok şaşırdı. Adam gerçekten çok azimli olmalıydı.

Bu ilanın iki sütun üzerinde yeni bir ilan fark etti:

JUST PLAIN KLASSICS

Memnun Kalacağınızdan Eminiz

www.jpktoxicwaste.com

Keller uzun bir süre bu ilana baktı. Gözlerini açıp kapattı ve ilanın hâlâ orada olduğunu gördü. Eğer uykuya dalıp rüya görmeye başlamadıysa, bu ilanın gerçek olmasına imkan yoktu.

Daha önce birkaç kez uyku esnasında rüya gördüğünün farkına varmış ve kendini bu rüyadan uzaklaştırmıştı. Sonradan uykuda bilincinin yerine geldiğini düşünmüştü. Bu da öyle bir durum muydu? Kalktı, odada bir iki tur atıp tekrar oturdu. Rüyada olup olmadığından emin olmak istiyordu. Gazeteyi eline alıp, diğer ilanlara baktı. Onlarda da bir gariplik sezerse, rüya olduğuna inanacaktı.

Diğer ilanlarda hiçbir gariplik yoktu. Just Plain Klassics ilanı ise hâlâ oradaydı ve bunun olması imkansızdı.

Çünkü bu ilanı verebilecek tek bir kişi vardı. O da başından iki kez vurulup White Plains yangınında hayatını kaybetmişti.

31

Keller, Magazine Caddesi'ne gitti. Pul dükkanını aradı ve Julia'nın tarif ettiği yerde buldu. Çok küçük bir tabelası vardı. Daha önce fark etmemiş olmasının sebebi buydu demek ki.

İçeri girdi ve başka Linn's sayısı olup olmadığına baktı. Bu ilanın daha önceki sayılarda çıkıp çıkmadığına bakacaktı. Bunun ne faydası olacaktı, kendisi de bilmiyordu.

On dakika sonra, caddenin karşısındaki internet kafeye gitti ve bilgisayar başında büyülenmiş gibi oturan gençleri gördü. En son Iowa'ya gitmeden önce internete girmiş ve eBay'de bir pul açık arttırmasına katılmıştı. New York'a döndüğünde diz üstü bilgisayarını bulamamıştı ve yerine yenisini almayı düşünmemişti. Ne için alacaktı ki?

Julia da kendi bilgisayarını Wichita'dan New Orleans'a taşınırken satmıştı ve yenisini almaktan bahsediyordu. Ama bilgisayar almaktan bahsederken, tavan arasını temizlemekten de bahsettiği için bu konuya ne kadar önem verdiği oldukça açıktı. Elbet bir gün alınacaktı ama aceleye hiç gerek yoktu.

Julia'nın bilgisayarı olsa bile, onu bu iş için kullanmak istemezdi. Keller, evden uzak bir ortak bilgisayar kullanmayı tercih etmişti.

Bilgisayarlardan birinin başına geçti ve www.jpktoxicwaste.com adresine girdi.

Başlık tamamen bir tesadüf olmalıydı. Sayfada 1840 ve 1940 yılları arası klasik pullardan bahsediliyordu. Firmanın adı Just Plain Classics olmalıydı ve adam ilginç olsun diye kelimelerden birinin baş harfini değiştirmişti. Tıpkı Krispy Kreme çörekleri gibi.

Eğer öyleyse, Keller'ın ismine benzer bir isim yakalamıştı. Sayfada gösterilen pulların pek çoğu Keller'ın koleksiyonunda vardı. Mesele bu değildi. Mesele Just Plain Klassics isminin baş harflerinin John Paul Keller ile örtüşmesiydi. Dot, bu benzerlikten yola çıkarak mesaj göndermeye çalışıyor olabilirdi.

İnternet sitesinin sahibi, ilanda adını yazmamıştı. Ne bir adres ne telefon ne de faks numarası vardı. Kendisine ulaşmak isteyenler sadece internet sayfasını kullanabilecekti. Bugünlerde pul koleksiyonculuğu büyük oranda internet üzerinden yürütülüyordu. Linn's ilanlarının çoğunda da internet adresleri veriliyordu ancak bu şekilde bir ilan oldukça dikkat çekiciydi.

Peki ya sitenin adresine ne demeliydi? www.jpktoxicwaste.com.

Yıllar önce yaşlı adam işlerin başındayken, kendisinin ve Dot'ın başını ağrıtan bir konu vardı. Patronları, ortada hiçbir sebep yokken işleri geri çeviriyordu. Yakında başına gelebilecekleri tahmin eden Dot, *Mercenary Times* adlı bir dergiye ilan verdi. Toxic Waste adında bir şirketten gönderiyor gibi ilginç işler aranıyor türünden bir ilan vermişti ve adres olarak da Hastings ya da Yonkers diye bir yerden bahsetmişti.

JPK. Toxic Waste.

Bu da mı tesadüftü? Keller'ın suikast zamanında Des Moines'de bulunması gibi bir tesadüf olabilirdi. Eğer tesadüf değilse, ölmüş birinden gelen bir mesajdı. Çünkü bu ilanı verebilecek tek kişi Dot'tı.

İnternet sitesi tam bir hayal kırıklığıydı. Çünkü sadece kalın puntolarla JPK yazıyordu. Pullarla ilgili hiçbir bilgi yoktu. Sadece sitenin yapım aşamasında olduğunu söyleyen bir not ve Keller'a hiçbir anlam ifade etmeyen bir matematik formülü vardı:

19 Δ = 28 x 24 + 37 – 34 / 6

Bu ne demekti?

Google sayfasında defalarca aradı. Farklı permütasyonlar denedi. JPK, just plain klassics, JPK pulları. Hiçbir şey bulamıyordu. Eğer "classics" kelimesinin başındaki *c* harfini *k* ile değiştirdiyse, aynı yöntemi kelimenin sonundaki *c* üzerinde de uygulayabilirdi. JPK klassiks ve JPK classics seçeneklerini de denedi ama bir yere varamadı. Formülü aratarak da bir sonuca ulaşamadı. Elinden geleni yaptı ama her defasında karşısına "aradığınız terimleri içeren herhangi bir belge bulunamadı," diyen bir uyarı çıktı. Aramaktan vazgeçti ve www.jpktoxicwaste.com adresine döndü. Yine aynı uyarı ve formülle karşılaştı. Bu kez formülü olduğu gibi kopyalayarak, Google arama motoruna yazdı. Hiçbir sonuç elde edemedi.

Formülü çöz, Keller.

Bir kağıt ve kalem alarak formül üzerinde çalışmaya başladı. Lisede öğrendiği cebir bilgilerini çoktan unutmuştu ama basit bir yöntem izleyerek sonuca ulaşabilirdi. 28 kere 24, 672 ederdi. 672 artı 37 ise 709. 709'dan 34 çıkarttığında sonuç 675 oluyordu (Madem 34 çıkartacaktı, neden bir dakika önce 37 eklemişti ki). Son olarak 675'i 6'ya böldü ve 112.5 sonucuna ulaştı. 19 Δ = 112.5. Peki bu ne demek? Bunu çözmeye çalıştığında 5.921052631 sonucu çıkıyor ki bunun da doğruluğu şüphe götürürdü.

Pi sayısı gibi kolay bir çözümü olmalı, diye düşündü Keller. Belki sadece internet saçmalığıydı.

İsminin içinde kafe kelimesi geçen bir yerde kahve olması beklenirdi. Keller da kahve olup olmadığını sordu ama orada çalışan çocuk kahve olmadığını söyleyerek Coca Cola ve çeşitli enerji içeceklerini bulabileceği bir makineyi gösterdi.

Keller az ileride bir Starbucks buldu ve hemen kendisine bir latte alarak masalardan birine oturdu. Kağıtlarını çıkardı ve orijinal denkleme bakmaya başladı. Matematik sembollerini çıkarttığında elinde ne kalacağına baktı.

19 Δ = 282437346.

Cüzdanını çıkartıp, Sosyal Güvenlik kartına baktı. Sonra da rakamların arasına, Sosyal Güvenlik numarasındaki gibi tire koydu.

282-43-7346.

Peki 19 Δ ne olacaktı? Ayrıca Sosyal Güvenlik kartının konuyla ne alakası vardı?

Δ sembolünü yok saydı ve on bir numarayı yan yana dizdi.

1-928-243-7346.

İşte, bulmuştu.

Kuzey Arizona. 928, Kuzey Arizona bölgesinin alan koduydu.

Kuzey Arizona'dan kimseyi tanımıyordu. Arizona'dan kimseyi tanımıyordu. Arizona'ya en son iş için gitmişti ve Tucson'da kalmıştı. Aradığı adam sadece golf kulübüne üye olanların girebildiği bir yerde yaşıyordu. Tucson, Güney Arizona'daydı ve alan kodu 520'ydi.

Şu anda önünde üç olasılık vardı.

İlki, bütün bunların bir tesadüf olmasıydı. Aslında bu imkansızdı. Çünkü tesadüflerin de bir sınırı olurdu. Bu durum, bir maymunun bilgisayar başına geçip tesadüfen Hamlet'i yazması gibi sıra dışıydı. Eğer bu olasılık gerçekleşmiş olsaydı, oyunun içinde muhtemelen şöyle bir cümleyle karşılaşılırdı "Olmak ya da olmamak. İşte bütün mesele gezorgenplatz."

İkinci olasılık mesajın Dot tarafından gönderilmiş olması. Evet, kız ölmüştü ama mezardan da iletişime geçebilirdi. Aslında hayalet şeklinde karşısına dikilebilir ya da kulağına bir şey fısıldayabilirdi ama bu Keller'ı korkutabilirdi. Bu yüzden Linn's gazetesine ilan vermek gibi parlak bir fikirle ortaya çıktı. Tabii ki bu da imkansızdı. Ruhlar aleminden biri nasıl olur da gazeteye ilan verebilirdi?

Üçüncü olasılık da mesajın bir türlü önüne geçilemeyen Al tarafından gönderilmiş olmasıydı. Keller'ın hobisini biliyor olmalıydı ve pul koleksiyonunu alan da büyük ihtimalle onun adamlarıydı. Keller'ın tam ismini öğrenmesi mümkündü. Buradan yola çıkarak tesadüfen de olsa Just Plain Klassics sonucuna ulaşabilirdi. Öyle olsa bile neden Keller'a şifreli bir telefon numarası bırakmıştı? Neden bu kadar uğraşacaktı ki? Başka birinin şifreyi çözme riskini göze alamazdı. Yemi atıp, Keller'ın oltaya gelmesini bekleyebilirdi.

Al olması imkansızdı. Çünkü Toxic Waste şirketinden haberi yoktu. Bunu sadece Dot ve Keller biliyordu. Bu konu oldukça eskiydi ve ikisinin dışında konuyu bilen herkes çoktan ölmüştü. Dot, işkence görürken Toxic Waste'den bahsetmiş olamazdı. Çünkü bu olayı hatırlama ihtimali çok düşüktü. "*Şimdi konuş bakalım. Keller'a ulaşabileceğimiz bir şey söyle, yoksa ayak tırnaklarını sökeriz.*" "*Toxic Waste, Toxic Waste!*" Evet, böyle bir şeyin olması imkansızdı.

Bu durumda Keller'ın aklına gelen üç ihtimallerin üçü de imkansızdı.

Bir olasılık daha vardı. Dot, öldürülmeden önce Keller'a ulaşmaya çalışmıştı. Zamanı geldiğinde Keller'a ulaşmak için bir düzenek hazırlamış olmalıydı. Peki bunu nasıl yapacaktı? Linn's gazetesine ilan verip, onu bir internet sitesine yönlendirecek ve buradan da bir telefon numarası bulmasını sağlayacaktı. Üstelik hiç iz bırakmadan.

Bir internet sitesi açmak hiç de zor değildi. Linn's gazetesine de yıllık ödeme yaparak ilanın bir yıl boyunca yayınlanmasını isteyebilirdi. Hatta ödemeyi daha fazla yapıp, ilanın bir yıldan bile uzun yayınlanmasını sağlayabilirdi. İnternet sitesi yapım aşamasındaydı. Belki Keller'a daha açık bir mesaj gönderebilmek için üzerinde çalışıyordu ama o dönemde pislik herifler evini basıp kızı öldürmüş olmalıydı. Bu durumda ilanın da, telefonun numarasının da artık hiçbir anlamı yoktu. Julia gazeteyi alıp eve getirinceye kadar, Keller'ın olan biten hiçbir şeyden haberi olmamıştı.

Bütün bunların olması mümkün müydü? Bilmiyordu ve artık düşünemiyordu. Çünkü ne kadar düşünürse düşünsün, bir sonuca varamıyordu. Yapılacak bir tek şey vardı.

Cep telefonu alabileceği bir yere gitti ve arayanın numarasını göstermeyecek bir telefon istediğini söyledi. Polisin arayan kişinin yerini tespit etme gibi bir imkanı vardı ama gazeteye ilan verenlerin polisler olmadığı da gün gibi ortadaydı. İlanı veren Al olabilirdi ama onun da böyle bir teknolojik imkana sahip olması pek mümkün görünmüyordu. En azından Keller, bu riski göze alabileceğini düşündü.

I-10 karayoluna çıktı ve Baton Rouge yolu üzerinde bir benzin istasyonunda durdu.

Telefona kimsenin cevap vermeyeceğini düşünüyordu; ama üçüncü çağrıda telefon açıldı. Sonra da bir daha asla duyamayacağını düşündüğü bir ses "Umarım bu kez de arayan Bangalore'daki tele-pazarlama şirketi değildir. Alo? Her kimseniz, bir şeyler söyleyin lütfen,"

32

"Ne düşündüğünü biliyorum. Başka ne düşünebilirdin ki? Ama şimdi bunları konuşarak zaman kaybetmeyelim. Ben de senin için aynılarını düşündüm. Neredesin? Buraya gelmen ne kadar sürer?"

"Flagstaff, Arizona'ya mı?"

"Nereden bildin? Alan kodundan, doğru ya. Hayır, Flagstaff değil ama oraya çok yakın. Flagstaff'de bir havaalanı var. En iyisi uçakla Phoenix'e gel ve oradan arabayla devam et. Tek bildiğim oradan sonra arabayla ulaşımın daha kolay olduğu. Sen neredesin bu arada?"

Kaybedecek bir şeyi yoktu. Bu yüzden "New Orleans," dedi. "Ama benim oraya gelmem hiç kolay değil."

"İyisin değil mi? Seni bir yere kapatmadılar ya?"

"Hayır, öyle bir durum yok. İşler daha karışık."

"Anladım. O zaman ben senin yanına geleyim. Bana engel olacak tek şey, kuaför randevum olabilir. Ondan kurtulmak da hiç zor değil. Telefon numaranı ver de sana geri döneyim. Keller?.. Orada mısın?"

"Buradayım."

"O zaman, ne bekliyorsun?"

"Bu telefonu daha yeni aldım. Numaramı ezbere bilmiyorum. Kartlardan birinin üzerinde yazıyor olmalıydı ama nereye gitti bilmiyorum."

"Bilinmeyen numaralarda son nokta," dedi Dot. "Telefonun sahibi bile kendi izini süremez. Bu kadar kendini beğenmiş olma Keller, birazdan Hindistan'dan bir adam arayıp sana Viagra satmaya çalışabilir. Pekala, ne yapmamız gerektiğini söylüyorum. Bir saat sonra beni ara. Ne zaman nereye geleceğimi söyle. Numaramı kaybetmezsin, korkma. Tek yapman gereken tekrar arama tuşuna basmak. Senin akıllı telefonun geri kalan her şeyi halleder."

Bir saat sonra Dot'ı aradı ve kızın üç gün boyunca hiçbir yere kımıldayamayacağını öğrendi. Keller bu süre içinde Julia'ya ne söyleyeceğini düşünebilirdi. Eve döndüğünde, Julia onu kapının önünde bekliyordu. "Hava durumunda yağmur yağacağını söylediler ama hiç yağmur havası yok. Sen ne dersin?" diye sordu. Keller ne söyleyeceğini bilmiyordu. "Yağabilir de yağmayabilir de," dedi. Kız da aynı fikirde olduğunu söyleyip Keller'a bir sorun mu var diye sordu.

"Dot, yaşıyor," dedi Keller.

Hava tahminleri doğru çıkmıştı. Yağmur o gün öğleden sonra başladı ve üç gün boyunca aralıklarla sürdü. Şakır şakır yağmıyordu ama sürekli kapalı bir hava vardı. Dot'ın kaldığı otele giderken silecekleri çalıştırmak zorunda kaldı.

Dot, Intercontinental Oteli'nde bir oda tutmuştu. Keller arabasını valeye teslim ettikten sonra Dot'ı aradı. Kız, onu lobide karşıladı ve birlikte kızın odasına gittiler. Asansörde iki kişi daha vardı. Bu yüzden ininceye dek tek kelime konuşmadılar.

"Sence asansördekiler bizim hakkımızda ne düşünmüşlerdir? Eşlerini aldatan hainler mi yoksa balayına gelmiş mutlu bir çift mi?" diye sordu Dot.

"Dikkat etmedim."

"Onlar da dikkat etmediler Keller. Neyse önemli değil. Tanrım şu haline bir bak. Çok değişmişsin ama asıl değişiklik nereden kaynaklanıyor onu bulamıyorum."

"Saçlarım."

"Evet, tabii ya. Yüzünün ifadesi değişmiş. Neler yaptın böyle?"

"Farklı bir kesim yaptırdım ve önleri biraz uzattım. Bir de rengini açtırdım."

"Gözlüklerin. Bunlar çift odaklı, değil mi?"

"Alışmak biraz zaman aldı."

"Bir de beni düşün. Hem gözlüklere hem de gözlükleri takan adama alışmaya çalışıyorum. Yalnız gözlüklerin yarattığı etki çok hoşuma gitti. Çalışkan bir insan imajı çizmişsin."

"Daha iyi görebiliyorum. Sen de çok değişmişsin Dot."

"Daha yaşlı görünüyorum Keller. Ne olmasını bekliyordun ki?"

Daha yaşlı görünmüyordu. Aksine çok daha genç görünüyordu. Yıllar önce tanıştıklarında kızın saçları simsiyahtı ve zaman ilerledikçe beyazlar çıkmaya başladı. Özellikle Des Moines'e gitmeden önce ayrılırlarken, saçında beyazlar olduğunu hatırlıyordu. Şimdi beyazlardan eser yoktu. Giydiği döpiyes, hiç onun tarzı değildi. Ayrıca tanıştıklarından bu yana ilk kez kızın ruj sürdüğünü ve göz makyajı yaptığını görüyordu.

"Kendime bir yaşam koçu tuttum. Bir de haftada bir saç bakımımı yapan Vietnamlı kız var tabii. Evime kapandım ve bütün gün güneşlendim. Geceleri de bir kutu çikolata ile huzur bulmaya çalıştım. İşte sonuç bu. Nasıl görünüyorum?"

"Muhteşem görünüyorsun, Dot."

"Sen de öyle. Ne yaptın, golf oynamaya mı başladın? Eskiden bu kadar geniş omuzlu değildin."

"Çekiç kullanmaktandır herhalde."

"Boğarak adam öldürmek, çekiçle öldürmekten daha kolaydır ama görünüşe göre çekicin fiziksel gelişime büyük katkısı oluyormuş." Dot oda servisini aradı ve iki buzlu çay istedi. Sonra Keller'a dönerek "Konuşacak çok şey var, öyle değil mi?" dedi.

Önce Keller başladı. Des Moines'deki son konuşmalarından bu yana, başından geçen her şeyi anlattı. Dot, dikkatle dinledi ve sadece anlamadığı kısımlarda birkaç soru sordu. Keller konuşmayı bitirince "Emekli olmayı planlıyordun ama haline bak. Ağır işçi olmuşsun," dedi.

"Başlarda zorlandım ama öğrenmek çok zamanımı almadı," dedi Keller.

"Zor olduğunu sanmam. Bu işlerle uğraşanların çoğu tam bir moron çünkü."

"Ayrıca beni tatmin ediyor. Karmakarışık bir yerden başlayıp, işi çözüme kavuşturmak çok güzel bir duygu."

"Sen zaten bu işi yıllardır yapıyorsun Keller. Sadece daha önce boya fırçası kullandığını hiç duymamıştım. Şimdi biraz kız arkadaşından söz etsene."

Keller başını iki yana sallayarak "Sıra sende," dedi.

Dot, anlatmaya başladı. "Neler olup bittiğini anladığımız zaman, ortalıktan kaybolmam gerektiğini düşündüm. Ne kadar erken kaçarsam, o kadar iyi olacaktı. Senin için yapabilecek hiçbir şeyim yoktu. Kaçabilirdin ya da yakalanabilirdin. Bu yüzden hemen internete girip sahip olduğumuz her şeyi sattım. Bütün hisse senetlerini, bonoları, hepsini sattım. Sonra da parayı Kayman Adalarındaki hesabımıza aktardım."

"Bizim Kayman Adalarında hesabımız mı var?"

"Tıpkı Ameritrade Bankası'nda olduğu gibi orada da bir hesap açtım. Her ihtimale karşı parayı oraya transfer ettim. Ev işini hallettim ve bir iki blok ileriden otobüse bindim."

"Ev işini hallettin mi? Bu ne anlama geliyor?"

"Sen akıllı bir adamsın Keller. Sence ne anlama geliyor?"

"Evi yakan sendin."

"Adamlara ipucu olabilecek her şeyden kurtulmam lazımdı. Bilgisayarın içindeki hard diski aldım ve senin cep telefonuna benzer bir müdahaleden sonra yeniden yerine kaldırdım. Sonra da evi ateşe verdim."

"Evde bir ceset bulundu."

"Ben o kısmı atlamayı düşünmüştüm. Ben evde tüm bunlarla uğraşırken, kadının biri çıkageldi. Tek düşünebildiğim, onu Tanrının gönderdiğiydi."

"Tanrı mı gönderdi?"

"İbrahim'in oğlu İshak'ı nasıl kurban etmek üzere olduğunu hatırlamıyor musun? Tam o esnada Tanrı gökten bir koç göndermedi mi?"

"Bu hikaye bana hiçbir zaman inandırıcı gelmemiştir."

"İncil'de yazıyor Keller. Neden inanmıyorsun ki? Evde çaresizce koşuşturup duruyordum ve benzini nereye dökmem gerektiğini düşünüyordum. O anda kapı çaldı. Kapıyı açtım ve kadın karşımda duruyordu."

"Ne yapıyordu? Dergi mi satıyordu, anket mi yapıyordu?"

"Yehova Şahitlerindendi. Bir Yehova Şahidinin karşısında istavroz çıkardığında ne olur bilirsin."

"Ne olur?"

"Biri durduk yerde gelir ve kapını çalarsa, onun bir Yehuda Şahidi olup olmadığını ayırt edebilirsin değil mi? İstavroz çıkartıp, onu eve kabul ettim. Kadın koltuğa oturunca, içeri geçip silahımı aldım. Birkaç el ateş ettim ve kadın oracıkta öldü. Buldukları ceset ona ait olmalı. Parmaklarına bolca benzin döktüm. Böylece parmak izinden kim olduğunu tanımalarına imkan yok. Benim parmak izim kayıtlarda yoktu ama onunkilerden nasıl emin olabilirdim? Biri ansızın kapında beliriyor, hakkında ne bilebilirsin ki? Neden kaşlarını çattın?"

"Diş yapısından cesedin sana ait olduğunu doğrulayan bir belge olduğunu okudum."

"Doğru."

"Bunu nasıl başardın?"

"Bu yüzden diyorum ya bu kadını bana Tanrı gönderdi diye. Kadının dişleri takmaydı."

"Takma mıydı?"

"Hem de ucuz olanlarından. Kadının ağzını açmadan, dişleri çıkarman mümkündü. Onun dişlerini çıkartıp yerine kendi dişlerimi taktım."

"Kendi dişlerini mi?"

"Bunun neresi garip?"

"Dişlerinin takma olduğunu hiç fark etmemiştim."

"Fark etmemen gerekiyordu zaten. Bu yüzden onlara Yehova kızının dişlerinden on ya da yirmi kat daha fazla para ödedim. Ben daha otuz yaşına gelmeden bütün dişlerimi kaybettim Keller. Bu hikayeyi başka bir zaman anlatırım. Dişleri değiştirdim, evi ateşe verdim ve oradan uzaklaştım."

"Ben hep düşündüm ki..."

"Dişlerimin gerçek olduğunu mu düşündün? Bunları görüyor musun?" Kız dişlerini gösterdi. "İtiraf etmeliyim ki bunlar White Plains'de bıraktığım dişlerden çok daha iyi. Kusursuz değiller ama yine de güzeller. Ne kadara mal olduklarını sorma sakın."

"Sormayacağım. Aslında söylemek istediğim de bu değildi. Ben Yehova Şahitlerinin hep çift halinde gezdiklerini düşünmüştüm."

"Evet bir de adam vardı."

"Adam mı?"

"Önce onu vurdum. Çünkü o daha iri yarıydı ve sorun çıkartacak bir tipe benziyordu. Yine de ikisini de öldürmek çok kolay oldu. Önce adamı, sonra kadını vurdum. Adamı arabamın bagajına kaldırdım. Eve döndüm, dişleri değiştirdim ve evi ateşe verdim."

Arabasını garajda bırakmıştı. Kimse gidip oraya bakmazdı. Eşyalarını küçük bir çantaya doldurup, otobüsle tren istasyonuna gitmişti. Trenle Albany'e gitmiş ve altı haftalığına bir apart otelde kalmıştı. Otelde çoğunlukla politika ile ilgilenen kişiler kalıyordu.

"Eyalet senatörleri, meclis üyeleri ve lobi faaliyetleri yapanlar resmen otele para yağdırıyorlardı. Benim de yanımda yeterince nakit para ve kendi adıma düzenlenmiş birkaç kredi kartı vardı. Kendime bir araba ve diz üstü bilgisayar aldım. Biraz araştırma yaptıktan sonra Sedona'ya yerleşmeye karar verdim," dedi Dot.

"Sedona, Arizona."

"New York, New York gibi kafiyeli değil mi? Zaten New York'la olan tek benzerliği de bu. Küçük ama pahalı bir şehir. İklimi ideal. Yerleşim düzeni çok güzel. Şehrin nüfusu her yirmi dakikada bir ikiye katlanıyor. Bu yüzden yeni gelenler çok dikkat çekmiyor. Altı ay kaldıktan sonra, şehrin yerlisi oluveriyorsun.

Sedona'ya arabayla gitmeye karar vermiştim. Böylece yol üzerindeki diğer şehirleri de görme imkanım olacaktı ama sonra düşündüm ve diğer şehirleri görme fikrinin çok da akıllıca olmadığını anladım. Arabayı satıp, uçakla Phoenix'e gittim. Orada yeni bir araba aldım ve Sedona'ya geçtim. Çatı katı bir daire buldum. İki odalı küçük bir yerdi. Pencerelerin birinden bir golf sahası, diğerinden de Bell Rock görülebiliyordu. Sanırım Bell Rock neresi, hiçbir fikrin yok."

"Saat kulesi mi?"

"Saçın çok değişmiş," dedi Dot. "Yine de karşımdakinin eski Keller olduğunu biliyorum. Hiç değişmedin öyle değil mi? Sedona'ya yerleşir yerleşmez, sana nasıl ulaşabileceğimi düşünmeye başladım. Gazetelerden olan biteni takip ediyordum. Des Moines'den kaçtığını ve polislerin seni yakalayamadığını bu sayede öğrendim ama Al'e yakalanıp yakalanmadığını gazetelerden öğrenmeme imkan yoktu. Eğer Keller hayattaysa, kimsenin dikkatine çekmeden ona ulaşabileceğim tek bir yol var dedim ve malum çalışmayı hayata geçirdim."

"Linn's gazetesine ilan verdin."

"O ilanı mümkün olan her yerde yayınlattım. Pul koleksiyoncuları için bu kadar çok gazete ve dergi yayınlandığı kimin aklına gelirdi ki? İlanı Linn's dışında Global Stamp News, Scott's Monthly Journal ve ulusal pul topluluğunun üyelerine gönderdiği dergide de yayınlattım."

"Amerikan Pul Koleksiyoncuları Topluluğu. Oldukça iyi bir dergidir."

"Kafa karışıklığından başka bir şey değil. İyi ya da kötü ilanım her yerde yayınlandı, hem de her ay. Birkaç dergi daha vardı sanırım. Birinin adı McBeal's olmalı."

"Mekeel's."

"Her neyse. Hepsine de ben iptal ettirene kadar ilanı yayınlamalarını söyledim. Her ay Visa kartıyla ödeme yapmak zorunda kaldım. Bu ilanı daha ne kadar yayınlatmam gerektiği konusunda endişelenmeye başlamıştım. Belki bir gün gelir diye her maçta Elvis için ön sıradan bir bilet ayırtan futbol takımı sahibini bilirsin. O adam en azından bu yolla epey ünlenmişti."

"İlan işi sana pahalıya patlamış olmalı."

"Çok değil. Küçük bir ilan olduğu için az para alıyorlardı. Ayrıca uzun süredir yayınlanmakta olduğunu göz önünde bulundurunca, indirim yapmaya başladılar. Asıl sorun para değil, seni bulamamanın verdiği üzüntüydü. Her ay Visa kartımın ekstresi geldiğinde, seni bulamayacağıma dair bir korkuya kapılıyordum. Sen en azından bir beklenti içinde değildin. Öldüğümü düşünüyordun, oysa ben sürekli ne durumda olduğunu merak ediyordum."

"Hangisi daha kötü bilemiyorum,"

"Muhakkak ki ikisi de çok kötü ama hepsi geride kaldı. Gördüğün gibi ikimiz de hayattayız. Asıl önemli olan bu. İlanı ve gördün ve numarayı aradın."

"Onun bir telefon numarası olduğunu çözdükten sonra tabii."

"Numarayı açık açık yazsaydım arayanların ardı arkası kesilmezdi. Aklına koyarsan, çözebileceğini biliyordum. Yine de düşünmeden edemiyorum. Beni bulman neden bu kadar uzun sürdü? İlanı içinde bir mesaj olduğunu anlayıncaya kadar, kaç kez gördün kim bilir?"

"Sadece bir kez."

"Bir kez mi? Bu nasıl olur Keller? Postacının sana gazeteleri getireceğini düşünmüyordum elbette ama ilan az evvel saydığım yayınların hepsinde aylarca yer aldı. Herhangi bir Linn's sayısı bulmak ya da yeniden bir üyelik formu doldurmak ne kadar zor olabilir?"

"Hiç zor değil ama neden böyle bir şey yapayım ki? Ne anlamı kaldı? Dot, ilanı gördüm; çünkü Julia bir Linn's gazetesi alıp bana sürpriz yapmak için eve getirdi. Bana verip vermeme konusunda tereddütleri vardı. Açıkçası ben de yazılanları okuyabileceğimden emin değildim."

"Ama okudun."

"Gördüğün gibi evet."

"Anlamadığım şey, neden yazıları okuyabileceğinden emin değildin? Artık Linn's abonesi değil misin? Kaçırdığım bir nokta olmalı, Keller. Çözmeme yardım et lütfen."

"Aboneliğimi sonlandırdım; çünkü o gazete pul koleksiyoncuları için. Elinde hiç pul yokken, koleksiyoncu olmak da imkansız."

Dot uzun uzun Keller'a baktıktan sonra "Senin haberin yok," dedi.

"Neden haberim yok?"

"Tabii ki haberin yok. Nasıl olsun ki? Hikayeni anlatırken evine gittiğin kısmı geçiştirdin ya da belki ben dikkatli dinlemedim."

"Evet o kısmı atlamış olabilirim. Bu konuyu düşünmek bile istemiyorum. Evime gittim ve..."

"Ve pullarını bulamadın,"

"Hem de hiçbirini. On albümün tamamı kayıptı. Kimin aldığını bilmiyorum. Belki polisler, belki de Al'in adamları ama alan her kimse..."

"İkisi de değil,"

Keller kıza baktı.

"Tanrım, bunu sana daha önce söylemeliydim," dedi Dot. "Nedense hiç aklıma gelmedi. Keller, o bendim. Pullarını ben aldım."

Albany'de kalacak bir yer ayarladıktan sonra ilk iş kendine bir araba alıp, New York'a gitti.

"Pullarını almak için gittim," dedi. "Bir keresinde abuk sabuk bir iş için gidiyordun ve geri dönemezsen ne yapmam gerektiğini tek tek anlatmıştın, hatırladın mı? Evine gidip pulları alacaktım. Sonra da senin ismini verdiğin koleksiyoncuları arayıp, pulları söylediğin fiyattan onlara satacaktım."

Keller bunların hepsini hatırlamıştı.

"Hayatta olduğuna dair inancımı koruduğum sürece pulları kimseye satmaya niyetim yoktu. Albümleri evinden çıkarır çıkarmaz, gerekli özeni gösterdim. Eve girmek için gerekli yetki belgesini yanıma aldım. Benim evdeki eşyalar üzerinde hak sahibi olduğumu gösteren ve senin imzanı taşıyan belgeyi kapıcına gösterince..."

"Böyle bir belge imzaladığımı hiç hatırlamıyorum."

"Alzheimer testi için gün almana gerek yok, Keller. Sen böyle bir belge imzalamadın. Ben kendi bilgisayarımda hazırladım bu belgeyi. Güzel bir başlık attım ve kendimi yetkilendirdim. Ayrıca kapıcıdan izin almama da gerek yoktu. Bende evinin anahtarları vardı."

"Albümleri dışarı nasıl çıkardın? Çok ağır değil miydi?"

"Gerçekten çok ağırdı. Dolapta büyük bir valiz buldum ve albümleri ona kaldırdım. Taşımak için de kapıcıdan yardım istedim. Birlikte hepsini bagaja koyduk. Bilgisayarını da aldım ama maalesef onu bir daha görmene imkan yok. Tabii Hudson nehrinin derinliklerine bakarım diyorsan, o başka."

"Görünüşe göre ikimizin de nehirlere bir düşkünlüğü var." Keller buzlu çaydan büyük bir yudum aldı ve konuşmaya devam etti. "Her şey birbirine girdi. Bakalım doğru anlamış mıyım? Pullar..."

"Albany'de nemden uzak bir kasada. Aslında Latham'da ama sen Latham'ın neresi olduğunu bilmiyorsundur."

"Albany çok uzak sayılmaz. Hepsi orada mı? Bütün pul koleksiyonum bir kasada ve ben istediğim zaman gidip onları alabilir miyim?"

"İstediğin zaman. Büyük ihtimalle ben de yanında gelirim. Böylece sana sorun çıkarmalarına engel olurum. Bir an önce gidip almak istersen, yarın Albany'e uçabiliriz."

"Görünüşe göre senin önceliğin bu değil."

"Kalıp birkaç gün gezmek ve New Orleans'ı görmek istiyorum. Pullar ne olursa olsun orada seni bekliyor olacak. Ayrıca inşaat işlerinin kötü gitmesi ihtimaline karşılık bankada da iki buçuk milyon doların hazır olacak. Şimdi oturup tüm bunların keyfini çıkartabilirsin."

"Ya da?.."

"Buzlu çayım ne zaman bitti? Sakıncası yoksa senin çayından bir yudum alabilir miyim?"

"Tabii, rahatına bak."

"İkimiz de iyi durumdayız, Keller. Burada güvendeyiz. Polisler senin öldüğünü ya da Brezilya'ya kaçtığını düşünüyor. Brezilya'da öldüğünü düşünenler bile vardır. Telefonum çalana dek ben de böyle düşünmüştüm. Eski dostumuz neler düşünüyor bilmiyorum ama büyük ihtimalle çok daha önemli işlerin peşine düşmüştür. Beni öldü biliyor. Sen de bu kadar zaman içinde Al'in listesinde son sıralara gerilemişsindir. Şu anda hiçbir şey yapmak zorunda değiliz,"

"Ama?.."

Dot derin bir iç çekti ve konuşmaya başladı. "Bunun bir karakter bozukluğu olduğunu biliyorum. Bu konuyla ilgili seminerlere katılmalıyım. Kesin Sedona'da birileri bu konuyla ilgili seminer düzenliyordur. Sence bu seminerlerden birine katılma ihtimalim ne kadar?"

"Oldukça düşük."

"Haklısın Keller. Böyle bir şeyi hayatta yapmam. Ayrıca burada oturup hiçbir şey olmamış gibi de davranamam. Al denen o pislik heriften intikamımı almalıyım."

"Senin öldüğünü ama o pisliğin hâlâ hayatta olduğunu düşünmek beni delirtiyordu."

"Aynı şekilde ben de onun yaşadığını ama senin ölmüş olabileceğini düşünerek sinir krizleri geçiriyordum. Görünüşe göre ikimiz de hayattayız ve ikimiz de birer milyoneriz. Bu işin peşini bırakmalı ve rahat içinde yaşamalıyız ama..."

"Ama gidip o pisliği bulmak istiyorsun."

"Kesinlikle. Ya sen?"

Keller derin bir nefes aldı ve "Sanırım gidip Julia'yla konuşsam iyi olur," dedi.

33

"Onunla tanışmayı çok isterim," dedi Julia ve Dot'ın da yemekte onlara katılmasını istedi. Önce bir restorana çağırmayı düşündüler ama sonra Julia bir öneride bulundu. "Hayır, restoran olmaz. Ne yapalım biliyor musun? Sen Dot'ı bize getir, yemekleri ben hazırlarım."

Keller, Dot'ı almaya gittiğinde farklı bir kıyafet giydiğini fark etti. Pantolon yerine etek giymişti ve saçları da daha değişik görünüyordu. "Sedona'daki kuaför randevumu iptal ettirmek zorunda kaldım. Bu yüzden otelin kuaförüne gittim. Çok konuşuyordu ama sonuç güzel oldu. Saçlarımın bu şeklini çok beğendim."

Eve geldiklerinde Keller, Dot ve Julia'yı tanıştırdı. Tanışma anında bir adım geri çekildi. Her an bir şeyler ters gidecek gibi hissediyordu. Dot evi gezip, birbirinden güzel sözler söyledikten sonra sofraya oturdular. Keller, o an her şeyin yolunda gideceğini ve hiçbir aksilik çıkmayacağını anladı.

Julia tatlı olarak tart ikram etti. Yine Magazine Caddesi'ndeki pastaneden almıştı ama bu kez fındıklıydı. Tatlıyla birlikte kahve içtiler. Gece boyunca Julia, Nicholas demeyi tercih ederken; Dot Keller'a ismiyle hitap etmedi. Ama Keller, Dot'ın ikinci kahvesini doldururken "Keller," dedi. Sonra "Nicholas demek istemiştim," diyerek Julia'ya baktı. "Sizden kilometrelerce uzakta yaşamam ne büyük şans. Yoksa sürekli bir yerlerde pot kıracağımı düşünerek diken üstünde yaşayacaktınız. Sen hiç bu ismi kullandın mı Julia? Ona Keller dedin mi?"

Birlikte otele dönerlerken Dot konuşmaya başladı. "Julia tam bir hanımefendi Keller. Üzgünüm, yeni ismine alışmam biraz zaman alacak. Benim için bir süre daha Keller olarak kalacaksın."

"Bunun için endişelenmene gerek yok."

"Ben sana Keller dediğimde Julia'nın yüzü kıpkırmızı oldu. Neden? Bak gördün mü, şimdi de sen kızardın."

"Gerçekten mi? Önemli bir şey değil. Unut gitsin."

"Pekala. Sanırım bir hata yaptım ve şimdi de tamamen unuttum."

"Sana hiç başkalarının yanında Keller dedim mi? Dot'ın yanında resmen kıpkırmızı oldum."

"Fark ettiğini sanmıyorum."

"Öyle mi dersin? Bence arkadaşının fark edilmeyen pek çok özelliği var. Ben ondan çok hoşlandım. Gerçi pek düşündüğüm gibi biri çıkmadı ama..."

"Ne düşünmüştün ki?"

"Daha yaşlı birini bekliyordum. Biraz da rüküş tabii."

"Eskiden daha yaşlı gösterirdi."

"Nasıl olur?"

"Eskiden daha yaşlı ve pasaklı dururdu. Asla makyaj yapmazdı ve hep ev elbiseleriyle gezerdi."

"Televizyon izleyerek ve buzlu çay içerek."

"Bunları hâlâ yapıyor ama sanırım artık daha çok dışarı çıkıyor ve kendine bakıyor. Çok kilo vermiş. Yeni kıyafetler almış ve saç şeklini değiştirmiş. Tabii bir de boyatmış."

"Şu anda çok şaşkınım sevgilim. Arkadaşın hem çok küstah ve alaycı hem de çok hanımefendi. Ona evi gezdirirken sürekli White Plains'deki eviyle ilgili bir şeyler anlattı. Evini çok sevmiş olmalı. Yine de onu yakacak kadar soğukkanlı ve kararlıymış."

"Çok fazla seçeneği yokmuş."

"Anlıyorum ama bu kadar kolay olmamalı. Ben olsam yapar mıydım diye düşünmeden duramıyorum."

"Yapmak zorunda kalsaydın, yapardın."

"Ne de olsa bir ev. İstediğim zaman sen bana yenisini inşa edersin, değil mi? Açık mutfak ve seramik fayanslı banyosu olan bir ev."

"Bir de merkezi havalandırma."

"Kahramanım benim. Peki bir şey soracağım. Sen yanan evden bir ceset çıktı dememiş miydin?"

Keller bu soruyla karşılaşacağını biliyordu. "Takma dişlerini evde bırakmış. Dişler de adli tıpta incelenince, cesedin Dot'a ait olduğunu anlaşılmış. Dişlerinin takma olduğu hakkında en ufak bir fikrim bile yoktu. O yüzden bu olasılık aklımın ucundan geçmedi."

"İşte bu her şeyi açıklıyor Nicholas," dedi ve elini Keller'ın koluna koydu. "Sen ne kadar aramızda bir şey yaşanmadı desen de ben Dot'ı gördüğümde kıskançlık duyacağımı düşündüm. Ama gördüm ki sana karşı yaklaşımı abla ile anne arasında bir yerde. Peki atladığımız konu ne?"

"İkimizin de bilip dile getiremediği mi?"

"Evet. Sürekli etrafında dolandığımız ama açıkça söyleyemediğimiz şey. Artık sormak zorundayım. Şimdi ne yapacaksın?"

"Hiçbir şey yapmak zorunda değilim."

"Biliyorum. Pul koleksiyonuna da kavuştun. En azından nerede olduğunu biliyorsun. Hesabında bir sürü para var. Bu şekilde yaşamaya devam edebiliriz. Çünkü bu benim hep hayalini kurduğum bir hayat."

"Benim de."

"Para için endişelenmeden, rahat ve mutlu bir hayat sürebiliriz."

"Ama?"

"Ama Quartet restoranında yemek yerken kendimizi asla güvende hissedemeyiz. Peşlerinden gitmeye karar versen, nereden başlayacağını biliyor musun?"

"Pek sayılmaz,"

"Des Moines'den mi?"

"Adamların Des Moines'de yaşayıp yaşamadıklarını bilmiyorum. Yalnız Al'in orada yaşamadığından eminim. Des Moines'deyken her gün arayıp işi ne zaman bitireceğimi sorduğum bir telefon numarası vardı,"

"Bu numarayla bir yere ulaşabileceğini düşünüyor musun?"

"Hayır ama elimde bir tek bu var,"

"Neler olacak çok merak ediyorum,"

Ertesi sabah Julia, Dot ve Keller'ı havaalanına götürdü. Keller taksi tutmayı teklif etti ama Julia bu teklifi duymazlıktan geldi. Dot valiziyle birlikte önden ilerledi ve onları vedalaşmaları için baş başa bıraktı. Julia, veda öpücüğü vermek için arabadan indi.

"Çok dikkat et, tamam mı?"

"Söz veriyorum."

"Donny'e aile işleri için bir süreliğine eve gittiğini söyleyeceğim."

"Tamam," Keller, dikkatle Julia'ya baktı. "Söylemek istediğin bir şey mi var?"

"Pek sayılmaz."

"Nedir?"

"Önemli değil. Döndüğünde konuşuruz."

34

"Alan kodu 515," dedi Dot. "Burası Des Moines değil mi? Bu numara aylardır sende ve bugüne dek hiç aramadın öyle mi?"

"Neden arayacaktım ki?"

"Ne demek istediğini anlıyorum. Bu numarayı onlar verdi ve şimdi arasan da hiçbirini bulamayacaksın. Yine de aramalısın bence."

"Neden?"

"Numaranın kime ait olduğunu öğreniriz. Bir sonuç çıkmazsa numarayı yazdığın kağıdı atarsın ve Kayman Adalarındaki hesabından gelecek paralar için cüzdanında yer açmış olursun."

Keller cep telefonunu çıkardı. Tam tuşlamak üzereyken, vazgeçti. "Ya karşıma birisi çıkarsa ve numaram görünürse..."

"Bu beni aradığın telefon değil mi? Numarasını senin bile bilmediğin telefon."

"Evet ama..."

"Numarayı çevir. Eğer kulakları kıllı adam çıkarsa, telefonu camdan aşağı atar ve kurtuluruz."

Keller numarayı çevirdi. Gelen sesten hattın kapalı olduğu kolayca anlaşılıyordu.

"Ben de böyle düşünmüştüm," dedi Dot. "Şimdi en azından numaradan bir sonuç çıkmayacağından eminiz. Elimizde başka ne var? Al'le birkaç kez telefonda görüşmüştüm. Çok uzun konuşmadık. Hatta o neredeyse hiç konuşmadı ama sesini duysam tanırım herhalde."

"Keşke aramaya nereden başlayacağımızı bilseydik."

"Keşke. Beni nereden aradığını da bilmiyorum ki. Biliyorsun, adam hayalet gibi. Beni nasıl bulduğunu ya da numaramı kimden aldığını da bilmiyorum. Mutlaka birilerinden duydu. Numaraları rasgele çevirmedi ya... Numaramı ve adresimi biliyordu. Yaptığımız ilk işin parasını bir zarfa koyup kuryeyle göndermişti ve bunun için bile adresimi sorma ihtiyacı duymadı. Bir gün kapım çaldı ve karşımda bir kurye duruyordu."

"Öyleyse ikinizin ortak bir tanıdığı var."

"Bundan emin olamayız ki... Belki benim tanıdığım biri, Al'i tanıyan birinin yanında benden bahsetti. Kim bilir kaç aracı vardı. Üstelik yaşlı adam da yıllardır bu piyasanın içindeydi ve onca yıl telefon numarasını hiç değiştirmedi."

"Demek ki numaranı bilen pek çok insan olabilir."

"Ayrıca numarayı bilen ve numarayı Al'e veren kişi arasında kaç kişilik bir iletişim zinciri var bilmiyoruz. Bizim ihtiyacımız olan bu kişilerden sadece birini bulabilmek. Aklımıza gelen herkese sormamız lazım. Kesinlikle herkese farklı bir isim vermiştir. Bana kısaca Al diyebilirsin, bana Bill diyebilirsin, bana Carlos diyebilirsin..."

"Ya da alışkanlıklarına bağlı biridir ve herkese Al ismini veriyordur."

"Böylece kime ne isim verdiğini hatırlama güçlüğü çekmez. White Plains'ten ayrılmadan önce telefon rehberimi de yanıma almıştım. İçinde aranabilecek pek çok numara var. Ne kadar çok kişiyle konuşursak, tanıyan birini bulma ihtimalimiz o kadar yüksek olur."

"Ne kadar çok kişiyle konuşursak, birilerinin onu aradığını öğrenme ihtimali de o kadar yüksek olur."

"Haklısın. O yüzden konuşurken kim olduğumu gizlemeliyim. Biliyorsun ki ben White Plains yangınında ölmüş biriyim."

"White Plains yangını dedin de aklıma geldi. Yangın haberi büyük manşetlerde verilmemişti. Satır aralarında yakalamıştım."

"Haberi başka kimler okudur bilmiyorum. New York dışı baskılarda bu habere az yer ayrılmış olabilir. Kimisi beni öldü biliyor, kimisi de hayatta. İşte bu çok riskli ama bir çözümü olmalı. Belki de telefona takılan ve konuşurken sesini değiştiren o cihazlardan kullanabilirim. Al'i aramak için başka bir fikrin varsa..."

"Olabilir."

"Mesela?"

"Bana bir telefon vermişlerdi. Kulakları kıllı olan şu iri yarı adam, benim için seçtikleri otele geldiğimizde vermişti."

"Laurel Inn miydi?"

"Evet, Laurel Inn. Bana telefonu verdi ve gerektiğinde o telefondan arama yapabileceğimi söyledi. Gerçi benim ne o telefonu kullanmaya ne de o otelde kalmaya niyetim vardı."

"Daha o an şüphelenmiştin yani."

"Her koşulda alınması gereken bazı önlemler vardır. Evet, ortada şüpheli bir şeyler vardı. Son işim olacağı için fazla evham yaptığımı düşünmüştüm. Laurel Inn'de kalmayacaktım, o telefonu kullanmayacaktım ve hatta yanımda bile taşımayacaktım. Çünkü yanımda taşısam dahi yerimi tespit edebileceklerini düşündüm."

"Yerini tespit edebilirler miydi?"

"Benim inançlarıma göre, herkes her şeyi yapabilir. Telefonun yerini buldularsa, Laurel Inn'e gittiler demektir. Çünkü telefonu orada bırakmıştım."

"Odanda mı?"

"Evet. 204 numaralı oda."

"Numarayı hatırlıyorsun demek. Çok etkilendim, Keller. Devlet başkanlarını ezbere bilmen kadar etkileyici bir hareket. On dördüncü başkanımız kimdi hatırlıyor musun?"

"Franklin Pierce."

"İşte benim adamım. Şimdi de ödüllü soru. Pul ne renkti?"

"Mavi."

"Mavi, Franklin Pierce ve 204 numaralı oda. Hafızan kuvvetli ama..."

"Ama ne? Dot ben bu telefonu nasıl aldıysam, onlar da mutlaka buna benzer bir yolla almışlardı. Eminim o telefondan daha önce hiçbir yer aranmamıştı."

Dot, bu kez haklıydı. "Ya aranmışsa? Tek bir tuşa basarak, son aranan numaraları görebilirdin."

"Haklısın."

"Hatta telefonu kimin, nereden aldığını bulabilirdin."

"Evet, olabilirdi."

"Aynı soru, Keller. Öyleyse neden yapmadın? Ben Laurel Inn otelinde hiç kalmadım. Çalışanlar temizlik konusunda ne kadar hassas bilemiyorum. Sence telefonun hâlâ odada olma ihtimali var mı?"

"Olabilir."

"Ciddi misin?"

"Bana verdikleri odada büyük boy bir yatak vardı."

"Ne güzel ama içinde yatmadıktan sonra ne anlamı var."

"Telefonu odada bırakmaya karar verdiğimde, başka birilerinin kullanmaması için bir çözüm bulmam gerekiyordu. Ben de örtüyü kaldırdım ve telefonu yatağın altına attım."

"Polislerin o odada nasıl bir arama yaptıklarını düşünebiliyor musun?"

"Siyasi bir suikastin ardından mı? Evet, sanırım gözümde canlandırabiliyorum."

"Örtüyü olduğu gibi yatağın üzerinden alıp atmışlardır,"

"Olabilir."

"Ama olmayabilir de."

"Evet, olmayabilir de."

"Varsayalım ki telefon hâlâ orada. Çalışır mı peki? Bataryası çoktan boşalmıştır."

"Büyük ihtimalle."

"Sanırım yedek batarya satan bir yer bulabiliriz."

"Iowa'nın ortasında bile bulabiliriz."

"Laurel Inn. Otelin numarasını hatırlıyor musun? Hayır, tabii ki hatırlamıyorsun. Çünkü numara pullar üzerinde yazılmamıştı."

Dot telefonla konuşurken, Keller'da camdan şehri izliyordu. Dot, önce santralle sonra da Laurel Inn otelinin resepsiyon görevlisi ile görüştü. Telefonu kapattıktan sonra Keller'a döndü ve "Konuştuğum kadın benim aklımı kaçırdığımı düşünüyor," dedi.

"Ama işe yaradı değil mi?"

"İkinci katta kalmak zorundayız. Çünkü kocam en üst katta olmak istiyor. Ben de trafik gürültüsü istemiyorum ve ışığa karşı çok hassasım. İkimiz de merdivenlere yakın bir odada kalmayı tercih ediyoruz. İnternetten otelin yerleşim planına baktık ve bil bakalım hangi odada kalıyoruz?"

"Tüm bunlar oldukça saçma ama telefonda son derece ikna edici konuştun."

"204 numaralı oda yarından itibaren üç gün boyunca bizim. Sorun nedir?"

"Bilmiyorum. Üç gün çok uzun değil mi?"

Bir gece bile çok uzun Keller. Ne sen ne de ben o odada bir gece bile kalmayacağız. Üç günlük rezervasyon yaptırmamın nedeni, anahtarı alabilmekti. Anahtarı aylardır yanında taşımıyorsun, değil mi?"

"Hayır. Çünkü hiçbir anlamı yok. Anahtar yerine kart kullanıyorlar ve her müşteriden sonra sistemi sonlandırıp, oda için yeni bir kart yaptırıyorlar."

"Kapıların kilitlerini açmak için yıllarca çaba harcayan adamlara acıyorum. Düşünsene, bir sabah uyanıyorlar ve her şeyin elektronik olduğunu öğreniyorlar. Kendilerini ne kadar işe yaramaz hissetmişlerdir kim bilir? Neden bana bu şekilde bakıyorsun?"

"Nasıl bakıyorum?"

"Neyse boşver. Üç günlük rezervasyon yaptırmak zorundaydım. Çünkü sırf bir gece için böylesine bir hikaye uydurmak hiç mantıklı olmazdı. Otelin yerleşim planı gerçekten internette yayınlanıyor mu merak ediyorum."

"Ben internet siteleri olduğundan bile şüpheliyim."

"Artık herkesin bir internet sitesi var Keller. Baksana, benim bile var."

"Ama yapım aşamasında."

"Bir süre daha öyle kalacak. Uçaktan yer ayırtmalıyım. Yoksa arabayla mı gitmek istersin? Buradan ne kadar uzaklıkta?"

"Yaklaşık bin beş yüz kilometre."

"Yarın akşam otelde olmamız lazım. Bu durumda uçakla gitmek daha mantıklı. Silahın hâlâ yanında mı?"

"Indiana'da bulduğum SIG Sauer ama uçağa sokmam mümkün değil."

"Kontrol edilmiş çantaların içinde taşırsan hiçbir sorun olmaz."

"Böyle bir uygulama yasaklanmış olmalı. Yasak olmasa bile dikkat çekme riski var. Sersem herifin biri çantana bakarken, içinde silah olduğunu anlayabilir."

"Sen arabayla gelmek ister misin? Ben uçakla gidip, otel girişini yaptırırım. Sen de külüstür pikapla yola koyulursun. Des Moines, buranın kuzeyinde kalıyor, değil mi?"

"Ülkenin kuzeyinde kalıyor desek daha doğru."

"Demek istediğim, en kuzeyinde mi? Mississippi'nin oralarda mı?"

"Mississippi, batısında kalıyor."

"Adamlardan biri bize oyun oynamıştı. Hatırlıyor musun? Orası Iowa mıydı?"

"Hayır, diğer olayda bize oyun oynanmıştı."

"Hatırladım. Şu *Mercenary Times* olayı. O, Iowa'da değil miydi? Hatta sen Mississippi'ye bir şeyler atmıştın."

"O zaman Muscatine'deydik."

"İşte aradığım isim buydu. Daha önce de düşündüm ama aklıma Muscatel gibi bir şeyler gelmişti. Des Moines, Muscatine'nin batısında değil mi?"

"Tamam, şimdi doğru bir tespitte bulundun."

"Neden böyle saçmalıklarla uğraşıyorum bilmem. Bu durumda ben uçakla gidiyorum, sen de arabayla geliyorsun. Tamam mı?"

"Sırf bir silah için mi? Hiç sanmıyorum. New Orleans'dan biri beni takip ediyor olabilir. Bir aracın içinde sıkışıp kalmak istemem."

"Bu durumda ikimiz de uçakla gidiyoruz." Dot, telefonu eline aldı. "Şimdi uçaktan yer ayırtıyorum. İsmini bir daha hatırlatsana. Bir türlü ezberleyemedim. Bence senin resmini de bir pul üzerine basmaları gerekir."

35

Birlikte Des Moines'e uçtular. Atlanta'da aktarma yaptılar. Uçuşun her iki ayağı da son derece rutindi ama Atlanta'dan Des Moines'e geçerken ayrı ayrı oturdular. Dot, yanında oturan adamın polis olduğunu anlamıştı. "Yol boyunca şüphe uyandıran hiçbir harekette bulunmamalıyım dedim kendi kendime. Sinirlerim gerildi."

Dot, biletleri ayırtırken yeni ismini kullanmıştı. Wilma Ann Corder. O da bu ismi Keller'ın Nicholas Edwards ismini bulması gibi yıllar önce bulmuştu. Yeni bir kimlik, pasaport, sürücü belgesi, Sosyal Güvenlik kartı ve bir düzine de kredi kartı çıkartmıştı. Bu isimle yeni bir posta kutusu kiralamış ve Needlepoint dergisine abone olmuştu. Bu yüzden her ay posta kutusuna gidip, dergisini alıyordu. "Tam üç yıl oldu. Üç yıldır abonelik yenileme sözleşmeleri gönderiyorlar. Artık bu dergiye ihtiyacım kalmadı sanırım."

Des Moines'den Wilma Ann Corder adıyla bir araba kiraladı. Hertz firmasına gitmemişti ve seçtiği araba da bir Sentra değildi. Keller, bunun iyi bir fikir olduğunu düşünüyordu. Laurel Inn oteline giderken Dot "Çok şanslısın Keller," dedi. "Nicholas Edwards ismi sana çok yakıştı. Özellikle de yeni saç kesimin ve gözlüklerinle. Edwards soyadı oldukça yaygın. Corder soyadına çok az rastlıyorum. O kadar az ki sürekli Corder ailesinin hangi ferdiyle bağlantılı olduğumu soruyorlar. Ben de eski kocamın soyadı olduğunu ve aileyi hiç tanımadığımı söylüyorum. Wilma konusunda da yorum dahi yapmak istemiyorum."

"Wilma ismini sevmiyor musun?"

"Katlanamıyorum. Herkese beni başka bir isimle çağırmalarını söylüyorum."

"Nedir o isim?"

"Dot."

"Dot'la Wilma arasında nasıl bir bağ kurdun?"

"Ben böyle olmasını istedim ve oldu Keller. Senin için bir sakıncası mı var?"

"Hayır ama..."

"Herkes bana Dot der diyorum. Onlar da bu ismi benimseyip, bana Dot demeye başlıyor. Birisi çıkıp da sebebini sorarsa, uzun hikaye diyorum. Zaten kime uzun hikaye dediysem, gülümseyerek konuyu kapattı."

Dot, resepsiyona giderken, Keller da arabada bekledi. Aklından bir sürü düşünce geçiyordu. Keşke Dot arabayı arka tarafa park etmiş ve keşke kendisi de beyzbol şapkasını yanına almış olsaydı. Kendini korunmasız hissediyordu. Bir yandan da Laurel Inn'de çalışanların ilk geldiğinde ona dikkatle bakıp bakmadıklarını hatırlamaya çalışıyordu.

Dot elinde iki anahtarla geri döndü. "İkimiz için de bir tane. Olur da ayrı düşersek diye iki anahtar istedim. Resepsiyondaki kız önceki hayatında dedikodu kraliçesiydi herhalde. '204 numaralı odada kalacağınızı görüyorum Bayan Corder. O, odada ünlülere ayrılmış bir süit gibidir aslında. Ohio valisini vuran adam da orada kalmıştı.'"

"Kahretsin. Gerçekten böyle mi söyledi?"

"Tabii ki hayır, Keller. Bana biraz yardımcı olur musun? Arabayı nereye park edeceğiz?"

Keller 204 numaralı odanın önce kapısını çaldı. İçeriden ses gelmeyince, anahtarını kullanarak kapıyı açtı.

Dot, odada bir değişiklik olup olmadığını sordu.

"Bilmiyorum. Uzun zaman oldu. Yerleşim düzeni aynı gibi duruyor."

"Çok rahat, değil mi?"

Keller yatak örtüsünü bir köşesinden tutup, kaldırdı. Eğildi ve yatağın altına doğru baktı. Önce hiçbir şey göremedi ama sonra...

Elini uzattı ama yakalayamadı. Elinin çarpmasıyla, biraz uzağa gitmişti. Yere uzandı ve yatağın altına doğru ilerlemeye çalıştı. Dot, ne yaptığını anlamaya çalışıyordu ama artık bir önemi kalmamıştı. Keller, aradığını bulmuştu.

Olduğu yerden kalkmak için de oldukça çaba harcaması gerekti.

"Gördüğüm en korkunç sahneydi," dedi Dot. "Sanki yatağın altındaki bir yaratık seni yavaş yavaş içeri çekiyordu. Stephen King romanlarından bir sahne canlandı gözümde. Aman Tanrım, inanamıyorum. Bu, o mu?"

Keller avucunu açtı ve "İşte bu," dedi.

"Bunca zamandır kimse bulamamış mı?"

"O zaman ne tür sıkıntılar çekip, sakladığımı hayal edebilirsin sanırım."

“Evet. Eminim kimse senin gibi yatağın altına balıklama dalmamıştır. Özellikle de ellerinde metal detektörleriyle gezen o salaklar. ‘Bak Edna, bir gazoz kapağı!’ Senden sonra bu odada kaç kişi kaldı, kim bilir?”

“Hiçbir fikrim yok.”

“Umarım kibar bir hanımefendi gelip de burada kalmak zorunda kalmamıştır. Zavallıcık kesinlikle bir dakika bile gözlerini kırpmamak için elinden geleni yapardı. Sanırım Laurel Inn, Avrupa asaletini göstermek için pek de uygun bir yer değil. Evet, çalışıp çalışmadığına bakmayacak mısın?”

Keller, telefonu açmaya hazırlanıyordu ki Dot ona engel oldu.

“Bekle!”

“Ne oldu?”

“Bubi tuzağı olabilir.”

Keller, Dot’a baktı. “Birilerinin buraya gelip telefonu bulduğunu ve içine patlayıcı bir mekanizma yerleştirdikten sonra yerine bıraktığını mı düşünüyorsun?”

“Hayır ama sana telefonu vermeden önce bir tuzak hazırlamış olabilirler.”

“İyi de ben bu telefondan onları arayacaktım.”

“Aramak için açtığında da ‘bum!’” Dot, kaşlarını çatarak bir süre düşündü. “Hayır, hiç mantıklı değil. Sen validen birkaç gün önce gelmiştin ve o zaman havaya uçsaydın onların hiçbir işine yaramazdın. Tamam, açabilirsin.”

Keller, açma tuşuna bastı. Hiçbir şey olmadı. Arabaya binip, yedek batarya alabilecekleri bir telefoncu aradılar. Yeni batarya takılınca, telefon çalıştı.

“Hâlâ çalışıyor,” dedi Dot.

“Sadece şarjı bitmişti, o kadar.”

"Batarya değiştirildiğinde, son arama kaydı silinmez mi?"

"İzleyelim ve görelim," dedi Keller. Son arama listesini buluncaya kadar telefonu kurcaladı. Sonunda listeyi buldu. En son on arama yapılmış görünüyordu.

"Keller, sen bir dahisin."

Keller, başını hayır anlamında salladı ve "Julia," dedi.

"Julia mı?"

"Bu onun fikriydi."

"Julia'nın mı? New Orleans'daki Julia mı?"

"Diyelim ki telefon hâlâ bıraktığın yerde ve diyelim ki çalışıyor... dedi."

"Doğru. Bıraktığın yerde ve çalışıyor."

"Haklısın."

"Keller, bu kadına sıkıca sarıl. Köpek gezdirmeye filan da gönderme. Ona var gücünle sahip çık."

36

Arabada oturdular ve telefon numaralarını bir kağıda yazdılar. “Telefon arızalanabilir. O yüzden hepsini yazmakta fayda var,” dedi Dot. “Yapabileceğimiz tek şey bir ankesörlü telefon bulup bütün numaraları aramak. Tabii önlerine 515 alan kodunu yazarak. Sence Al, Des Moines’de yaşıyor olabilir mi?”

“Hayır.”

“Peki ya Harry?”

“Harry mi? Şu kulakları kıllı adamı mı diyorsun?”

“İstersen Eeerie de diyebiliriz. İsmini bilmediğim için uyduruyorum. Acaba burada mı yaşıyordur?”

“Şehri biliyor gibiydi. Laurel Inn otelini kolayca buldu.”

“Ben de kolayca buldum Keller ama daha önce buraya hiç gelmemiştim.”

“Ama o, Denny’s restoranında yemek yememi tavsiye edecek kadar iyi biliyor şehri.”

“Demek ki adam, içinde Denny’s restoranı olan bir şehirde yaşıyor. İşte bu arama kriterlerimizden biri olabilir,”

Keller biraz düşündü. “Neyin nerede olduğunu biliyordu. Belki de iyi hazırlık yapmıştı. Bir önemi olduğunu da sanmıyorum. Bence 515'le başlayan numaraları aramak vakit kaybı olur. Harry, Des Moines'in yerlisi olsa bile çoktan Al kabilesinin yanına dönmüştür. Buradan rasgele bir adam seçip, işin içine sokmazlar."

"Haklısın."

"Des Moines'in yerlisiyse ve sırf bu iş için tutulmuş bir adamsa, çoktan öldürmüşlerdir."

"Çünkü geride bıraktıkları herkesi ortadan kaldırma alışkanlıkları var."

"Al, adamlarını White Plains'e gönderip seni öldürmeyi ve bütün binayı yakmayı düşündüyse..."

"Keller, tüm bunları yapan bendim. Hatırladın mı?"

"Ah, doğru ya."

"Yine de ne demek istediğini anladım. Des Moines dışında bir yerleri aramalıyız."

Listedeki numaralardan biri üç kez aranmıştı ve başında 702 alan kodu vardı. 702 Las Vegas olmalıydı. Bir diğer numara San Diego'da bir otele aitti. Dot, üçüncü deneme uğur getirir dedi listedeki üçüncü numarayı aradı. Numara kullanım dışıydı.

"Telefonu, bıraktığın yerde bulmamız bir mucizeydi. Belki de daha fazla mucize beklememeliyiz. Geriye bir tek numara kaldı. Ondan da ses çıkmazsa Laurel Inn'e dönüp telefonu ait olduğu yere, yatağın altına geri bırakabiliriz," dedi Dot.

Keller Dot'ı izliyordu. Kız tuşları çevirdi, telefonu kulağına götürdü ve çalmaya başladığında kaşlarını kaldırıp bekledi. Karşı taraftan biri telefona cevap verdi. Dot, hoparlörü etkin konuma getirerek konuşmaya başladı.

"Alo."

Dot, Keller'a baktı. Adam eliyle *hadi konuşmaya devam edin* işareti yapıyordu. Dot, sesini biraz incelterek "Arnie, sen misin? Sesin yorgun geliyor," dedi.

Telefonu açan adam "Sanırım yanlış numarayı aradınız," dedi.

"Hadi ama Arnie. Nazik ol. Kim olduğumu biliyorsun."

Telefon kapandı.

"Arnie oyun oynamak istemiyor," dedi Dot.

Keller sesi tanımıştı. Bu kulak kıllarıyla dikkat çeken Harry'di.

"Telefonu kapatmasına şaşmamalı," dedi Dot. "Demek ki ismi Arnie değilmiş."

"Hiç şaşırmadım."

"Adı Marlin Taggert. Belle Mead Lane Yolu, 71 numara Beaverton, Oregon'da yaşıyor."

"Arabada bir Oregon haritası vardı."

"Bu arabada mı?"

"Hayır, Sentra'da."

"Sence o mu bıraktı?"

"Hayır, nasıl bıraksın? Harita kiraladığım arabada değil, havaalanında plakaları değiştirdim arabadaydı. Önemli değil zaten, boşver. Sadece bir tesadüf."

"Ama ilginç bir tesadüf Keller."

"Beaverton nerede? Buraya yakın mı?"

"Birkaç saniye içinde söyleyeceğim. Evet, işte oldu. Portland'da."

Artık adamın adını ve nerede yaşadığını biliyorlardı. Hickman Caddesi'ndeki Kinko's şubesindeydiler. Saati beş dolara bir bilgisayar kiralamışlardı. Keller, Dot'ı izliyor ve telefon numarasından adres bulma yöntemini öğrenmeye çalışıyordu. Eğer yazdığın numaranın adresi tespit edilirse, karşına bir seçenek çıkıyordu. "Adresi öğrenmek için 14.95 dolar ödeme yapmanız gerekmektedir." Hızlı bir kredi kartı ödemesinin ardından, tüm bilgiler eline ulaşıyordu.

"Devletin istediği tüm bilgiye ulaşabileceğini biliyordum ama sıradan bir vatandaşın da bu hakka sahip olduğunu ilk defa görüyorum. Kayıtlara geçirmediği bir telefon numarası daha var mıdır acaba?"

"Evet, varmış. Burada yazılanlara göre 15 dolar daha ödersem, o numarayı da öğrenebilirmişim."

"Fiyat indirimi yapmak mümkün değil, değil mi?"

"Üzerine biraz zaman ayırabilsem, hiç ödeme yapmadan da bu bilgilere erişebilirim. Senin soruna dönersek; hayır, fiyat indirimi yaptıramayız. Benim asıl merak ettiğim, kimin Portland'a uçtuğu."

"Ben giderim. Senin Portland'a gelmene gerek yok."

"Saçmalama Keller. İkimiz de Portland'a gidiyoruz."

"Ama az önce dedin ki..."

"Hangi havayolu şirketinin oraya uçtuğunu merak ettim Keller. Aslında merak etmeme gerek yok. Tanrıya şükür ki Google var."

O gece Laurel Inn otelinde kaldılar ama ayrı odalarda. Ayrı odalarda kalmak Dot'ın fikriydi. Ayrıca ertesi gün için uçak biletlerini de o ayırtmıştı. "Bu geceyi Des Moines'de geçirmemiz lazım. Zaten bir odamız vardı, birini daha tutmanın hiçbir sakıncası yok," dedi.

Keller'ın odası giriş katındaydı ve yola bakıyordu. Odasına gelir gelmez duş aldı ve tekrar 204 numaralı odaya çıktı. Dot, limonata içiyordu ve her yudumda yüzünü ekşitiyordu. Akşam yemeği için bildiği bir yer olup olmadığını sordu. Keller da bildiği tek yerin yolun karşısındaki Denny's restoranı olduğunu söyledi ama oraya gitmenin iyi bir fikir olmadığını da belirtti.

"Şehirdeki tek Denny's orası değildir ama neyse. Diğerlerine de gitmeyelim, ne olur ne olmaz." Dot, sarı sayfalardan Iowa'nın en iyisi olduğunu iddia eden bir et lokantası buldu. İkisi de buraya gitmeye karar verdiler.

Geri döndüklerinde herkes kendi odasına çekildi. Keller, A&E kanalında tekrarı yayınlanan polis şovlarını izledi. Hepsini daha önce de izlemişti ama önemli değildi. Tekrar izledi.

Eve döndüğünde, plazma televizyon alması gerektiğini düşündü. Tıpkı New York'daki dairesinde bıraktığı televizyon gibi geniş ekran olmalıydı. Bir de program kayıt cihazı ve DVD oynatıcı alacaktı. Almamak için hiçbir bahanesi yoktu; aksine Kayman Adalarında oldukça kabarık bir hesabı vardı.

Julia'yı arayıp aramamak konusunda kararsızdı ama sonunda dayanamadı ve aradı. Kadın telefonu açtığında ciddi bir ses tonuyla "Alo," dedi. Keller "Benim," dediğinde; içten bir sesle "Nicholas," dedi. Keller, Julia'nın sesini duyduğunda kalbinin yerinden fırlayacak gibi çarpmaya başladığını hissetti.

"Haklıymışsın. Aradığımız şey, bıraktığım yerde duruyordu. Arkadaşım, senin bir dahi olduğunu söylüyor."

"Tüm bu belirsiz nesne ve öznelerden anlaşılıyor ki telefonda dikkatli konuşmalıyız."

"Yerin kulağı vardır."

"Peki, öyle olsun. Yerin kulağı da vardır, gözü de, burnu da öyle değil mi?"

"Yeni birkaç şey ortaya çıkardık ve bu durumda birkaç yeri daha ziyaret etmem gerekecek."

"Tahmin etmiştim."

"Seni bir daha arayamayacağım, ta ki..."

"Ta ki bu iş tamamen bitene dek. Anlıyorum. Dikkatli ol."

"Olurum."

"Arkadaşına da sevgilerimi ilet."

"Pekala. Senin harika biri olduğunu söyleyip duruyor."

"Ama sen bunu zaten biliyorsun."

"Tabii ki biliyorum."

Sabah havaalanında kahvaltı ettiler ve Denver uçağına beklemeye başladılar. Denver üzerinden aktarma yaparak Portland'a geçtiler. Portland'da Nicholas Edwards kimliğiyle bir araba kiraladılar. Keller hiç çekinmeden sürücü belgesini ve kredi kartını kullandı. Aslında Nicholas Edwards adıyla çıkarttığı hiçbir kimlikten endişe duymuyordu. Pasaportundan bile. Çünkü hepsi orijinal ve resmi belgelerdi.

Aldıkları harita üzerinde Belle Mead Lane Yolu'nu bulmak hiç zor olmadı ama yola koyulduklarında çok zorlandılar. Beaverton'ın batısı epey gelişmiş ve hızlı yapılanmıştı. Hangi yola saparlarsa sapsınlar, başladıkları noktaya dönüyorlardı. Girdikleri çıkmaz sokakların sayısını akılda tutmak mümkün değildi.

Keller tabelayı göstererek "Buranın Frontenac Caddesi olması lazım ama Shoshone yazıyor," dedi. "Taggert, her gece evine nasıl dönüyor, merak ediyorum."

"Yola ekmek kırıntıları atıyordur. Sol taraftaki tabelada ne yazıyor?"

"Buradan göremiyorum. Ne fark eder ki? Belki bir yerlere çıkıyordur."

"Belli olmaz."

"İşte gördüm," Birkaç dakika sonra aradıkları yeri bulmuşlardı. "Belle Mead Yolu. 71 numaraydı, değil mi?"

"Evet, 71."

"O zaman yolun solunda kalır. Tamam, işte geldik."

Geniş bir bahçe içinde duran kırmızı tuğlalı bir evdi.

"Çok güzel," dedi Dot. "Evinin önündeki ağaçlar biraz daha büyüyünce burası mükemmel olur. Bu iyiye işaret, Keller. Adamımız böyle bir ev alabiliyorsa, ayak işleri yapan bir maşa değil demektir."

"Tabii zengin bir kadın bulup evlenmemişse."

"Amma yaptın ama. Hangi mirasyedi kulaklarından kıl fışkıran bir adama tahammül edebilir ki?"

"Doğru," dedi Keller.

"Hem de nasıl. Şimdi ne yapıyoruz?"

"Şimdi kendimize bir motel buluyoruz."

"Ve yarını mı bekliyoruz?"

"En iyi ihtimalle yarın. Bu iş biraz vakit alabilir. Bu evde yalnız yaşadığını sanmıyorum. Oysa bizim onu yalnız yakalamamız lazım. Yalnız ve hazırlıksız."

"Eski günlerine dönmüş gibisin. Dışarı çıkıp, etrafı araştırırsın ve plan yaparsın."

"Daha iyi bir yöntem bilmiyorum."

"Bence de son derece mantıklı. Ben sadece daha hızlı hareket edeceğimizi düşünmüştüm. Tıpkı dün Des Moines'de olduğu gibi. İçeri gir, aradığın neyse onu bul ve binayı terk et!"

"O zaman sadece bir telefon arıyorduk. Şimdi işler çok daha karışık."

"Sırf bu evi bulmak bile Des Moines'de yaptıklarımızdan daha karışıktı. Burayı yarın tekrar bulabilir miyiz sence?"

Bulmak hiç zor olmadı. Belle Mead Lane Yolu'na dönünce Marlin Taggert'i evinin önünde, çimleri sularken bulacağını düşünmüştü. Oysa hayalindeki çimleri sulayan adam görüntüsü Marlin'e değil; aylar önce Des Moines'de gördüğü Gregory Dowling'e aitti. Adam muhtemelen hâlâ çimlerini suluyordu. Ölüme ne kadar yaklaştığını hiç bilmeyecekti. 71 numaralı evin önüne geldiler ve dışarıda kimseyi bulamadılar.

"Burada kimsenin çimleri sulamasına gerek yok Keller. Oregon'dayız. Tanrının otomatik sulama sisteminden yararlanıyorlar. Bugün nasıl olmuş da güneş çıkmış anlamadım. Buralara hep yağmur yapmaz mı? Yoksa bütün bu yağmur saçmalığı Kaliforniyalıları buraya çekmek için tasarlanmış bir yalan mıydı?

Marlin'in evinden biraz ileriye park etti. Bu açıdan evi çok net görebiliyordu. Yine de burada uzun süre bekleyemezlerdi. Taggert başının belada olduğunu bilmiyor olabilirdi ama bu adamın işi belaydı. O yüzden hep tetikte olması kimseyi şaşırtmazdı. Taggert ve patronu Des Moines olayından iz bırakmadan kaçmış olabilirlerdi ama arkasında sağlam biri olmasa Taggert çoktan öldürülmüştü.

Dikkatli olmayı alışkanlık haline getirmiştir diye düşündü Keller. Bu yüzden etrafı incelerken dikkatli olmalıydı. Burada uzun süre park halinde duramazlardı. Hatta sık sık buraya gelmeleri de doğru değildi.

Öğleden sonra havaalanına gittiler. Dot farklı bir kiralama şirketinden kendisine bir araba kiraladı. İki araba olurlarsa, fark edilme risklerinin azalacağını düşündüler. Tabii bu durum Taggert'ı başka düşüncelere sevk edebilirdi. Peşine federallerin takıldığını ve adamların teşkilata ait farklı farklı arabalarla geldiklerini düşünebilirdi.

Birkaç kez daha Belle Mead Lane Yolu'na gittiler. Evin etrafında bir ya da iki kez tur attıktan sonra; on dakika park halinde beklediler. Oradan da motellerine geçtiler. Evin yakınlarında Comfort Inn adlı bir motelde kalıyorlardı. Motelin ilerisinde bir alışveriş merkezi, sinema ve çok sayıda restoran vardı. Yine de zamanlarının çoğunu kendi odalarında gazete okuyarak ya da televizyon izleyerek geçiriyorlardı.

"Silahımız olsaydı, işler biraz daha hızlanırdı. Kapıya gidip, zili çalardık. Adamımız kapıyı açtığında da ateş edip, uzaklaşırdık," dedi Dot.

"Ya kapıyı başkası açarsa?"

"Merhaba. Baban evde mi? *Bang.* Gerçi New Orleans'dan Des Moines'e araban ve silahınla gelmiş olsan bile, Portland'a gelmene imkan yoktu. Ülkenin bir ucundan bir ucuna arabayla gelmen delilik olurdu. Sence buradan silah alamaz mıyız?"

"Sanırım alamayız."

"Sen silah istemiyorsun galiba."

"Hayır. Adamı vurup, sonra da konuşmasını bekleyemeyiz değil mi?"

Cumartesi sabahı motelin karşısındaki yerde kahvaltı yaptılar. Kahvelerini içtikten sonra, yaptıkları araştırmadan ne elde ettiklerini gözden geçirdiler.

Eğer ismi doğruysa, Marlin Taggert Belle Mead Lane 71 numarada oturuyordu ve kesinlikle Des Moines'de Keller'la irtibata geçen adamdı. Aynı yüz, aynı büyük burun ve aynı yürüyüş. Tabii ki kulakları unutmamak lazım. Uzaktan kılları seçmek imkansızdı ama kesinlikle o Uçan Fil Jumbo kulaklarını tanımıştı.

Evde bir de kadın vardı. Büyük ihtimalle karısıydı. Taggert'tan daha genç ve hiç şüphesiz daha güzel görünüyordu. Üç çocukları vardı. İki kız ve bir de erkek. Yaşları on ve on dört arasındaydı. Köpekleri tipik bir gal köpeğiydi ve belli ki sevimli köpecik çağları epey geride kalmıştı. Taggert ve çocuklarından birini birlikte yürüyüş yaparlarken görmüşlerdi.

Evin garajında iki araba vardı. Biri kahverengi bir Lexus SUV, diğeri de siyah bir Cadillac'tı. Bayan Taggert, tek başına ya da çocuklarla dışarı çıktığında Lexus'u kullanıyordu. Taggert, köpek gezdirmenin dışında evden pek çıkmıyordu.

Keller "Pazartesi sabahı," dedi. "O zamana kadar ikimizin de Belle Mead Lane yakınlarında görülmemesi lazım. Hafta sonu onu yalnız yakalamamız mümkün değil. En azından hafta sonu bizi fark etmesine engel olmalıyız. Pazartesi sabahı, elimize düşecek nasıl olsa."

Daha sonra Dot'a alışveriş merkezine gitmek isteyip istemediğini sordu ama Dot televizyonda izlemek istediği bir şey olduğunu söyleyip teklifi reddetti. Kendisi bir hırdavat dükkanına gitti ve U şeklinde bir manivela aldı. Bunun yanı sıra tel ip, selo bant ve tel kesici bir alet aldı. Aldıklarını bagaja kaldırıp, sinemaya gitti. Filmi izledikten sonra tuvalete gitti. İkinci filme girmeden önce kendine büyük boy bir patlamış mısır aldı.

Tıpkı eski günlerdeki gibi dedi ama en azından geceyi arabada geçirmek zorunda değildi.

37

Sabah saat 08.30'da Belle Mead Lane Yolu'na geldiler. Evi görebilecekleri bir yere park ettiler. Geleli beş dakika bile olmamıştı ki garaj kapısı açıldı ve kahverengi SUV göründü.

"Çocukları okula götürüyor," dedi Dot. "Eğer kadın eve dönecekse, beklemeye devam etmeliyiz. Ama eve dönüp dönmeyeceğini nereden bilebiliriz?"

"Eğer bu taraftan geçerse, kolaylıkla öğrenebiliriz."

"Nasıl yani?"

"İşte geliyor," dedi ve araba yaklaşınca kapıyı açıp yola fırladı. Yolun ortasında durdu ve kendisine doğru gelmekte olan aracı durdurdu. Lexus durdu ve Keller gülümseyerek arabaya yaklaştı. Kadın camı açtığında, kadına yaklaşıp Frontenac Caddesi'ni bulamadığını söyledi.

"O cadde artık yok," dedi kadın. "Haritada var ama aslında o yollar çoktan değişti."

"Şimdi anlaşıldı," dedi Keller ve kadın uzaklaşırken o da arabaya döndü.

"Biliyordum," dedi. "Frontenac Caddesi diye bir yer yokmuş. Harita yalan söylüyor."

"Bu harika Keller. Öğrendiğim iyi oldu. Bu gece huzur içinde uyuyabilirim. Tanrı aşkına sen nasıl olur da..."

"Kadın baştan aşağı süslenmiş," dedi Keller. "Bir insan sırf çocukları okula bırakmak için bu kadar hazırlık yapmaz. Makyaj, küpeler ve yanındaki koltukta duran çanta gerçekleri söylüyor Dot."

"Çocukların hepsi arabada mıydı?"

"İkisi arkada ve biri de önde oturuyordu. Hiçbirinin sesi çıkmıyordu. Çünkü ikisi kulaklıklarını takmış iPod dinlerken, üçüncü de parmaklarını arı gibi çalıştırarak elindeki oyunu oynuyordu."

"Bir tür video oyunu muydu?"

"Sanırım."

"Ne kadar sevimli bir aile. Keller, bu sende birtakım çağrışımlar yapıyordur umarım."

"Tahminlerime göre kadın birkaç saatliğine evde yok. Vakit kaybetmemeliyiz. Hadi başlayalım."

Keller arabayı evin girişine park etti ve ikisi de arabadan indiler. Dot'ın elinde çantası vardı. Önden o yürüdü ve kapıya yöneldi. Keller bir elinde İncil, diğer elinde manivelayla kızın hemen arkasından ilerliyordu. Manivelayı arkasına saklamıştı.

Kapı açıldı ve Hawaii tişörtü ile karşılarına çıkan Marlin Taggert ikisini baştan aşağı süzdü. "Tanrı aşkına," dedi.

Dot konuşmaya başladı. "Sizinle konuşmak istediğim bir konu var. Umarım iyi bir gün geçiriyorsunuzdur Bay Taggert."

"Buna ihtiyacım yok. Saygısızlık yapmam istemem hanımefendi ama ne sizinle ne de söyleyeceğiniz dini saçmalıklarla ilgilenmiyorum. Belki başka bir yere..."

Sözlerini tamamlayamadı. Çünkü Keller elindeki demirle adamın karnına vurdu.

Bu hareket karşısında verdiği tepki cesaret vericiydi. Karnını tuttu, geri sendeledi ama hemen dengesini yakaladı. Keller adamın üstüne atladı. Dot da arkasından içeri girip kapıyı kapattı. Taggert cam bir kül tablası alarak Keller'a fırlattı. Keller yana kaydı ve kül tablası yere düştü. Taggert bu kez de eline bir masa lambası aldı.

"Hayvan herif," diye bağıran Taggert, Keller'a saldırdı ama Keller bu hamleden de kurtuldu. Elindeki manivela ile adama saldırdığında bacak kemiğinden gelen sesi kendi bile duydu. Taggert yerde kıvranıyordu. Tam adamın kafasına vurmak üzereydi ki kendini tuttu. Kafasını kırıp, onu sonsuz bir sessizliğe göndermek istemiyordu.

Taggert ellerini havaya kaldırarak kendini korumaya çalışıyordu. Keller elindeki manivelayı kaldırıp vuracak gibi yaptı ama yavaşça ensesine vurdu. Taggert sonunun geldiğini düşünerek teslim oldu.

Dot "Kahretsin," diye bağırdı.

Ne? Çok mu hızlı vurmuştu? Başını kaldırdı ve kendilerine doğru gelmekte olan köpeği gördü. Keller köpeğe doğru gitti. Ona vurmayı planlıyordu ama hayvan Keller'ın yüzüne bakıp olduğu yerde kaldı.

Keller manivelayı yere bırakıp, köpeğin tasmasından tuttu. Hayvanı başka bir odaya götürüp kapattı.

"Bir an saldıracak sandım," dedi Dot. "Meğer Kraliçe Elizabeth'in gelip kendisini yürüyüşe çıkarmasını bekliyormuş."

Keller, Taggert'ı kontrol etti. Adam kendinden geçmişti ama nefes alıyordu. Tel iple adamın ellerini arkadan bağladı. Güvenlik açısından ayak bileklerini de bağladı.

Kalktı. Manivelayı Dot'a verdi ve "Ona göz kulak ol," dedikten sonra mutfağa gitti.

Mutfaktan, garaja açılan bir kapı vardı. Keller garaj kapısını açan düğmeyi buldu ve kendi arabasını Cadillac'ın yanına park ettikten sonra garaj kapısını yarıladı. Lambayı ve cam kül tablasını yerlerine kaldırdı.

Dot omuzlarını sikti ve konuşmaya başladı. "Ne diyebilirim ki Keller? Ben iyiyim ama bu adam hâlâ baygın. Ne yapacağız? Yüzüne su mu döksek?"

"Bir iki dakika bekleyelim."

"Kulak kıllarını abartıyorsun diye düşünmüştüm. Eğer kendi başına bir ayılmazsa, ben elime bir cımbız alıp hepsini yolacağım. Belki o zaman ayılır."

"Daha kolay bir yöntem biliyorum," dedi ve ayak parmağıyla adama vurduğu yere bastırdı. Böylece acıyı dindirmiş oldu. Taggert inleyerek gözlerini açtı.

"Bacağım. Galiba bacağımı kırdın," dedi.

"Ne olmuş?"

"Ne mi olmuş? Lanet olasica sen benim bacağımı kırdın. Kimsiniz siz? Eğer dini bir misyonla buradaysanız söyleyeyim, ikiniz de cehennemim dibini boylayacaksınız. Hırsızlık için geldiyseniz, çok şanssızsınız. Çünkü evde para saklamam."

"Akıllıca."

"Ne? Bana bak ukala herif, evimi nereden buldunuz? Benim kim olduğumu biliyor musunuz?"

"Marlin Taggert," dedi Keller. "Şimdi sıra sende."

"Ne sırası?"

"Benim kim olduğumu bilme sırası."

"Senin kim olduğunu nereden bileyim? Bekle bir dakika. Seni tanıyor muyum?"

"Ben de bunu soruyorum."

"Tanrım, sen o herifsin."

"Sanırım hatırladın."

"Çok farklı görünüyorsun."

"Başımdan çok şey geçti."

"Bak, işler planlandığı gibi gitmediği için üzgünüm tamam mı?"

"Bence her şey tam da planlandığı gibi oldu."

"Paranı alamadığın için kızgın olmalısın. Bu konuyu kolayca halledebiliriz. Tek yapmamız gereken konuşmak. Şiddete gerek yok."

İş gittikçe uzuyordu. Keller, adamın bacağına sert bir tekme attı ve Taggert çığlık atmaya başladı.

"Saçmalamayı kes," dedi Keller. "Bana tuzak kurdun ve öylece ortada bıraktın."

"Ben, bana söylenenleri yaptım. Bu adamı al ve şuraya götür dediler. Şunu anlat, bunu söyle anlıyor musun? Ben sadece işimi yaptım."

"Anlıyorum."

"Kişisel bir şey değildi. Bunu en iyi senin anlaman lazım. Iowa'da ne işin vardı? Kızıl Haç yardım kampanyası için gelmemiştin herhalde. Oraya işini yapmaya gelmiştin. Eğer sana 'bugün değil' demeseydim, bahçesindeki gülleri budayan o aptal herifi çoktan öldürmüştün."

"Çimlerini suluyordu,"

"Ne fark eder? Ağzımdan çıkacak tek bir sözle, hiç tanımadığın o adamı öldürecektin."

"Gregory Dowling."

"Demek adını biliyorsun. Bu her şeyi değiştirir. Demek istediğim kişisel bir meselen olmamasına rağmen gidip o adamı öldürecektin. Ben de yapmam gerekeni yaptım ve bu da kişisel değildi."

"Şimdi anladım."

"Öyleyse benden ne istiyorsun? Para mı? İçeride yirmi bin dolar var. Senin olsun."

"Evde para saklamadığını sanıyordum,"

"Ben de seni elinde İncil, kiliselere para topladığını sanıyordum. Ne olmuş? Parayı istiyor musun?"

Keller başını iki yana sallayarak hayır dedi. "İkimiz de profesyoneliz ve benim meselem seninle değil. Dediğin gibi sen işini yapıyordun."

"Öyleyse benden ne istiyorsun?"

"Bilgi."

"Bilgi mi?"

"İşi kimin için yaptığını bilmek istiyorum."

"Tanrı aşkına. Neden daha kolay bir şey sormuyorsun? Mesela Jimmy Hoffa nerede diye sorabilirsin. Longford'u kimin ortadan kaldırdığını öğrenmeye çalışıyorsun ama yanlış yerdesin adamım. Kimse bana bu bilgiyi vermez."

"Emri kimin verdiği umurumda değil."

"Onu öğrenmeye çalışmıyor musun? Kimi arıyorsun peki? Tetikçiyi mi?"

"Hayır. O da kendisine verilen işi yapıyordu."

"Sen ve ben gibi."

"Evet, bizim gibi. Tek bir farkla. Biz hâlâ hayattayız ama ben tetikçinin öldürüldüğüne bahse girerim."

"Bilemem."

Tabii ki bilirsin diye düşündü Keller ama adamın ölüp ölmediği umurunda olmadığı için konuyu uzatmadı. "Tetikçi ya da ona emir veren kişi beni ilgilendirmez. Eğer bana işe yarar bir isim vermezsen, senin de sonunun çok iyi olacağı söylenemez."

"Kimi öğrenmek istiyorsun?"

"Bana kısaca Al diyebilirsiniz," dedi Dot.

"Kim?"

"Seni arayıp beni kiralamanı söyleyen adamı," dedi Keller. "Sana emir veren adam. Patronun."

"Boşversene."

Keller adamın yarasına iyice bastırarak, tekrarladı. "Bana patronunun kim olduğunu söyleyeceksin. Mesele söyleyip söylememe meselesi değil, ne zaman söyleyeceğin o kadar."

"O zaman kim daha sabırlı çıkacak, göreceğiz," dedi Taggert.

Adamın sabrına hayranlık duymamak elde değildi. "Diğer bacağının da mı kırılmasını istiyorsun? Tabii yavaş yavaş diğer uzuvlarına da geçeceğiz."

"Sana istediğini verdiğim anda, öldüm demektir."

"Konuşmazsan da..."

"Konuşmazsam da ölmeyecek miyim? Belki evet, belki hayır. Bana göre seninle konuşsam da konuşmasam da, sen beni öldürmeden buradan ayrılmayacaksın. Ne kadar sessiz kalırsam, o kadar uzun yaşarım. Patronun kim olduğunu sana söylersem, yürüyen bir ölü olurum."

"Yürüyen bir ölü bile olamazsın," dedi Keller.

"Bu bacakla olmaz, haklısın. Sorun şu ki beni ya sen öldüreceksin ya da patron. Sonuçta öleceğim. O yüzden ne kadar yaşasam kârdır diye düşünüyorum."

"Bu düşüncende bir sorun var yalnız."

"Neymiş?"

"Er ya da geç karın eve gelecek. Çok güzel giyinmişti. Belki alışveriş yapmaya belki de arkadaşlarıyla buluşmaya gitti. Biz o gelene kadar gitmiş olursak, sorun yok. Eğer hâlâ burada olursak, onunla da ilgilenmemiz gerekecek."

"Masum bir kadını incitebilecek misin?"

"Çok canı acımaz. Ona da köpeğe yaptığım gibi yaparım."

"Köpeğe ne yaptın?"

Keller elindeki manivelayı bıçak gibi tutarak, havada bir şey kesiyormuş gibi yaptı. "Bunu yapmaktan nefret ediyorum ama birilerini ısırmadan önce ona engel olmalıydım."

"Tanrım," dedi Taggert. "Zavallı Sulky! Hayatı boyunca kimseyi ısırmamıştı. Yemeğini bile zar zor yiyordu. Neden böyle bir şey yaptın?"

"Başka seçeneğim yokmuş gibi geldi."

"Eminim zavallı yaşlı köpek gelip, yüzünü yalamıştır. Hayvanda kireçlenme vardı, yürüyemiyordu bile. Dişlerinin çoğu da dökülmüştü ve..."

"Görünüşe göre ona büyük bir iyilik yapmışım."

"Ben de kendimi kalpsiz sanırdım ama seni görünce bu düşüncemden vazgeçtim. O köpek ailenin bir parçası gibiydi. Çocuklarım onu çok seviyordu. Şimdi Sulky'nin öldüğünü nasıl anlatacağım onlara?"

"Köpek Cenneti diye bir hikaye uydurursun," dedi Dot. "Çocuklar bu numaraya hep inanır."

"Tanrım. Sen ondan daha soğukkanlısın."

"Çocuklardan bahsetmişken," dedi Keller. "Konuşmamakta ısrarlıysan, çocuklar eve geldiğinde..."

"Bunu yapabilir misin?"

"Yapmamayı tercih ederim ama çocuklar geldiğinde hâlâ burada olursak başka bir seçeneğim kalmaz. Ne dersin?"

Taggert, Keller'a, Dot'a ve kırık bacağına baktı. "Çok acıyor," dedi.

"Üzgünüm," dedi Keller.

"Tamam, sen kazandın. Kim olduğunu söyleyeceğim. Ya sen ya da o... İkinizden biri beni öldürecek ama ailemi rahat bırakın."

"Adı ne?"

"Benjamin Wheeler. Bu ismi hiç duymadın. Bu ismi kimse duymadı. Çünkü bu kahrolası bir sırdı,"

"Bana Ben diyebilirsiniz," dedi Dot.

"Tamam mı? Yeter mi?"

"Devam et," dedi Keller. "Adresini, işlerini, aklına gelen her şeyi anlat."

38

“Çocukların bilgisayarı çok güzelmiş,” dedi Dot. “Ayrıca bağlantı hızı da çok iyi. Google Resim Arama seçeneğine girip ‘Benjamin Wheeler’ yazıyorsun ve karşına binlerce fotoğraf çıkıyor. ‘Benjamin Wheeler - Portland’ yazınca arama kriterlerini daraltmış oluyorsun.” Dot, elinde üç fotoğrafla Taggert’ın yanına geldi. Fotoğrafların üçünü de tek tek gösterdi ve adam hepsinin ona ait olduğunu onaylarcasına başını salladı.

Keller fotoğraflardan birini eline aldı ve incelemeye başladı. Üç adam, bir atın yanında poz vermişti. Tabii bir de atın üzerinde duran jokey vardı. Adamlardan biri elinde bir kupa tutuyordu. Belli ki at, yarış kazanmıştı. Keller bu üç adamdan hiçbirini tanımıyordu.

Diğer fotoğraflara da bakınca, üçünde de görülen tek bir adam olduğunu fark etti. Fotoğrafların birinde yanında duran iki kadınla birlikte poz veriyordu; diğerinde de bir adamla konuşuyordu. Her fotoğrafta baskın öğe Wheeler’dı. Herkesten uzun ve gösterişliydi. Güzel kesimleri olan pahalı takım elbiseler giyiyor ve emekli bir atlet gibi görünüyordu. Saç kesimi güzeldi, teni bronzdu ve bıyığı vardı.

“Yatırımcı, sporcu ve pul koleksiyoncusu,” diyerek yazılanları okumaya başladı.

"Lanet olası bir adam," dedi Dot. "Kentsel gelişim komitelerinin hepsinde yer alıyor. Kültürel faaliyetler başkanı. Fotoğraftaki şu kadın opera sanatçısı. Fotoğraflardan birinde de yeni belediye başkanı ile el sıkışıyor. Üç fotoğraf bize yeter diye onun çıktısını almadım."

"Keşke yüz tane fotoğrafını bassaydınız," dedi Taggert. "Çünkü ona en fazla bu kadar yaklaşabilirsiniz. Elinize bir İncil alıp, kapısını çalabileceğinizi mi düşünüyorsunuz? Kale gibi bir evde yaşıyor. Yüksek bir tepede ve etrafı elektrik verilmiş tel örgülerle çevrili. Kapıda bir görevli sizi karşılıyor ve dahili telefonla içeriye haber verip onay bekliyor. Tel örgüleri aştınız diyelim; o zaman da köpeklerle baş etmek zorunda kalırsınız. Üstelik onlar Sulky gibi yaşlı ve zavallı da değil. Oh Tanrım, köpeğimi öldürdüğüne inanamıyorum."

"İnanma öyleyse."

"Köpekler Rhodesian Ridgeback cinsinden. Biri erkek, biri de dişi. Eğer birine vurmaya kalkarsan, elini bileğinden kopartır. Tabii diğerinin erkekliğine son verme çalışmalarına girişeceğini söylememe gerek yok. Onları da geçip eve ulaştınız diyelim; o zaman da dört silahlı korumayla karşılaşacaksınız. Wheeler evden çıkarken adamlardan ikisini yanına alır. Biri şoför, biri de koruma olarak yanında olur. Diğer iki adam da evi koruma altına alır."

"Bu kadar çok önlem aldığına göre pek çok insan onu öldürmeye çalışmış demektir."

"Neden? Bay Wheeler devletin saygın isimlerinden biridir. Belediye başkanı ve valiye ilk isimleriyle hitap eder. Bildiğim kadarıyla bugüne dek hiçbir tehdit almadı."

"Şaka yapıyorsun. Bu arada silahların nerede?"

"Benim silahlarım mı?"

"Evet," dedi ve eliyle ateş eder gibi yapıp devam etti. "Bang! Silahlar nerede?"

Küçük odada kilitli bir silahlık vardı ve anahtar tam da Taggert'ın söylediği yerdeydi. Keller çocukların da bu anahtara kolayca ulaşabileceğini düşündü. Silahı aldı ve cebine de mermileri doldurdu. Tüfeği silahlıkta bıraktı. Tüfek kullanmayı biliyordu ama hedefi isabet ettirmekte güçlük yaşayabilirdi. Silahla tek yapman gereken hedefe yaklaşıp ateş etmekti. Uçan bir kuşu vurmak zor olabilirdi ama sabit duran bir insanı kaçırmak imkansızdı.

"Onlar av silahı," dedi Taggert. "Son on yılda en fazla üç kez ava çıkmışımdır. Avcı olsaydım, böyle bir köpeğim mi olurdu sence? Köpeğimi öldürdüğüne hâlâ inanamıyorum."

"Bunu daha önce de söylemiştin. Peki tabancaların nerede?"

"Sadece bir tane var. Yatağımın yanındaki çekmeceli dolapta. Acil durumlar için."

Çekmecede bir revolver vardı. Keller bir an için eve bir hırsız girdiğini düşündü. Taggert silahı almak için odaya koşup anahtar arayacaktı. Gerçekten çok pratik bir yöntemdi.

"Senin bir profesyonel olduğuna inanmak çok güç," dedi Taggert. "Benim silahlarımı alıyorsun. Kendine ait bir silah bile yok mu?"

"Des Moines'de bana iki silah sunmuştun. O yüzden aklımda silah tedarikçisi olarak kalmışsın."

"Sen de revolveri seçtin. Onu kullanacağını düşündün mü gerçekten?"

"Hayır," dedi Keller. "Ama sonra çok işime yaradı."

"Bu tabancalarla Bay Wheeler'a zarar vermen imkansız. Senin yerinde olsam ne yapardım biliyor musun?"

"Söyle bakalım."

"Silahlarını yerine bırakır, burayı terk eder ve evime giderdim. Bay Wheeler peşine adam takmaz; çünkü senin burada olduğunu bilmiyor. Benden duymayacağı da kesin."

"Bacağını köpeğini bıçaklarken kırdığını söylersin."

"Tanrım, zavallı köpeğimi öldürdüğüne inanamıyorum."

"Bir konuyu açıklığa kavuşturalım. Eve dönme fikrini unut ve bize ona ulaşabileceğimiz bir yol söyle."

"Bay Wheeler demek istiyorsun."

"Evet."

"Benim silahımı kullanacaksın ve işi nasıl yapman gerektiğini de bana soruyorsun."

"Senin için büyük bir fırsat."

"Fırsat mı? Nasıl bir fırsat bu söyler misin?"

"Çok basit," dedi Keller. "Bu sayede hayatta kalabilirsin. Diyelim ki Wheeler'ın peşine düştük ve ikimizi de öldürdüler."

"Ki zaten öyle olacak."

"Yakalanırsak, sen de ölürsün. Çünkü kendisini ele verenin sen olduğunu anlayacaktır. Ne kadar yaşarsın, hele de bir bacağın kırıksa ve kaçamıyorsan?"

"Size yardım edersem ve onu öldürürseniz; geri gelip beni de öldürürsünüz."

"Yardım edersen, seni niye öldürelim?"

"Buradan kaçıp gitmek yerine neden Bay Wheeler'ı öldürmek istiyorsunuz? Beni neden öldürmek istiyorsunuz? Bence siz birer psikopatsınız. Zavallı Sulky'e yaptığına bir bak!"

"Tanrım," dedi Dot.

"Hâlâ inanamıyorum," dedi Taggert. "Zavallı köpeğimi bu şekilde öldürdüğüne inanmıyorum."

"Buna daha fazla dayanamayacağım," dedi Dot. Gitti ve Keller'ın kapattığı kapıyı açtı. Kapı açılınca köpeğin sesi geldi. Taggert başını çevirdi ve kendisine doğru gelmekte olan köpeği gördü.

"Aman Tanrım," dedi.

"İşte Sulky," dedi Dot. "Köpek Cennetinden döndü. Bahse girerim, buna da inanamazsın."

39

"Eğer bacağımı kırmasaydın, her şey çok daha kolay olabilirdi," dedi Taggert.

Keller, adama hak verdi. Çünkü Taggert'ı odadan çıkartıp, Cadillac'ın arka koltuğuna taşımak oldukça zor olmuştu. Taşırken kolaylık olsun diye ayak bileklerini çözmüşlerdi ama güvenlik gerekçesiyle elleri bağlı kalmıştı. Mutfaktan garaja geçerlerken epey zorlandılar. Sürekli etrafa çarpmak zorunda kalan Taggert, acı içinde bağırmaya başladı.

"İşin komik tarafı, kendi evimde öldürülmektense arabaya taşınmak için size yalvarabilirdim," dedi Taggert. "Karımın gelip de kocasını ölü bir şekilde yerde bulacağı düşüncesine katlanamıyordum. Zaten köpeğin ölüsünü bulmak yeterince kötü bir şey olacaktı. Tabii o an ben de köpeğimin öldüğüne inanmıştım."

"Şimdi köpeği kanlı canlı görebilir."

Taggert, bu cümlede sevindirici bir yan göremedi. Adam arka koltukta oturuyordu ve Keller onu göremiyordu. Bu yüzden de yola konsantre olamıyordu. Dot, diğer arabayla peşlerinden geliyordu. Evin garajı bomboştu. Hem garaj kapısı hem de evin kapısı kilitliydi. Eve geldiklerinin anlaşılması için silahların yokluğunun fark edilmesi gerekiyordu. Bir de çarpmanın etkisiyle bozulan lamba ve kül tablasının çarptığı yerde oluşan ufak hasar vardı.

"Bir sonraki soldan döneceksin," dedi Taggert. "Ne karımın ne de çocuklarımın beni o şekilde görmesini isterdim. Sana yardım etmekten başka bir seçeneğim yok. Bu sayede en azından evden uzakta bir yerde ölmüş olacağım. Yine de ölmüş olacağım, bu işten sağ kurtulmanın hiçbir yolu yok."

Keller karşı yönden gelen araçların geçmesini bekledi ve sola döndü. Aynadan Dot'ın arabasına baktı ve yol boyunca ilerleyip motele doğru gittiğinden emin olmak istedi.

"Bana bir fırsat sunduğuna inanmaya başladım," dedi Taggert. "Gerçek bir fırsat denemez ama hiç yoktan iyidir."

"Elektrik bağlantısını kesebileceğini düşünüyorum," diyen Taggert konuşmaya devam etti. "Elektrikleri kestikten sonra yapacağın iki iş var. Evi çevreleyen tellerde elektrik olmayacağına göre tellerin üzerinden atlayıp içeri girebilirsin. Gece gidersen daha iyi olur. Karanlıktan faydalanırsın. Evin içinde herkes sağa sola koşuşturmaya başlayacaktır."

Dot söze girdi. "Ya evde jeneratör varsa ve elektrikler kesildiği an devreye girerse?"

"İşte bunu bilemiyorum. Bay Wheeler büyük ihtimalle böyle bir sistem kurmuştur."

"Diyelim ki seni de yanımıza aldık. O zaman kapıdan geçebilir miyiz?" diye sordu Keller.

"Eğer geleceğimi önceden biliyorsa, kapıdakilere beni içeri almalarını söyler. Şimdi arasam ve bir şeyler uydurup kendisini görmek istediğimi söylesem. Nasıl olur?"

"Ne uyduracaksın?"

"Şu anda aklıma bir şey gelmiyor. Biraz düşünmem lazım."

"Öyle bir şey bulmalısın ki benim de seninle birlikte içeri girmem mümkün olabilsin. Bu işleri biraz karıştırır."

"Seni yakaladığımı ve esir aldığımı söylerim. İşte buldum. Onu arar ve Des Moines'deki adamın ortaya çıktığını, benim de onu yakaladığımı ve konuşturmak için kendisinin yanına getireceğimi söylerim. Seninle birlikte içeri girerim. Tabii inandırıcı olması için seni bağlamam gerekir. Bağlarken ipleri gevşek bırakırım ve sen de..."

Keller başını iki yana sallamaya başladı.

"Tamam daha iyi bir planım var," diyen Taggert heyecanla anlatmaya başladı. "Ben bir şeyler uydurup kendisini görmek için içeri girerim. Sen de bagajda olursun."

"Bagajda mı?"

"Benim arabamın bagajında. Arabayı park ederim. Bay Wheeler ve ben içeri gireriz. Vakti geldiğinde sen de bagajı açarsın ve..."

"Bagajı içerden nasıl açacağım peki?"

"Kaçırma olaylarına ya da oyun olsun diye bagaja saklanan çocuklara karşı tedbirli olmak için, bagajın içerden açılabilmesini sağlayan bir mekanizma var. Sen de bundan yararlanacaksın ve bagajı açıp dışarı çıkacaksın. Sonra da yapman gerekeni yaparsın."

"Çimleri biçmek gibi mi?"

"Buraya ne için geldiysen, onu yaparsın. Ortalıkta seni durdurabilecek kimse olmayacak. Tek sorun köpekler."

"Şu vahşi olanlar,"

"Evet vahşiler ama park halinde duran bir arabadan da şüphelenecek halleri yok ya,"

"Neden öyle diyorsun? Eli silahlı adamlar arabanın başına dikilip, bagajın açılmasını beklerken; köpekler de konuya yakından ilgi duyabilirler. Sen araba kullanırken, o da bagajda olacak öyle mi? Hiç sanmıyorum," dedi Dot.

"Bana inanmıyor musun?" diye sordu Taggert. Sesinden alındığı anlaşılıyordu.

"Sana inanmadığım gibi bu bacakla araba kullanabileceğine de inanmıyorum. Kırık bacağınla gaz pedalına nasıl basacaksın?"

"Diğer ayağımı kullanabilirim."

"Peki ya fren?"

"Değişen bir şey olmaz ki. Cadillac'da debriyaj pedalını kullanmaya gerek yok. Otomatik sistem."

"Şaka yapıyor olmalısın. Daha neler duyacağız acaba?"

"Ben elektrikleri kesme fikrini sevdim," dedi Keller. "Bence gündüz vakti elektrikler kesilirse, jeneratörü çalıştırmazlar. Sadece evin etrafındaki teller devre dışı kalmış olur, o kadar."

"Bir de televizyon," diye ekledi Dot. "Havalandırma ve fişi olan diğer tüm ev aletlerini de unutmamak lazım."

"Yine de gece gelmekten iyidir."

"O halde Bay Wheeler'ı evde öldürmek istiyorsun," dedi Taggert. "Hem de böyle bir günde. Çünkü bugün bütün golf oynayacak. Ne? Ben bir şey mi söyledim?"

Benjamin Wheeler'a ait üç golf sahası vardı. Golf oynarken yanına hep aynı ekibi alırdı. Yanında iki koruma olur, diğer ikisi de evde kalırdı. Yanına aldığı adamlardan biri arabada bekler, diğeri de ilk tur Wheeler'ın yanında yürürken diğer turlarda kulüp binasına giderdi. Böylece Wheeler oyunun geri kalanını, diğer oyuncularla birlikte tamamlardı.

Taggert, Wheeler'ın oyun için ilk tercihinin Rose Hill sahası olacağını söyledi. Dot Rose Hill'i arayarak, kendini diğer golf oyuncularından birinin sekreteri olarak tanıttı. Oyunu teyit ettirmek için aradığını söyledi ve İngiliz aksanlı sekreter saat 11:15'de başlayacağını ve üç kişilik bir oyun olacağını belirtti. Sonra da dördüncü birinin katılıp katılmayacağını sordu.

"Evet, üç kişi," dedi Dot. "Çünkü Bay Podston bugün gelemeyecek."

Dot telefonu kapatır kapatmaz Keller "Bay Podston mu?" diye sordu.

"Ne bileyim, aklıma o isim geldi. Sonuçta 11:15'de oyuna başlayacaklarını öğrendik. Çok vaktimiz yok,"

Rose Hill golf kulübüne girmek için kapıda görevliden geçmek ve diğer aşamaları atlatmak gerekiyordu. İçeri girdikten sonra da bir vale gelip, park etmek üzere arabanızı alıyordu. Keller giriş kapısından geçtikten sonra, kulübün internet sitesinden çıkardığı harita doğrultusunda ilerlemeye başladı. Dot, haritanın bir çıktısını almıştı. Wheeler'ı yakalayabilecekleri en uygun yer yedinci deliğin olduğu yerdi. 400 metrelik bir alandı ve sağ tarafında ağaçlıklar vardı. Wheeler yapacağı herhangi bir atışın ardından ağaçlıkların olduğu yöne ilerlemek zorunda kalacaktı ve Keller da tam bu bölgede onu bekliyor olacaktı.

Wheeler'ı yakalamayı planladığı yerin 40-50 metre ilerisinde bir park alanı vardı. Arabayı oraya park etti. Nedense içinden bir ses buraya park etmenin kurallara aykırı olduğunu ve bir polisin gelip de Oregon plakalı bu arabaya ceza kesebileceğini söylüyordu.

Tek sorun park sahasının, golf sahası içinde açılan yolların ters tarafında kalmasıydı. Ağaçlıklara ilerlemek için bu yoldan karşıya geçmek gerekiyordu. Keller için problem değildi ama bacağı kırık birini bu yolda yürütmek neredeyse imkansızdı. Keller adamın koluna girip, yürümesine yardımcı olabilirdi ama etraftakiler bu manzara karşısında nasıl bir tepki verirlerdi? Onlar golf sahasından karşıya geçinceye kadar, saha oyuna kapanmak zorunda kalırdı. Bu iki tuhaf görünüşlü adam karşıdan karşıya geçinceye kadar, diğer oyuncu grubu çoktan yedi numaralı deliğe geçmiş olurlardı.

Ayrıca Taggert yardım alsa bile karşı tarafa geçemeyebilirdi. Çünkü diğer bacağı da şişmiş ve morarmaya başlamıştı. Taggert ayaklarının şiştiğini söylediğinde ayakkabılarını çıkarmışlardı Şimdi daha da şişmiş ve neredeyse iki katına çıkmıştı.

Hayır, bu adamın bir yere kıpırdamasına imkan yoktu.

"Burada beklemek zorundasın," dedi Keller. "Bagajda."

"Bagajda mı?"

"Sandığın kadar rahatsız olmayacaksın. Zaten çok uzun süre kalmana da gerek olmayacak. İşimi bitirir bitirmez seni bir hastaneye götüreceğim ve gerekli bakımı yaptıracağım."

"Peki ya sen..."

"Ben geri gelemezsem mi?"

"Öyle demek istemedim."

"Haklısın. Böyle bir ihtimal var. Eğer geri gelmezsem, sen de bagajı içerden açan o mekanizmayı devreye sokarsın. Hatırladın mı? Sen kendin söylemiştin."

"Tüm bunları ellerim arkadan bağlıyken nasıl yapacağım?"

"Güzel soru," dedi Keller. Adamın ellerini çözdü ama Taggert'ı bagaja kaldırma işi sandığından çok daha zor oldu. Üstelik bütün o çabalama içinde adamın çığlıkları dinmek bilmedi. Bagaja girdiğinde kıpırdayamayacak haldeydi. Parmaklarını güçlükle hareket ettiriyordu ama omuzlarını kıpırdatmak imkansızdı.

"Çok uzun sürmez," dedi Keller. Silahları son kez kontrol etti ve içlerinin dolu olup olmadığına baktı. Sonra revolveri yanına alıp, diğerini bagajda bıraktı.

"Silahı yanıma mı bırakıyorsun?" diye sordu Taggert.

"O mu? Evet, yanımda taşımak istemiyorum. Dışarıdan bakan biri kolaylıkla fark edebilir."

"Yani benim yanımda bırakıyorsun."

"Çok büyük olduğu için yanıma almak istemiyorum."

Kendilerine doğru yaklaşmakta olan bir araç vardı. Keller başını diğer tarafa çevirerek adamların yüzünü görmesine engel oldu. Öte yandan Taggert, Keller'a teşekkür ediyor ve kendisine silahı yanında bırakacak kadar güvendiği için minnettar olduğunu söylüyordu.

Keller gitmeden önce döndü ve "Bu tam olarak güven duyduğum anlamına gelmez," dedi.

40

Dört golf oyuncusu bir araya gelip, oyun oynadıklarında onlara dörtlü denir. Oysa Benjamin Wheeler bugün yanına iki kişi alıp gelmişti. Bu durumda üçlü grup yapmış oluyorlardı. Bugünlerde üçlü grup, aynı yatağı paylaşıp ilginç pozisyonlar deneyen insanlar için kullanılıyordu. Keller üçlü yerine başka bir şey demeyi denedi. Üçleme olabilir miydi?

Yedinci deliğe yakın ağaçlıkların arasında beklemeye başladı. Ceketini arabada bırakmıştı. Üzerinde koyu renk bir pantolon ve polo tişört vardı. Golf oyuncusu gibi duruyordu. Kimseye görünmediğini düşünüyordu ama birileri onu gördüyse bile kıyafetleri yüzünden golf oynamaya geldiğini düşünmüş olmalıydı. Asıl sorun elinde sopa ve gerekli eşyalar olmadan ortalıkta dolaşıyor olmasıydı. Hatta ağaçların ve çalıların arasında gizleniyordu.

Gizlenmek şüphe uyandıran bir hareketti. Bu yüzden bir şeyler arıyor gibi görünmeliydi ama aklına hiçbir şey gelmiyordu. İnsan bunca ağacın arasında gizlenmek dışında ne yapabilirdi? Kaybettiği golf toplarından birini arıyor gibi yapabilirdi ama bu sefer de birileri çıkıp yardım etmek isteyebilirdi. Bu da Keller'ın isteyeceği en son şeydi.

En iyisi kimseye görünmemekti. Bu yüzden iyice gizlendi. Gelen her grubu yakından takip ediyor, Wheeler'ın aralarında olup olmadığına bakıyordu. Eğer o grupta değilse, tekrar gizlenme konumuna dönüyordu.

Keller bir zamanlar Tucson, Arizona'da bir ev kiralamıştı ve bu ev bir golf sahası sınırları içindeydi. O zamanlarda ne evle ne de golfle ilgileniyordu. Orada bulunmasının tek sebebi, avına yakın olabilmekti. O evde bir ay boyunca kaldı ve bu sayede golf kulübüne üye oldu. Kulübün barından ve restoranından faydalanabiliyordu. Golf oyuncularıyla arkadaşlık kurmuştu ama asla oyunlara katılmamıştı.

Çok büyük bir hayranlık duymasa da televizyondan golf müsabakalarını izlerdi. Golf sporunu basketbol ya da hokeyden daha anlamlı buluyordu. Yeşil sahayı izlemek dinlendirici olabiliyordu. Spikerler daha sakin konuşuyor ve hatta gerekmedikçe tek kelime etmiyorlardı.

Şimdi golf sahasının ortasındaydı ve ne spikerlere ne de reklam aralarına katlanmak zorundaydı. Yedinci delik bulunduğu yerin solunda, 200 metre ilerideydi. Sağ tarafı ise tamamen yeşilliklerle kaplıydı. Etrafında golf arabalarıyla oradan oraya geçen oyuncular vardı. Herkesin bildiği üzere golf, zengin sporuydu ama bu kadar az hareket içeren bir oyuna spor demek ne kadar doğru olurdu? *Bir tür yürüyüş* diye düşündü Keller. Tek fark, arada bir durup deliklere doğru atış yapılıyor olmasıydı.

Çok dikkatli olması gerekiyordu. Çünkü Benjamin Wheeler'ı tanıyıp tanıyamayacağından emin değildi. Fotoğraftaki yüz, oldukça belirgin hatlara sahip biri olduğunu gösteriyordu. Nerede görse tanırdı ama 200 metre öteden tanıyabilecek miydi?

Keller, aylardır ilk defa belinde silahla dolaşıyordu. Diğer silahı bagajda bırakmıştı ve bunun yerinde bir karar olduğunu düşündü. Yine de içinden bir ses evdeki tüfeği de alması gerektiğini söylüyordu. Tüfeği atış yapmak için kullanamazdı ama üzerindeki nişan dürbünü sayesinde gelenleri izleyebilirdi. Sahaya gelen her oyuncuya dikkatle bakıyordu ama Wheeler henüz ortalarda yoktu.

Yakında gelir, dedi kendi kendine. Saat 11:15'de buluşacaklardı. Yedinci deliğe gelmek ne kadar zaman alırdı? Dörtlü gruplardan bazılarının diğerlerine göre daha çok vakit harcadıklarını gözlemledi. Oyunculardan birkaçı istedikleri atışı yapana kadar iki ya da üç sopa değiştiriyorlardı. Ellerindeki sopayla hayali bir topa vurur gibi yapıp ve dakikalarca teknik geliştirmeye çalışıyorlardı. Diğerleri de doğruca topun başına gidip, atışlarını yapıyorlardı.

Hiç şüphesiz ki hızlı olanlar daha başarılıydı. Diğerleri oyalandıkça, hedeften uzaklaşıyorlardı. Keller tam olarak ne yaptıklarını bilmiyordu ama bazıları sonsuza dek orada kalacakmış gibi yavaş hareket ediyordu.

Büyük bir çoğunluk deliğe yakın atışlar yaparken, bir kısmı da topu Keller'ın bulunduğu yere doğru atıyor hatta ağaçlıkların arasında kaybediyordu. Keller, oyuncu gelip topu buluncaya kadar bir köşeye gizleniyordu. Eğer Wheeler da bu tür bir atış yapıp ağaçlıklara gelirse...

Gelmesine az kaldı, diye düşündü Keller.

Wheeler yedinci bölgeye gelir gelmez onu tanıdı.

Keller yeni gözlükleriyle tam bir atmacaya dönüşmüştü ama bu mesafeden kartal bile olsa adamı tanıyamayabilirdi. Wheeler'ın yüzü diğer tarafa dönüktü ama Keller o olduğundan emindi. Belki duruşundan tanıdı ama gördüğü an o olduğunu anlamıştı. Peki adamın duruşunu nereden biliyordu? Hayvansal bir içgüdü olsa gerek, dedi kendi kendine. Tıpkı avına yaklaşan yırtıcı bir hayvan gibiydi.

Adamı tespit ettikten sonra hiçbir sorunu kalmadı. Çünkü hedef tutturamama gibi bir kaygısı yoktu. Wheeler, mor bir pantolon ve civciv sarışı bir tişört giymişti. Pizza dilimi gibi duran bir şapka takıyordu. Görünüşe göre bu pizza kırmızı ve yeşil renkliydi.

Keller her zaman bankacı gibi giyinen bir adamın, golf sahasında adeta bir tavus kuşuna dönmesine şaşırdı. Yine de adamı bu şekilde tespit etmek çok daha kolay olmuştu.

Görünüşe göre geçen turda başka bir adam birinci olmuştu. Çünkü bu tur ilk atışı o yapacaktı. Topa vurdu ve uzağa atamasa da kendisini zora sokmayacak bir atış yaptı. Top yaklaşık 40 metre ileri gitti. Keller'a yaklaşmış sayılmazdı.

Sıra Wheeler'a geldi. Keller hemen harekete geçti. *Bu tarafa at Ben. Omuzlar gergin, vuruşunu yap ve bu tarafa gel.*

Keller bütün gün golf oynayanları seyretmişti ve bir an için bu oyunun hiç bitmeyeceğini düşündü. Wheeler'ın duruşuna bakılırsa, iyi bir atış yapamayacaktı. Profesyonel bir oyuncu gelip adamın duruşuna baksa, en az on kusur bulabilirdi. Wheeler baştan aşağı yanlış duruyordu ama belli ki topun yanlış kavramı oldukça farklıydı. Çünkü atışı Tiger Woods yapmışçasına uzağa gitti. Top yolu yarıladı ama Keller'ın beklediği yere gelmedi.

Sıra üçüncü oyuncuya geldi. Adam atışını yaptı. Keller bu atışı yapanın Wheeler olması için neler vermezdi. Oyuncu top çok uzağa gittiği için utancından eliyle yüzünü kapattı. Yanındakiler adamla dalga geçmeye başladı. Sonra hepsi birden eşyalarını topladı ve ikinci atışı yapacakları yere ilerledi.

Keller topu takip etti ve tam olarak nereye düştüğünü gördü. Bu sayede topun peşinden gelen oyuncuya görünmemek için güzel bir yere saklandı. Bu adam gerçekten çok ahmak olmalıydı. Çünkü her yere bakmasına rağmen, topu bulamadı.

"Hey Eddie yardım ister misin?"

Teklifi yapan Wheeler'dı. *Evet,* dedi Keller. *Evet lütfen buraya gel ve arkadaşına yardım et.* Ama Eddie teklifi reddetti. Bir dakikada topu buldu ve oyuna geri döndü.

Birkaç adımda adamı yakalarım diye düşündü. İlk oyuncu çoktan atışını yapmıştı. Sıra Wheeler'a geldi. Elindeki sopayı havada sallıyor ve atışı nasıl yapacağını düşünüyordu. Kimse ağaçların arasından oyunu izleyen Eddie'ye bakmıyordu. Birkaç adımda adamı yakalar ve silaha gerek duymadan ellerimle işini bitiririm diye düşündü Keller.

Buradaki adamları öldürmenin ne zararı var? Hepsi de birbirinden beter değil mi?

Bütün bunları kafandan uyduruyorsun dedi kendi kendine. *Hepsi de saçmalık ama iyi haber şu ki saçmaladığını bilen bir tek sen varsın.*

41

Sekizinci delik ve ağaçlık alanın diğer tarafı. Keller bulunduğu yerin az ilerisine giderek oyuncuları net görebildiği bir yer seçti.

Bu kez ilk atış hakkı Wheeler'daydı ve Keller adamın ağaçlara doğru bir atış yapmasını bekliyordu. Ağaçlık oyuncuların sağ tarafında kalıyordu ve Wheeler yine başka bir yöne atış yapmıştı. Topun düştüğü yer, Keller'ın uzağında kalıyordu.

Diğer oyuncu sol tarafa doğru atış yaparken, Eddie topu yine ağaçlık alanın tam ortasına atmıştı. Top, Keller'ın saklandığı yerin bir iki adım ilerisine düştü.

Sanki adam Keller'ın onu öldürmesi için elinden geleni yapıyordu. Sanki Keller bu iş için buraya gelmişti.

Keller gürültü yapmadan geri çekilmeye çalıştı. Filmlerde böyle bir sahne olduğunda, adam bir dal parçasına basar ve herkes çıkan gürültüye kulak kesilirdi. Keller de pek çok dala basmıştı ama kimse hiçbir şey fark etmedi.

Eddie toplu kolayca buldu ve oyun alanına döndü. Keller da haritaya bakarak, buradan sonra ne yapacağını kararlaştırmaya çalıştı.

Dokuzuncu delik, su kenarındaydı. Keller'ın saklanmasına imkan yoktu. Görünmez olmak için bir dalgıç kıyafetine ihtiyacı vardı. Onuncu deliğin yakınlarında da saklanacak uygun bir yer yoktu. O yüzden on birinci deliğe doğru yol aldı. Kendine uygun bir yer bulduğunda, bu alanda golf oynamakta olan iş adamlarını izlemeye başladı.

Bir sonraki grup, dört kişilikti. Wheeler ve adamları diğer adımları es geçerse ne yaparım diye düşündü.

Böyle bir şey olması mümkündü. Belki de çoktan kulübe dönmüşler ve oyun hakkında konuşmaya başlamışlardı. Bir yandan içkilerini yudumluyor, bir yandan da diğer kulüp üyeleriyle sohbet ediyor olabilirlerdi.

Elindeki fırsatı kaçırdığını anlamak için ne kadar beklemesi gerekecekti? Eğer gerçekten bu fırsatı kaçırdıysa, ne yapacaktı?

Önündeki olasılıkları değerlendirdi ve hiçbirini beğenmedi. Kendisini birkaç hafta daha Oregon'da tutacak sebepler aradı. Sonra yaklaşmakta olan ekibe baktı ve civciv sarısı tişörtü gördüğünde neşesi yerine geldi.

İlk atışı Eddie yaptı. Belli ki geçen tur, şansı yaver gitmişti. Hem Eddie hem de diğer adam topu deliğe yakın bir yere göndermeyi başarmıştı. Konuşulanlara kulak kesilince, diğer adamın adının Rich olduğunu öğrendi. Tıpkı diğerleri gibi Wheeler da başarılı bir atış yapmış ve bir sonraki deliğe doğru ilerlemişti.

On ikinci deliğe geldiklerinde Keller yine ağaçlıklara saklandı. Oyuncuların sağ tarafında kalıyordu. Eddie ve Rich atışlarını yaptılar. Eddie yine ağaçlara yakın bir yere atış yapmıştı. Sıra Wheeler'a geldiğinde topu aksi yöne attı ve ağaçların arasına gidip topu aramaya başladı. Bu kez de Keller uzak bir köşeye saklandığı için adama yaklaşamıyordu.

On üçüncü deliğin etrafı genişti ama hiç ağaçlık yoktu. Ağaçlar, sahadan oldukça uzaktaydı. İki seçeneği vardı. Ya ağaçları oyunculara yaklaştıracaktı ya da bir sonraki delikte beklemeye başlayacaktı.

Keller uzaktan oyunu izliyordu. Eddie ve Rich güzel atışlar yapmışlardı. Wheeler topa öyle bir vurdu ki ağaçları bile geçeceğe benziyordu. Fakat son anda işler değişti ve top bir kaya gibi ağaçlık alanın ortasına düşüverdi.

Mükemmel bir açıydı.

Keller bekledi, kimsenin onu göremeyeceği bir yere konuşlandı. Sanki ciğerlerinden gelen sesi duyacaklarmış gibi nefesini tuttu. Ayaklarını yere sağlam basarak dengesini kurdu. Keller belindeki silahı kavramak üzereyken, Wheeler ve arkadaşları, topu aramaya başladı.

Neden üçünü de öldürmüyordu? Gazetelerin ilk sayfasında kusursuz bir haber olabilirdi; "İş Dünyasının Önde Gelen Üç İsmi Rose Hill'de Öldürüldü,". Ne kadar zor olabilirdi ki? Kimseyi şüphelendirmeden adamlara doğru yürüyecek ve ateş edecekti. Mermi yetmezse, yarım kalan işini golf sopalarıyla tamamlayabilirdi.

Oysa olduğu yerde kaldı ve Wheeler topu bulana dek bekledi.

On dört, on beş, on altı. Fırsatları peş peşe kaçırıyordu. On yedinci delik son şansıydı. Çünkü on sekizinci deliğin etrafında saklanacak yer yoktu. Ya on yedinci delikte işi bitirecekti ya da Wheeler'ın peşinden gidip adamı duşta öldürecekti.

Belki de adamın peşini bırakmalıydı.

Bu gerçekten kötü bir fikir miydi? Hayatına kaldığı yerden devam edebilmesi için Wheeler'ı öldürmek zorunda mıydı? Bu işin sonunda bir para ödülü yoktu. Her şey kendisinin ve Dot'ın iyiliği içindi. Her şey intikam içindi.

İntikam almak ve durumu eşitlemek çok mu önemliydi?

Ben Wheeler'ı tanımıyordu ve Wheeler da onun kim olduğunu bilmiyordu. Büyük ihtimalle adını bile hatırlamıyordu ama Keller'a öyle bir oyun oynamıştı ki tüm hayatını elinden almıştı. En azından bir an için öyle olduğunu düşündü. Şimdi Dot'ın hayatta olduğunu biliyordu ve kendisi de bir milyoner olmuştu. Albany'e gittiği taktirde pullarına da kavuşacaktı. Dairesi elinden alınmıştı ve New York'daki hayatı sona ermişti. Doğduğundan beri kimliğinde yazan ismi bir daha asla kullanamayacaktı. Buna rağmen hayat devam ediyordu ve Keller da bu şekilde yaşamaya alışabilirdi.

Hatta alışmaya başlamıştı ve rahatı yerindeydi. New Orleans'ı da en a New York kadar sevmişti. Sevdiği bir işi vardı ve üstelik kimseyi öldürmek zorunda değildi. Ahşap döşemeleri bitirip, zemini cilaladıktan sonra eve gittiğinde, yaptığı işi unutmak için saatlerce eziyet çekmiyordu. Birlikte yaşamaktan zevk aldığı bir kadın vardı. Şu anda hiçbir şey yapmadan geri dönebilir ve Nicholas Edwards olarak yaşamaya kaldığı yerden devam edebilirdi.

Son turda Wheeler kazandı ve ilk atışı o yapacaktı. Keller oyuncuların sağında bekliyordu. Wheeler atışını yaptı. Top doğruca Keller'a doğru geliyordu. Bu kez de sahanın azizliğine uğradı ve top çalıların başladığı yere düştü.

Rich atışını yaptı. Oldukça yükseğe havalanan top, deliğe yakın bir mesafede yere düştü. Adamların üçü de topu takip ediyor ve nereye düşeceğini merakla bekliyorlardı. Keller bu durumu fırsat bilerek Wheeler'ın topunu aldı ve ağaçların arasına attı.

Hemen sırtını bir ağaca dayadı ve nefesini düzenlemeye çalıştı. Adamlardan biri onu görmüş olabilirdi ama görselerdi kesin bir gürültü kopardı. Yavaşça eğilip sahaya baktı. Üçü de deliğin etrafında toplanmış, Eddie'nin çantasından uygun bir sopa seçmesini bekliyorlardı. Sopalardan birini alıp, birini bırakan Eddie klasik atış alıştırmalarını yapmaya başladı. Sonunda topa vurdu ve nispeten başarılı bir atış yaptı.

Adamların üçü de topun başına gitti ve Eddie'nin ikinci atışını izledi. Sonra sıra Rich'e geldi. Wheeler bu esnada kaybolan topunu aramaya başladı.

Top, düştüğü yerde değildi. Wheeler etrafa bakınmaya başladı ve oldukça şaşkın görünüyordu. Ağaçların arasına gitmiş olabilirdi ama düştüğü yeri tam olarak gördüğüne emindi. Şimdi her yere bakmak zorundaydı.

Keller sesini fazla yükseltmeden "Hey dostum, bunu mu arıyorsun?" dedi.

Wheeler kafasını kaldırdı ve Keller'la göz göze geldi. Diğerleri de Keller'ı görmüş müydü? Hayır, ikisi de başka bir yöne bakıyordu. Yine de görünmemek için bir ağacın önünde durdu.

"Top bir taşa çarptı ve tıpkı bir tavşan gibi bu tarafa sekti. İşte tam burada."

"Bu tarafta olabileceğini hiç düşünmemiştim. Sana bir iyilik borcum var." dedi Wheeler.

"Ne olduğunu söylememi ister misin?"

"Nedir?"

"Dur bir dakika," dedi Keller. "Seni tanıyor muyum? Benjamin Wheeler değil misin?"

Wheeler tanınmış olmanın verdiği gururla gülümsedi. Sonra kaşlarını çattı ve Keller'a bakarak; "Sen de bir yerlerden tanıdık geliyorsun. Tanışıyor muyuz?" diye sordu.

Keller "Pek sayılmaz," dedikten sonra adam doğru yürüdü ve "Bana kısaca Al diyebilirsin," dedi.

42

"**Batı Griqualand.** Burası bir ülke mi?" diye sordu Julia.

"Eskiden öyleydi," Kataloğa uzandı ve aradığı sayfayı buldu. "İşte burada. 1873 yılında bir İngiliz kolonisiymiş. Sonra Doğu Griqualand ile birleşmiş ve 1880 yılında Cape Colony adını almış."

"Tam olarak neresi? Güney Afrika'da mı?" Evet anlamında başını salladı. "Doğu Griqualand pulları da var mı?"

" Doğu Griqualand'da pul basılmamış."

"Sadece Batı Griqualand pulları mı var?"

"Evet."

Julia, albümleri incelemeye devam etti. "Hepsi de birbirine benziyor."

"Hepsi de aynı bölgenin pulları ve üzerinde G damgası var."

"Batı Griqualand'ı temsilen, öyle değil mi?"

"Sanırım amaçları buydu. Bazıları kırmızı, bazıları da siyah. Birbirinden farklı G motifleri var."

"Her biri de ayrı bir pul serisi."

"Pek öyle sayılmaz."

"İlla bir anlam taşımak zorunda değil," dedi Julia. "Bu bir hobi ve sen de kurallara uymalısın. Hepsi bu kadar. Bazı G'ler ters basılmış."

"Buna devrik baskı denir."

"Diğerlerinden daha mı değerli?"

"Kaç adet basıldıklarına göre değişir."

"Eminim değerlidirler. Pullarını geri aldığına çok sevindim."

Golf sahasından arabaya doğru oldukça uzun bir mesafe yürüdü. Bu esnada birilerine yakalanmaktan korkuyordu. Araba bıraktığı yerdeydi. Biner binmez alışveriş merkezine doğru yola çıktı. Arabayı otoparka bırakıp, Dot'ı aradı. Ceketini alıp, içeri girdi.

Sinema, alışveriş merkezinin diğer ucundaydı. Antarktika Penguenleri adlı filme bir bilet aldı. Filmi daha önce izlemişti. Dot da izlemişti ama filmin sonunu bilmek o an için çok da önemli değildi. Arka sıraya oturdu ve birinin gelip de yanına oturduğunu son anda fark etti.

Gelen Dot'tı. Keller'a patlamış mısır uzatıyordu. Birlikte oturdular ve mısır bitene kadar tek kelime konuşmadılar.

"Eski filmlerdeki ajanlara benziyoruz. Bu filmi daha önce izlemiştin, değil mi? Ben de izledim. Geri kalanını izlemek zorunda mıyız?" diye sordu Dot.

Cevabı beklemeden kalktı ve Keller da onun peşinden ilerledi. "Bir parça bile mısır kalmamalı," diyerek paketin dibini kontrol etti. "Tabii yaşlı teyzeleri yemek olmaz. Bu kelimenin ne anlama geldiğini bilmiyorsun, değil mi?"

"Daha önce hiç duymamıştım," dedi Keller.

"Patlamayan mısıra yaşlı teyze denir. Tamam mı? Peki işler nasıl gitti, her şey hazır mı?"

"Her şey hazır. Arabayı güzel bir yere park ettim. Birileri gelip de bulana dek en az iki gün geçer. Silahı bagajda bıraktım."

"Kullandığın silahı mı..."

"Hayır tabii ki. Bu saçma bir hareket olurdu. Ben revolveri kullandım ve sonra da Wheeler'ın eline bıraktım."

"Silahı adamın elinde mi bıraktın?"

"Neden olmasın? Sence de kafa karıştırıcı olmaz mı? Boynu kırılmış bir adam ve elinde silah duruyor. Silahı Taggert'la ilişkilendirdiklerinde, ellerinde güzel bir hikaye olur."

"Portland'ın karanlık dünyasında hesaplaşma."

"Öyle bir şey işte."

"Yarın sabah uçuyoruz. İki aktarma yapacağız. Zaman farkını da hesaba katarsak, Albany'e varmamız tam bir gün sürecek."

"Bence uygun."

"Havaalanına yakın bir motelde iki oda ayırttım ve bir de araba kiralamalarını istedim. Çarşamba günü ilk işimiz Latham'daki depoya gitmek olacak. Sonra sen beni havaalanına bırakırsın."

"Oradan Sedona'ya mı geçeceksin?"

"Rotada biraz değişiklik yaptım. Sana bir şey söyleyeyim mi Keller, ben bu işler için çok yaşlandım."

"Yaşlanan tek insan sen değilsin."

"Eve gidince uzun süre dinleneceğim. Sonra da kendime bir buzlu çay alıp verandaya oturmayı düşünüyorum."

"Verandaya oturup Bell Rock'ı dinleyeceksin."

"Ding Dong. Ding dong demişken Big Ben'le işler nasıl gitti?"

"En zor kısmı, bütün gün adamın peşinden gitmek oldu. Onların altında minik golf arabaları vardı ama ben bütün o yolu yürümek zorundaydım."

"Şanslısın Keller. İşte bu yüzden şu anda ondan daha zinde görünüyorsun. Senin kim olduğunu biliyor muydu?"

Son sahneyi Dot'a olduğu gibi aktardı. "Tabii bu sözlerin ona bir şey ifade edip etmediğini bilmiyorum. Gözünde bir ışık belirdi ama bu başına gelecekleri anladığı için de olabilirdi."

"Sopayı bu kez boşa salladı desene. Peki ya Taggert?"

"Adam bacağı kırık bir şekilde bagajda duruyor. Çok da zor bir hedef sayılmazdı."

"Aklını kullandın da ondan."

"Aklımı mı?"

"Adamla işbirliği yapman işe yaradı demek istiyorum."

"İşbirliği yaptı; çünkü yapmak zorundaydı. Hayatta kalabileceğine inandı ama onu serbest bırakmak bir an bile aklımdan geçmedi. Böyle bir risk almak mümkün değildi."

"Beni ikna edici sözler söylemene gerek yok Keller."

"Onu daha fazla kandırmak istemedim. Zaten başına gelecekleri anında kavradı. Çok da şaşırmışa benzemiyordu. Belli ki hayatta kalamayacağını anlamıştı."

"Geçmişte yaptıklarının bedeli olsa gerek."

"Öyle olmalı. Üstelik ona iyilik yaptığımız bile söylenebilir. Karısının eve gelince onun cesediyle karşılaşmamasını istedi, biz de adamı evden çıkardık. Köpeğini de öldürmedik."

"Ayrıca fazladan güzel bir yarım saat geçirdi. Hatta bir saat bile denebilir. Köpek yılıyla hesaplarsan, ne kadar uzun bir zamana tekabül ediyor bilsen, şaşırırsın."

Üç kez aktarma yaptıktan sonra motelde on saat geçirip, Albany'den Latham'a doğru yol aldılar. Pul koleksiyonunu, saklandığı kasadan çıkartıp Keller'ın son kiralık arabası olan Toyota Camry'e koydular. Araba oldukça rahattı ve albümlerin ağırlığı da eklenince yol tutuşu çok daha iyi bir hal aldı.

"Önünde uzun bir yol var," dedi Dot. "Sanırım albümleri kargoyla gönderip, eve uçakla gitme fikrine pek sıcak bakmıyorsun. Hayır mı? O zaman sana iyi yolculuklar Keller. Pullarına kavuşmana sevindim."

"Ben de senin hayatta olmana çok sevindim."

"İkimizin de hayatta olmasına ve diğerlerinin ölmüş olmasına. Eğer yolun Sedona'ya düşerse..."

"Ya da senin yolun New Orleans'a düşerse."

"Haklısın. Acil bir durum olduğunda hemen telefon aç, olur mu? Numarayı kaybedersen, sarı sayfalardan bakabilirsin. Kendimi listeye eklettim."

"Wilma Corder."

"Arkadaşlar arasında Dot olarak tanınır. Buraya kadar Keller. Kendine dikkat et."

New Orleans'a gitmek üç gün sürdü. Daha hızlı gidebilirdi ya da daha az mola verebilirdi ama bu kez yolculuğun tadını çıkarmak istedi.

İlk gece I-81 otoyolu üzerindeki Red Roff Inn'de kaldı. Pulları arabanın bagajında bırakmıştı. Odasına girdikten yaklaşık bir saat sonra resepsiyona indi ve giriş katında bir odaya geçmek istediğini söyledi. Odalar değiştirildiğinde, albümlerin tamamını bagajdan alıp odasına taşıdı.

İkinci gece kaldığı yerde de giriş katından bir oda tuttu. Üçüncü gece eve varmıştı ve arabayı garaja park etti. Kapıyı anahtarıyla açtı, Julia'nın mutfakta olduğunu gördü. Birkaç saat hasret giderdiler ve sonra gidip pulları içeri taşıdılar.

Donny, Keller'ın geri dönmesine çok sevindi. Julia ve Keller, bir aile meselesi için gittiğini söylemişlerdi. Sözüm ona Keller'ın en sevdiği amcası küçük bir kriz yaşıyordu. Donny birkaç soru sordu ama Keller hepsini kibarca geçiştirdi. Sonunda konu Donny'nin bulduğu yeni eve geldi. Keller biraz olsun rahatlamıştı.

Kahvelerini içtikten sonra, Julia "Linn's gazetesine göre yeni nesil çocuklar pul koleksiyonculuğuna ilgi göstermiyorlarmış," dedi.

"İnternette bir sürü porno site var ve kablolu televizyonda da yüzlerce kanal var. Benim çocukluğumda bu kadar çok seçenek yoktu," dedi Keller.

"Üstelik ödevler de daha çok. Sanırım bizim de Çince öğrenmemiz gerekecek."

"Sence işe yarar mı?"

"Hayır," dedi Julia. "Bence erkek olursa filateli konusunda daha meraklı olur. Kelimeyi doğru söyledim mi?"

"Bugüne kadar kimse bu kadar güzel ve doğru söylememiştir."

"Babası ilgilenirse, çocuğumuz da bir filateli düşkünü olabilir."

"Billy bu filateli, filateli bu da Billy."

"Sence işe yaramaz mı?"

"Sanırım yarayabilir. Ben babamı hiç tanımadım."

"Biliyorum."

"Ama tanısaydım ve o da pul koleksiyoncusu olsaydı... Sonuçta ben bu işe kendi kendime başladım."

"Neler olabileceğini tahmin etmek güç tabii. Önemli olan başlamış olman."

"Haklısın."

"Belki de bir baba olarak neler yapabileceğini araştırmalısın."

Keller Julia'ya baktı.

"Belki erkek olur," dedi Julia. "Sen de ona pullar hakkında bildiğin her şeyi anlatırsın. Batı Griqualand'ın nerede olduğunu da. Tabii biraz beklemen gerekecek. Önce yürümesi ve konuşması lazım."

"Bana daha önce cinsiyetini söylememiştin değil mi?"

"Hayır."

"Ama şimdi söylüyorsun."

"Sayılır."

"Bir oğlumuz mu olacak?"

"Emin değilim. Yüzde elli ihtimalimiz var. Henüz ultrasona girmedim. Sence cinsiyetini öğrenmeli miyiz? Ben hep son ana kadar beklemekten yanaydım ama şimdi elimizde öğrenmek için iyi bir fırsat var. Beklemek saçmalık olur. Ne dersin?"

Keller "Sanırım ben biraz daha kahve istiyorum," dedi ve gidip kendine kahve aldı. Tekrar masaya döndü ve kaldığı yerden devam etti. "Des Moines'e gitmeden önce bana bir şey söylemek istiyordun. Bebeği mi söyleyecektin?"

"Evet ama beklemekte haklı olduğumu görüyorum."

"Söyleseydin, gitmeyebilirdim."

"Bu yüzden söylemedim ya."

"Çünkü gitmemi istedin."

"Çünkü seni durdurmak istemedim."

Keller biraz düşündü ve onaylarcasına başını salladı. "Bu söylememe sebeplerinden sadece biri. Diğeri neydi?"

"Ne düşüneceğini bilemedim."

"Bunu nasıl söylersin? Şu anda ne hissettiğimi tarif edemem. Heyecanlıyım, mutluyum ama..."

"Gerçekten mi? Heyecanlı ve mutlu musun?"

"Elbette. Sen ne düşüneceğimi sandın?"

"Bilmiyorum. Belki benden bir istekte bulunabilirdin, bilirsin işte."

"Nasıl bir istek?"

"Bir şey yaptırmamı isteyebilirdin."

"Kürtajı mı kastediyorsun?"

"Ben bu bebeği o kadar çok istiyordum ki..."

"Böyle bir şey aklımın ucundan bile geçmezdi."

"Yine de aldırmamı istersin diye korktum."

"Asla."

"Belki kız olur," dedi Julia. "Kızlar pul koleksiyonculuğu yapar mı?"

"Neden olmasın? Bu iş için daha çok zaman ayırabilirler. Çünkü internetteki porno sitelerinde vakit harcamazlar. Bilirsin, bu işler biraz vakit alır."

"Bilirim."

"Ben baba oluyorum."

"Babişko."

"Tanrım. Bir aile oluyoruz. Bunu hiç düşünmemiştim. Hiç ihtimal vermiyordum. Bir aile istediğimden bile emin değildim."

"Şimdi ne düşünüyorsun?"

"Evlenmemiz gerektiğini düşünüyorum. Eninde sonunda evleneceğiz, öyle değil mi?"

"Bunu yapmak zorunda değiliz. Biliyorsun, değil mi?"

"Elbette yapmak zorundayız. Ben zaten Albany'den ayrıldığımdan beri bu konuyu düşünüyordum."

"Her gece pulları içeri taşırken mi?"

"Şimdi düşününce saçma geliyor ama işi riske atamazdım. Haydi küçük hanım, ayağa kalkınız lütfen."

Julia ayağa kalktı. Keller Julia'ya sarılıp öptükten sonra "Bunların başıma geleceğini hiç düşünmemiştim," dedi. "Hayatım sona erdi sanıyordum. Öyle de oldu. Bu evde yeniden doğdum."

"Hem de açık kahverengi saç rengiyle doğdun."

"Fare kahvesi."

"Hem de gözlüklüsün."

"Çift odaklı. İtiraf etmeliyim ki pulları incelerken, gözlüklerin çok işe yaradığını fark ettim."

"İşte bu çok önemli," dedi Julia.

DEJA VU

Hart, 25 dile çevrildi, 31 ülkede okuyucuyla buluştu. Publishers Weekly tarafından yılın en iyi kitapları arasında gösterildi. En iyi ilk kitap dalında Edgar ödülüne aday oldu. Macavity, Barry, Anthony, SIBA ve Gumshoe ödüllerini aldı.

Bir anın gerçekliğine inanıp kimseye anlatamadığınız oldu mu?

Hapishaneler umutsuzluk kokarmış! Bence hapishane koksa koksa korku kokar: Gardiyan korkusu, dövülme veya grup tecavüzüne uğrama korkusu, bir zamanlar sizi sevmiş ama artık sevmeyebilecek olan kişiler tarafından unutulma korkusu. Ama en çok, zaman ve zihnin kuytu köşelerine sinen karanlık düşüncelerin korkusu. Zaman doldurmak, derler – ne komik. Bana kalırsa, zaman sizi doldurur.

Work bir yandan babasının cinayetiyle ilgili sır perdesini kaldırmaya çalışırken, diğer yandan Barbara ile zoraki evliliği, gizemli sevgilisi ile mutsuz kaçamağı ve duygusal bir travma yaşamış olan kızkardeşi Jean arasında gidip gelmektedir.

Bu arada güzel ve zeki bir dedektif olan Mills, aleyinde ne kadar delil varsa toplayıp onu babasının katili ilan eder ve köşeye sıkıştırmaya çalışır. Work gerçeklerin peşinden gittikçe eski yaralar kanayacak ve geçmişte aldığı kararlarının sonuçları ile yüzleşmek zorunda kalacaktır.

BİR CİNAYETİN PSİKANALİZİ

34 ülkede yayınlandı, 2007'de İngiltere'de yılın kitabı seçildi

Bir Cinayetin Psikanalizi, 1909 yılında sıcak bir Ağustos akşamı Sigmund Freud'un, rakibi ve öğrencisi Carl Jung ile birlikte New York'a gelmeleriyle başlıyor. Şehrin diğer ucunda, şehri tepeden gören muazzam bir apartman dairesinde, çok güzel bir kadın avizeye asılmış bir şekilde ölü bulunur; cinsel işkenceye maruz kalmış, kırbaçlanmış, kesilmiş ve boğulmuştur. Ertesi gün, asi bir mirasyedi olan bir başka güzel kadın katilin elinden kıl payı kurtulur. Ama bir histerik olan Nora Acton, saldırıyla ilgili hiçbir şey hatırlamamaktadır. Amerika'nın ilk psikanalistlerinden Dr. Stratham Younger, Freud'un rehberliğinde onu tedavi etmeye başlar.

Freud, Jung'un rekabetçi ruhuyla ve kendisini yok etme komplolarıyla uğraşırken, entrikalar, maskeler ve insan zihninin hileleriyle dolu bir cinayet gizeminin içine düşen kişi Younger oluyor.

Akıcı bir dille yazılmış olan ve etkileyici gerçek detaylara dayanan Bir Cinayetin Psikanalizi, yeni bir romancının hayranlık uyandıran yeteneğini gözler önüne sererken, Freud, Carl Jung ve Hamlet hakkında bildiklerinizi gözden geçirmenize neden olacak.

SON TAPINAK ŞÖVALYESİ

TÜRKİYE'NİN GİZEMLERLE ÖRTÜLÜ BİR SAHİL KASABASINA UZANAN, OLAĞANÜSTÜ SAHNELERİN SOLUK KESİCİ TARİHİ GÖZLEMLERLE MÜTHİŞ BİRLEŞİMİ

Yoğun ateş ve parlayan kılıçlar altında yanmakta olan Kudüs, 1291'de Batı'nın elinden kayıp Müslümanların eline geçtiği sırada, genç bir Tapınak Şövalyesi, kılavuzu ve bir avuç şövalyeyle birlikte, örgütün ölmek üzere olan Büyük Üstad'ı tarafından kendilerine emanet edilen gizemli bir sandığı gemiyle kaçırmaya çalışmaktadır. Gemi ardında hiçbir iz bırakmadan yok olur.

Ve bugün... Manhattan'da Tapınak Şövalyeleri gibi giyinen dört maskeli süvari Central Park'ta ortaya çıkıp, Vatikan hazinelerinin galasının yapıldığı Metropolitan Sanat Müzesi'ne doğru ilerlemektedir. Süvariler, kalabalığın arasından geçerek, hazineyi yağmalamalarına engel olmaya çalışan herkese vahşice saldırırlar. O sırada müzede olan Arkeolog Tess Chaykin, süvarilerin liderinin onca değerli eser arasında özellikle tuhaf bir ortaçağ şifre çözücüsüyle ilgilenişini sessizce izlemektedir. Diğer atılılarla birlikte gecenin karanlığına karışmadan önce, lider süvari bu şifre çözücü aygıtı büyük bir saygıyla alırken ağzından esrarlı birkaç Latince kelime dökülür...

KUSURSUZ KATİL

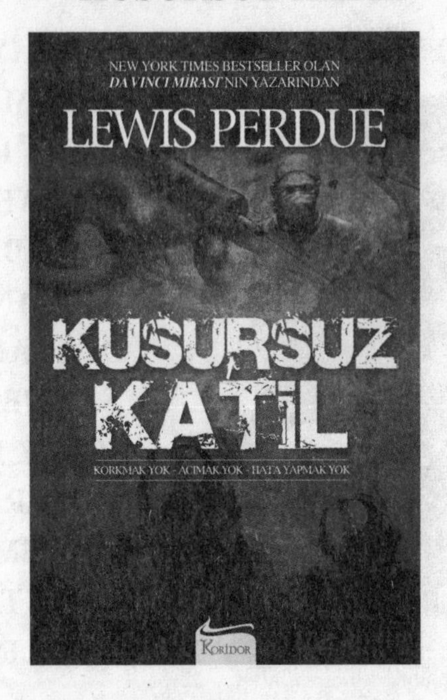

Beyin Cerrahı Brad Stone eskiden tanıdığı bir kadınla karşılaşınca son derece şaşırtıcı bir gizemle yüz yüze gelmiş olur. Neden siyahi bir insan hakları savunucusu ölüm cezasına çarptırılmak üzere olan bir beyaz katili kurtarmak ister ki?

Bu sorunun yanıtı sonunda insanı öldürme makinesine dönüştürmek amacıyla geliştirilen projede gizlidir. Sıradan askerleri acımasız ve son derece etkili birer katile dönüştürecek bir ilaç. Şimdi, onlarca yıllık denemeden ve hatadan sonra bu ilaç kişiyi mahveden yan etkilerine karşın yaygın olarak kullanılmaya hazır hale gelmiştir.

Dr. Stone bu çalışmanın tam olarak neyi amaçladığını anlayamadan proje sahibinin eski bir savaş kahramanını başkan olarak seçtirme niyetini tespit eder. Hayatına geri dönebilmek, gerçeği ortaya çıkarmak için Stone olayın tam içine girmek ve ilacın kalıcı yan etkileri yüzünden tam bir sosyopat haline dönüşmüş bu 'öldürme makinesinin' Birleşik Devletler Başkanı olmasından önce bu komployu tüm hatlarıyla tespit etmek zorundadır.

AZINCOURT

Genç Nicholas Hook başaramadığı bir iş yüzünden lanetlenirken, yaptığı bir hata sonucu sürgüne gönderilir. İngiltere'de aranan bir adam olan Hook, Fransa'da okçu olarak katıldığı savaşta, sevebildiği iki şey olduğunu fark eder: Savaşma içgüdüleri ve başı belada olan gizemli bir kız. Uğruna çok şeyi feda ettiği bu kızla birlikte, bütün Avrupa'yı alt üst eden Soissons'taki kanlı katliamdan kurtulmayı başarırlar. Hiçbir seçeneği kalmayan Hook, yakalanmasının ölmesi anlamına geldiği evine, İngiltere'ye dönmek zorunda kalır. Şansı yaver giden Hook, İngiltere Kralı V. Henry tarafından üstün yetenekli bir okçu olarak keşfedilir ve Fransa'yı fethetmek üzere yola çıkan İngiliz ordusuna katılır. Şimdiye kadar gördüklerinden çok daha ürkütücü olan düşmana karşı, Kralın en büyük umudu Hook'un da aralarında olduğu gözü pek okçularıydı.

Azincourt'u okurken savaşı iliklerinize kadar hissedecek, hem İngilizlerin hem de Fransızların gözünden tarihi tekrar yaşayacaksınız. Bernard Cornwell savaştaki askerler ve koşulları okuyucunun zihninde canlandırma konusunda mükemmel bir beceriye sahip.